' Le grand incendie de Londres '

Du même auteur

Fiction & Cie

Jacques Roubaud
' Le grand incendie de Londres '

Récit, avec incises et bifurcations
1985-1987

Seuil

27, rue Jacob, Paris VI

CE LIVRE EST LE CENT DIX-SEPTIÈME TITRE
DE LA COLLECTION « FICTION & CIE »
DIRIGÉE PAR DENIS ROCHE

ISBN 2-02-010472-5.

© ÉDITIONS DU SEUIL, JANVIER 1989.

Avertissement

En traçant aujourd'hui sur le papier la première de ces lignes de prose (je les imagine nombreuses), je suis parfaitement conscient du fait que je porte un coup mortel, définitif, à ce qui, conçu au début de ma trentième année comme alternative à la disparition volontaire, a été pendant plus de vingt ans le projet de mon existence.

Mon intention initiale était d'accompagner la réalisation de ce *Projet* d'un récit, un roman qui, sous le vêtement d'une transposition dans l'imaginaire d'événements inextricablement mélangés de réel, en aurait marqué les étapes, dévoilé ou au besoin dissimulé les énigmes, éclairé la signification.

Le Grand Incendie de Londres (tel était le titre qui s'était imposé à moi depuis un rêve, peu de temps après la décision vitale qui m'avait conduit à concevoir le *Projet*) aurait eu une place singulière dans la construction d'ensemble, distinct du *Projet* quoique s'y insérant, racontant le *Projet*, réel, comme s'il était fictif, donnant enfin à l'édifice du *Projet* un toit qui, comme ceux des demeures japonaises débordant largement des façades et s'incurvant presque jusqu'au sol, lui aurait assuré l'ombre nécessaire à sa protection esthétique.

Il n'en a pas été ainsi.

Sans doute quelques pans de mur (pour poursuivre cette métaphore maçonnière) ont été élevés; des fragments provisoires du *Projet* ont vu le jour çà et là, non sans déformations, déplacements et excroissances dont la signification, s'il y en a une, m'échappe. Ce qui fait, par exemple, que des textes publiés existent, qui pourraient faire illusion. Mais *le Grand*

Incendie de Londres, lui, n'a pas avancé d'un pouce pendant ce temps.

A plusieurs reprises, inquiet de ce qu'un tel retard faisait courir de dangers à l'ensemble de l'entreprise, je me suis efforcé d'y remédier : j'ai accumulé des notes et des bribes ; j'ai assemblé plans, épures, squelettes ; j'ai dressé des tables d'événements ; collectionné mentalement lieux, moments, objets ; appelé à mon secours, lecture stimulante, les grands romans anglais ou autrichiens. J'ai tout essayé en vain.

Aucune des grandes conceptions du roman, me disais-je, qu'elles soient traditionnelles ou modernes (et postmodernes encore moins), n'est adéquate à l'originalité irréductible de mon *Projet*. Il me faut chercher ailleurs modèles, guides, impulsions. C'est dans ce but que j'ai dévoré les aventures de l'éblouissant prince Genji, mises en prose victorienne par Arthur Waley ; que je me suis perdu avec délices dans les entrelacements forestiers, les ' laisses ' et les ' branches ' du vieux *Lancelot en prose*. Ces diversions m'ont procuré d'intenses joies de lecteur. Elles ont contribué efficacement à l'emploi du temps de mes journées, ponctuation silencieuse de tâches plus austères. Elles n'ont pas, hélas ! suscité en moi une seule phrase de récit.

Je sais maintenant (et c'est à partir de cette certitude, enfin parvenue à l'explicite, que je vais tenter un nouveau, un ultime départ) non seulement que je n'approcherai ni Sterne, ni Malory, ni Murasaki, ni Henry James, ni Trollope, ni Szentkuthy, ni Melville, ni Queneau, ni Nabokov ; qu'aucune prose signée de moi ne rivalisera jamais avec *l'Homme sans qualités*, *Mansfield Park*, *Un rude hiver*, *la Coupe d'or* ou *la Conscience de Zeno*. Mais surtout que *le Grand Incendie de Londres* n'a pas été écrit parce que le *Projet* a échoué, parce qu'il ne pouvait qu'échouer.

Ce que je commence ici est plus modeste. Pour tenter d'expliquer (et simultanément de déterminer pour moi-même) ce que cela sera, il me faut d'abord dire ce qui aurait pu être. Et il ne s'agit pas seulement d'un *Roman* et d'un *Projet*.

BRANCHE UN

Destruction

récit

chapitre 1

La lampe

1 Ce matin du 11 juin 1985

Ce matin du 11 juin 1985 (il est cinq heures), pendant que j'écris ceci sur le peu de place laissé libre par les papiers à la surface de mon bureau, j'entends passer, dans la rue des Francs-Bourgeois, deux étages plus bas à ma gauche, une voiture de livraison qui s'arrête devant l'ex-Nicolas, sans doute, à côté de la boucherie Arnoult.

Le moteur tourne, et, tandis que j'écoute le bruit des voix et des caisses, vient de s'éloigner invisiblement le moment intense d'angoisse et d'hésitation à commencer à écrire ceci, en lignes qui seront noires et serrées, aux lettres minuscules, sans ratures, sans repentirs, sans réflexion, sans imagination, sans impatience, sans promesses sinon de leur existence assurée ligne après ligne sur la page de cahier où je les écris.

Et j'écris seulement pour poursuivre, pour échapper à l'angoisse qui m'attend dès que je m'interromps, dès que je suspends leur progression incertaine et maladroite, pour que ce recommencement, après tant d'inquiétude et de paralysie, ne soit pas à son tour un simple faux départ de l'entreprise de prose à laquelle je m'efforce, vainement, depuis tant d'années.

J'écris que l'été a fait un brusque pas en avant, ou que peut-être le ciel, qui ne m'apparaît pas, est seulement pour un moment découvert, mais la nuit me semble moins entière derrière les volets de ma fenêtre.

Cela m'inquiète, j'ai besoin d'être dans la nuit finissante mais

13

profonde pour trouver le courage minimal d'avancer, même inutilement, ceci.

Mais il est vrai, et comment pourrait-il en être autrement, que désormais tout m'inquiète, me décourage, pour ne pas employer de mots plus violents.

Pour ce matin de recommencement, je me suis préparé à l'obscurité finissante (trois heures du matin, solaires) : je me suis obligé, depuis plusieurs matins semblables, à m'accoutumer à l'idée de remplir régulièrement et lentement de lignes noires ces pages, sous le cône de la lampe noire qui serait, comme il va l'être, comme il est en train de l'être, lentement combattu, affaibli, brouillé, envahi par la clarté insidieuse qui se déverse lentement du ciel invisible dans la rue.

Et, par l'accumulation de tels matins interchangeables, le cahier et la lampe toujours au même endroit, le jour venant toujours semblablement diluer, troubler, emmêler, immerger le cercle d'isolement où je fais effort, un peu plus tôt seulement chaque journée vers l'été, un peu plus tard ensuite jusqu'à l'automne, et l'hiver, et ainsi de suite, je conserverai aussi intacte et inchangée que possible l'impulsion du moment initial que je rapporte ici pendant qu'il passe.

Dans cet intervalle, entre l'instant d'avant l'aube où je me mettrai à bouger du noir sous la lampe et celui où, malgré les volets, la lumière du jour emplissant le carrefour dissoudra finalement le jaune électrique sur le papier, dans cet intervalle quotidien de ma vie maintenant vide, j'écrirai.

2 *Je voudrais, en somme*

Je voudrais, en somme, conserver quasi immuables les conditions d'une expérience le plus possible quotidienne de prose ; que le lieu en soit presque invariable, le temps fixe ; que les signes que j'écris, et qui s'ajoutent, se poussent l'un l'autre dans mon cahier, s'arrêtent sur cette image de quasi-permanence, soient comme tracés en elle, enfermés entre ses bords.

Et j'essaierai de le faire apparaître, chemin faisant, par la description.

Je trouve bien évidemment une consolation, infime mais réelle, à raconter la mise en route de mon récit dans cette *circonstance* qu'est le commencement, toujours renouvelé, du jour venant annuler (avec les bruits augmentants, avec la lumière) le jaune paisible et désolé qui m'entoure en silence sur cette table : une, deux, trois heures muettes pendant lesquelles tout, dans cette maison, le square, les rues, tout, ou presque tout dort, voilà ce que je m'impose pour la relation de ce qui, même si je m'efforce de m'éloigner le moins possible du temps de la composition, sera avant tout une tentative de *mémoire*.

Et chaque jour, si je parviens à en saisir quelque reflet, si j'arrive, comme dit le vieil ermite irlandais, à *mener l'obscur à la lumière*, ce sera, au fond, pour l'enchevêtrer à la banalité de ces lignes vacillantes, noires, pas très droites sur le papier, dans l'ovale jaune qui coupe la table,

et où bientôt, le jour pénétrant, ma main s'arrêtant d'écrire, il s'évanouira.

Ainsi, les conditions où je me place, cette contrainte que je me donne diront, même si l'analogie est très élémentaire, quelque chose de ce que j'aurais essayé de faire.

Chaque paragraphe, chaque chaînon du récit de la mémoire, ' le grand incendie de Londres ', donc, devrait être un recommencement, bientôt décomposé par le jour, oblique comme lui.

Dans le segment de nuit finissante, qui mord d'un côté sur la boue de mon sommeil, de l'autre sur le déroulement ordinaire désertique de mes journées, chaque *fragment de mémoire* que j'extirperai du temps, aussitôt posé noir ici, s'évaporera, comme la lumière posée jaune par la lampe devant la plus décidée lumière qui est celle du jour.

Ce qui restera sera cette narration; entrelacée à la nuit, à son mauvais silence; où j'espère, par l'accumulation et la persévérance, parvenir, ne serait-ce qu'involontairement, à ma fin.

3 *Hier au soir, avant de me coucher*

Hier au soir, avant de me coucher, j'ai posé sur le bureau le cahier à dessin à couverture cartonnée rouge acheté rue Delambre, qui était comme notre journal photographique, et ce matin je l'ouvre sur cette image d'avril 1980 à Fès, prise dans la chambre que nous avions à l'hôtel Zalagh.

La photographie (c'est une photographie) se compose d'un rectangle qui se découpe dans le mur du fond de la chambre, face au lit, d'où l'œil regarde, mais qu'on ne voit pas. La fenêtre, invisible aussi, est à gauche. Le mur est entièrement une surface terne, vide, à grumeaux, poussières et taches minuscules dues à des inégalités de comportement devant les rayons lumineux.

Et, dans l'image du mur, du rectangle prélevé dans le mur par les acolytes mécaniques de l'œil, il y a deux rectangles de proportions inégales et d'inclinaisons légèrement dissonantes, la première plutôt en haut à gauche, la seconde plutôt en bas, au milieu, et un peu à droite.

Le premier rectangle intérieur au rectangle tranché dans le mur par la géométrie arbitraire du négatif (on voit qu'il y fait ombre) inscrit le second rectangle d'une image (ici, donc, l'image d'une image) qui représente Fès, la ville même dans laquelle est cette chambre d'hôtel et où a été saisie cette tranche rectangulaire de mur. Fès serait visible par la fenêtre, qui est à gauche dans l'espace d'où provient l'image que je décris, et se trouve figurer telle qu'on la verrait de cette fenêtre, mais seulement à travers l'image intérieure au rectangle plus sombre inscrit, avec quelques maisons, un arrière-plan de colline peuplée, l'épi d'un palmier en avant, sur la gauche, un arbre quelconque marocain debout à droite, en haut de pente ; un ciel enfin, qui, sur la surface grise et noire du papier, semble être de la même substance que le mur, être dans la même étendue que celle du rectangle le plus grand qui contient toute la photographie. Et ceci, que l'on voit, est ainsi à peu près ce qu'on verrait de Fès en sortant sur le balcon de la chambre.

Le second rectangle intérieur à la photographie est lui presque un carré. Sa dimension horizontale est à peine plus grande que sa hauteur; c'est la représentation d'un miroir accroché au mur. Lui aussi, de même que l'image qui contient l'image de Fès, fait une ombre, et cette ombre apparaît sur les côtés de droite du rectangle, plus importante le long de la verticale, à peine nette sous l'horizontale du bas; une ombre volume, morceau d'angle solide pour la vision. Et dans le miroir représenté sur l'image on voit la surface d'un autre mur, celui qui fait face dans la chambre, celui contre lequel est le lit d'où cette image a été prise et, en somme, est vue, nécessairement, même s'il l'ignore, par qui la voit.

Celui qui voit l'image est allongé sur le lit, mais il ne le sait pas, puisque le lit est absent de l'image. Dans le miroir est pris un rectangle de cet autre mur de la chambre, un peu plus sombre sur la photographie que celui dont la surface est montrée en grand rectangle allongé par la composition de l'image et, dans ce rectangle-là du mur, presque carré, aperçu dans le miroir, apparaît, en bas à gauche, un morceau du cône de lumière d'une lampe, captée, apprivoisée et affaiblie par l'image. Une génératrice unique du cône laisse sa trace, une courbe visible, découpant comme une colline de gris plus sombre dans l'image, commençant au bord inférieur du miroir presque carré, assez près de son coin gauche, et s'élevant avec une pente de trente degrés environ. Ce que le miroir emprisonne du cône de lumière est blanc. Telle est l'image que j'ai en ce moment devant moi.

Mais en réalité j'ai de cette photographie, devant moi, se faisant face dans le cahier, deux versions assez différentes : l'une est sombre, l'autre claire ou, plus exactement, pâle.

La première, sombre, est plus large et un peu plus haute que la seconde, en apparence; plus large surtout; et les bandes de la première image qui manquent, à gauche et à droite, dans la seconde, qui y manquent verticalement, sont beaucoup plus sombres que le reste, presque noires, ce qui fait que la tache de blancheur, la clarté de la lampe qui apparaît dans le miroir, est cette fois visible également à la surface du mur, bien que très atténuée. Dans l'autre version, qui est celle que j'ai décrite en premier, le mur est pâle, presque uniment gris et pâle, et la lampe, dans le miroir gris et pâle, paraît claire; ce qui fait qu'on imagine assez inévitablement que la différence entre les deux versions provient du moment, que la *double* image que constitue le couple, ordonné, de la version sombre et de la version claire restitue l'intervalle d'une durée dont le début est nocturne, où la lampe brûle seule et silencieuse au-dessus du lit, absorbée par le miroir et inondant aussi le mur du fond, dont l'image montre à ses bords l'état de ténèbres des portions qui sont tout à fait en dehors du cône lumineux. Et la fin de cet intervalle de temps est celle d'une aube d'avril où la lumière, diurne déjà, découpe, en pénétrant par la face verticale gauche du parallélépipède qu'est la chambre, avec son unique grande fenêtre nue fermée d'un rideau peu opaque, une géométrie plus hésitante et plus floue, à mesure qu'elle se répand dans la pièce, couvre le mur, et revient affaiblir, noyer, effacer et pâlir la lampe, qui est placée au-dessus du lit, et continue de brûler dans déjà le jour.

Ainsi, regardant longuement les deux volets de la double image, on peut penser voir photographiée une durée, de nuit à aube, dans cette chambre à Fès, la remplissant d'un temps silencieusement paisible.

L'image pâle est celle que je préfère, et pas seulement, il me semble, parce que c'est une photographie qu'on dirait « meilleure », mieux assemblée, avec l'apparence d'une plus juste répartition des rectangles (leurs proportions respectives, leurs dimensions), mais avant tout, je crois, à cause du trouble paisible, de l'émotion de cette aube imaginaire et implicite envahissant la lampe au-dessus du lit : implicite de toute la nuit sous-entendue.

4 *Si j'ai décrit les deux versions*

Si j'ai décrit les deux versions, la double image, le *double photographique* qu'elles constituent, alors qu'il me suffit, qu'il a toujours été assez pour mes yeux de contempler la seconde seulement, la claire et tranquille, c'est que le *double*, et l'imagination d'une durée qu'il suscite en moi, s'apparente étroitement à ces sections répétées de nuit finissante à l'intérieur desquelles j'ai choisi de m'enfermer désormais pour écrire, comme je l'ai dit plus haut.

Ainsi, la double photographie de Fès me servira d'exemple et de modèle, en même temps que de souvenir et de soutien : modèle de quelque chose qu'autant, au moins, que la *mémoire* incertaine d'elle-même, évanouissante, je voudrais « prendre » en prose.

Car, dans ces deux photographies, pour peu qu'on les regarde assez longuement, autrement que pour en recevoir l'impression instantanée sur l'œil, qui ne demande que le temps nécessaire à la reconnaissance de ce qui est montré – et c'est un piège photographique par excellence, grâce auquel cette discipline manuelle dissimule qu'elle n'est pas moins mentale, de vous inviter précisément à ne pas regarder, à ne faire que voir, vous détourne de l'attention –, on découvre qu'il importe à la compréhension de leurs intentions comme de leurs effets, de leur proximité comme de leurs différences (essentielles), beaucoup moins peut-être d'élucider quel est le point du *monde flottant* (le réel) qu'elles nous exhibent que de découvrir *d'où*, d'imaginer dans quelles circonstances et d'où un œil les a conçues. Je regarde les rectangles et les différentes zones de clarté de l'image, les différents gris plus ou moins pâles, les ombres, et par le chemin inverse des lumières je remonte à la source de la vision, à la nuit finissante et implicite, au lit. Ainsi, de la prose, retourner à la source *double* de la *mémoire*, implicite, finissante, et en allée.

Mais *Fès*, la double image, s'apparente encore (ainsi que

plusieurs autres photographies dont j'aurai l'occasion de parler dans des chapitres ultérieurs) à la prose de la mémoire d'une autre manière, plus évidente même peut-être : parce que Fès (la ville marocaine) est présente sur l'image nommée de son nom, désignée ainsi, titrée, par un bout d'image intérieure à l'image (aux deux images), bout d'image contenant assez de détails qui permettraient de démontrer facilement (si on le voulait!) qu'elle est bien une image de Fès, alors que la photographie elle-même, dans laquelle l'image de Fès est prise, l'image rectangulaire d'un mur dans une chambre d'hôtel (et c'est le plus vraisemblablement du monde, si on y réfléchit, l'image d'un rectangle de mur dans une chambre d'hôtel qu'on y voit), pourrait avoir été prise à peu près n'importe où, dans le port de Concarneau, par exemple. Le caractère ironique de cette constatation n'échappera pas.

Or, une ironie de même nature est indiscutablement en mesure de s'exercer sur cette prose, où je dis de ce que je raconte : c'est ainsi, c'est vrai, c'est ainsi que cela est arrivé; ne disant, ne suscitant, en ces lignes noires sagement, continûment poussées les unes derrière les autres, qu'une image intérieure à l'image de mémoire, qui la nomme, qui la titre : *ce fut ainsi.*

Pour cette raison encore je me sens justifié de prendre ici cette photo comme *modèle*, et cela d'autant plus profondément que la conception ironique de l'image, pour des yeux qui la découvrent innocemment, ne s'impose absolument pas, même révélée, au détriment de l'image elle-même; qui avait pour moi (bien sûr, maintenant, son effet est autre) et, autant que je puisse en juger, généralement sur d'autres, comme un effet du style *yūgen* : grand calme un peu mystérieux, tranquillité, paix, apaisement, monde en arrière-plan, énigmatique. J'aimerais y parvenir un jour, en quelque page.

Ce n'est pas tout : je me suis servi, pour décrire *Fès* à l'intention de mon lecteur hypothétique, de connaissances intrinsèquement accessibles à moi seul, qui ne sont pas déductibles des seules images, et qui tiennent au rapport privilégié qui est le mien avec ces images, gouvernant en grande partie mes réflexions devant elles : je sais comment cela s'est passé, ce qu'il y avait dans les deux dimensions obliques absentes, la profondeur et le temps. *J'étais là.*

Pourtant, sans me replacer par la pensée acrobatiquement dans un état d'ignorance hypothétique, même partielle, des circonstances intransmissibles de la composition de l'image, ce que je n'ai ni l'envie ni les moyens de faire, j'imagine cependant que je pourrais sans mal voir autrement ce que je ne vois pas directement sur le papier, et qui l'environne : le mur pourrait être face à la fenêtre de la chambre, le miroir emprisonner le ciel, et une aurore. Et il me semble que l'œil qui regarde l'image peut y croire, même si l'optique lui en démontre l'impossibilité (ce que j'ignore).

Car il ne s'agit pas là d'un paradoxe de perception, de ceux, qui, dénoncés, ne peuvent que s'évanouir sans retour, mais d'une ambiguïté plus profonde, qui est dans la rêverie de l'esprit se nourrissant d'images comme, allongé sur le sol d'une colline, interminablement, les nuages en proposent. Les deux feuilles parallèles du *double*, alors, celle de l'image claire et celle de l'image sombre, ne seraient séparées dans le temps que par un geste : celui de tirer le rideau plus largement sur la chambre où nous avions dormi.

5 *Sur le bureau, dans la lumière de la lampe*

Sur le bureau, dans la lumière de la lampe qui est devant moi, à ma droite, sont les instruments de mon activité matinale et obscure : mon cahier, qui est un cahier de quatre-vingts pages entièrement blanches, sans lignes prétracées ni carreaux, a une couverture d'un bleu plutôt sombre (le dessin de la couverture imite, ou photographie, une étoffe brune à mailles serrées, laissant des 'jours' minuscules qui apparaissent comme autant de points blancs).

C'est un cahier de la marque la plus banale, Clairefontaine. Elle est indiquée, en bas et à droite de la couverture, à la base d'un triangle renversé dont la surface, sur un fond bleu (du même bleu que le reste, mais uni), s'orne du dessin d'une divinité pseudo-grecque : la grécité du dessin, signe sans doute d'une activité intellectuelle intense, est manifestée par une colonne de temple surmontée d'une lune partielle, ensemble un peu obscènes mais surtout remarquablement laids. Un rectangle blanc, horizontalement allongé, est aménagé, plutôt vers le haut, plutôt vers la droite, au cœur en quelque sorte de la couverture (si on s'identifie au cahier), et j'y ai écrit au feutre noir (celui que j'utilise pour les lignes du récit) les trois lettres *g, i, l* (mises pour ' grand incendie de Londres ', évidemment).

J'écris donc dans ce cahier, et chaque tranche autonome de prose y figure comme une sorte de bande de papier blanc rayée régulièrement de lignes noires très serrées, d'une écriture minuscule et presque illisible (elle l'est parfois même pour moi!), entre d'autres lignes, rouges ou vertes, où sont des indications de date (de composition), un numéro d'ordre, des espèces de titres. Ces lignes rouges ou vertes séparent les tranches noires, additionnées chacune d'une ligne de blanc. Il y a, très peu souvent, des ajouts ou des corrections. Rarement, et pour deux raisons : la première, c'est que je ne reviens pour ainsi dire jamais en arrière, n'hésite que mentalement; la seconde, qu'il n'y a de toute façon pratiquement aucune place pour des corrections, parce que les lignes sont extrêmement serrées (une bonne centaine dans une seule page), pleines d'un bord à l'autre de la page, et de haut en bas.

Lieu où se dépose, à l'état naissant et brut, cette prose, les lignes noires, puis les pages, avec leurs direction et disposition serrées de lignes, les bandes horizontales surmontées d'un peu de rouge et de vert soulignés de blanc, en sont aussi le registre chronologique : j'y mesure la progression et, silencieusement, les arrêts, interruptions marquées seulement du saut des dates. Une page pleine de ces brouillons, au moment où je m'apprête, l'achevant, à choisir, avec des hésitations particulières, le premier signe qui agressera la page suivante, le plus haut possible dans la page, presque exactement en début de ligne et contre le bord supérieur, me procure le seul soulagement sans mélange que je peux attendre de ma tâche.

Il est vrai qu'en aucun autre de mes cahiers (de poétique, ou de calculs, par exemple) je n'atteins à une telle régularité, netteté ou uniformité dans le grignotage lent de l'espace des pages. Il est donc naturel que je ressente quelque apaisement artisanal à m'arrêter un moment devant la surface méticuleusement remplie d'une page achevée. Certes ce n'est pas là ce qu'on appelle une vraie raison. Je peux dire seulement : cela me soulage, c'est ainsi.

La lecture, dans le cahier, est remarquablement impraticable, et, d'ailleurs, je ne relis jamais ces fragments, une fois leur contenu transféré tant bien que mal dans des pages séparées, lisibles, couvertes au feutre noir fin, pages d'un beau papier légèrement crémeux et épais, acheté au poids et à prix d'or rue du Pont-Louis-Philippe, chez Papier-Plus, en lignes toujours noires mais moins serrées, moins rapides (à peine). Elles contiennent, après modifications, additions, suppressions ou expansions (toutes minimes, toutes instantanées, au moment de la copie; et pour la plupart d'ailleurs dues à une difficulté ou une impossibilité même de relecture de la version initiale du cahier) accompagnant le déchiffrage des sections posées compactes, à la suite, la version provisoirement définitive du récit, version première (celle du cahier étant donc la version zéro).

Il est clair que la manière matérielle d'existence de ces brouillons rend pratiquement impensable un travail « flaubertien » sur les phrases, puisque je ne pourrai jamais les relire à haute voix pour les soupeser à la bouche et à l'oreille sans balbutier, sans buter à tout moment sur des mots indéchiffrables (qu'il me faut souvent, lors du transfert du cahier au papier, de longues minutes pour deviner et, quand je n'y parviens pas, réinventer). Et je ne pourrai pas non plus effacer, remplacer, corriger sur place, sur les traces mêmes de la première inspiration, le cahier, ce dépôt initial de langue en longs blocs rayés de noir. Il n'y a pas dans ces conditions de labeur d'écrivain possible comme, j'imagine, celui qui fait le romancier que je ne serai pas, mais seulement l'extrême concentration sans interstices des mots notés à mesure, favorisant ainsi, mécaniquement, mon effort d'écrire sans ratures, sans repentirs, sans impatience, aux mêmes heures toujours, le plus près possible de la continuité myope du présent irréversible et détesté.

La version 1, lisible, quoiqu'elle aussi assez serrée et régulière, annule, en fait, les lignes du cahier ou, du moins, ne les laisse subsister que comme traces, où il n'y a plus rien à prendre ni à lire. Elles demeurent uniquement comme mesure de mon avance, de l'envahissement du blanc des pages par l'encre, de l'éloignement de tout ce qui a précédé le signe noir initial : ce que je fuis. Elles sont les feuilles obscures du *double de la mémoire* dans ma prose.

La transmission du brouillon à la version lisible, que j'effectue avec retard mais parallèlement à l'écriture quotidienne dans le premier cahier, au cours des mêmes heures prématinales (et c'est ainsi que maintenant, assez avant après mon début, je commence, dans l'obscurité encore profonde, l'esprit encore proche de la boue de mon sommeil), m'oblige à conserver également près de moi une chemise (de couleur violette) qui contient elle-même plusieurs sous-chemises (de même couleur) : car, comme je l'expliquerai plus en détail en son lieu, je n'avance pas en ligne droite dans la narration, selon un axe qui pourrait être, par exemple, celui du temps raconté, mais par *branches*, entre lesquelles il me faut répartir à mesure (et pour l'instant plutôt grossièrement) les choses écrites. J'ai aussi du papier ordinaire, des feutres, des crayons, une gomme, des quarts de feuille de format 21 × 29,7 destinés à des notes au crayon noir. Tout cela, et la *lampe* dont la tête est noire et tronconique, est là en permanence, ne varie guère. Et, en ce moment précis, il y a encore, sur le bureau, le cahier rouge cartonné contenant les photographies, ouvert aux pages de *Fès*, sur les deux versions de l'image, du *double* que j'ai précédemment décrit.

6 *Dès que je me lève*

Dès que je me lève, je prends mon bol sur la table de la cuisine. Je l'ai déposé là la veille au soir, pour ne pas avoir trop à remuer dans la cuisine, pour minimiser le bruit de mes déplacements. C'est quelque chose que je continue à faire, jour après jour, moins par habitude que par refus de la mort d'une habitude, et bien que cela (être silencieux, ne pas risquer de réveiller) n'aie plus désormais la moindre importance; pas plus que de mettre le bol à ma place à cette table; à ce qui était ma place.

J'y ai versé un fond de café en poudre, de la marque (parfaitement inconnue) Zama Filtre, que j'achète en grands verres de deux cents grammes au supermarché Franprix, en face du métro Saint-Paul. Pour le même poids, cela coûte à peu près un tiers de moins que les marques plus fameuses, Nestlé (Nescafé) ou Maxwell. Le goût lui-même est largement un tiers pire que celui du Nescafé le plus grossier, non lyophilisé, qui est déjà pas mal en son genre.

Je remplis mon bol au robinet d'eau chaude de l'évier, hésitant, pour cette opération, entre deux techniques :

- ou bien faire couler l'eau doucement jusqu'à ce que mon doigt, placé de manière à apprécier la température du jet, m'indique que l'eau est aussi chaude qu'elle peut l'être;

- ou bien, au contraire, ouvrir très fort, brusquement, le robinet, et l'eau est chaude beaucoup plus vite.

Dans les deux cas il y a bruit, bruit d'écoulement, et discours de la tuyauterie qui semble d'un sans-gêne absolu dans le calme nocturne, rupture désagréable du silence où je me déplace. Mais ce silence est-il plus gravement offensé par le bruit, faible mais assez long, produit si j'applique la première méthode, ou par celui, plus intense mais plus bref, qui résulte de l'ouverture rapide du robinet, c'est ce que je ne suis jamais arrivé à décider.

A la surface du liquide, des archipels de poudre brune deviennent des îles noires bordées d'une boue crémeuse qui sombrent lentement, horribles.

Je porte le bol lentement sur la table, le tenant entre mes deux mains qui tremblent le moins possible, et je m'assieds sur la chaise de cuisine, le dos à la fenêtre, face au frigidaire et à la porte, face surtout au fauteuil, laid et vide, qui est de l'autre côté de la table. Il y a trois ans, en automne, lors du dernier des recommencements inutiles de cet écrit, rue de la Harpe, à une heure semblable, devant un bol semblable, je sortais de leur enveloppe de cellophane, successivement, quatre biscuits vietnamiens de la marque *Madame Sang, 75 rue du Javelot, Paris XIIIᵉ*, achetés rue de la Parcheminerie, et je les trempais dans le bol jusqu'à ce qu'ils soient très près de se défaire, de se déliter, de fondre (mais ils ne se défaisaient jamais exactement, en morceaux persistants, persévérant en leur être, même mouillés ; ils se désagrégeaient plutôt comme s'ils étaient composés d'un conglomérat de poussières biscuitières, à la cohérence fragile, obtenue par une non naturelle pression, ce qui avait conduit Alix, par analogie avec une friandise espagnole assez fameuse, à leur donner le surnom mérité de *Polvorones vietnamiens*).

Mais aujourd'hui et à cette heure (il est quatre heures et demie ; il est cinq heures) je ne mange rien. Je bois seulement le grand bol d'eau à peine plus que tiède et caféinée, au sortir de nuits dont il vaut mieux ne pas parler. Le liquide est un peu amer, un peu caramélisé, pas agréable. Je l'avale et je reste un moment immobile à regarder, au fond du bol, la tache noire d'un reste de poudre mal dissoute, dans la brusque angoisse récurrente de cet instant que nulle répétition, nulle habitude ne supprimera ni même n'apaisera vraiment et qui est et sera la mienne jusqu'à l'achèvement de cette prose, c'est-à-dire, peut-être, pour moi, jamais. Puis je me lève et reviens dans ma chambre m'asseoir devant le cahier ouvert.

Assis au bureau, je fais face au lit, et le cahier a été ouvert la veille, quand je me suis couché. Quand je m'éveille, dans l'obscurité jamais tout à fait entière (il y a de la lumière : de la rue, du ciel, des maisons de l'autre côté du carrefour, un peu

26

de cette lumière entre par les volets), dans le silence pas tout à fait profond (il y a de rares voitures, des voix parfois), je *vois* le cahier ouvert et le cône lumineux de la lampe, et sur la page la ligne de démarcation entre le noir vacillant des lignes et le blanc passif que tout à l'heure je vais difficilement de nouveau affronter, afin de le réduire.

Je reste presque immobile sous les couvertures brunes, cherchant la protection des deux autres oreillers, moins pour la chaleur que pour leur poids, pour m'y enfouir un instant, en proie à cette angoisse diffuse qui déjà me vient de la prose, sans doute, mais bien plus de ce qu'elle soulève, remue, et enterre, dans ce qu'est devenue ma vie.

7 *Assis à ce bureau, ouvrant le cahier*

Assis à ce bureau, ouvrant le cahier, j'aborde le travail matinal. Le cône lumineux de la lampe, débordant du bureau vers la droite, éclaire la bibliothèque Lundia, posée contre le mur. Et, comme un écho affaibli de sa lumière, il y a, sur le mur auquel le lit est appuyé, celle de l'applique blanche que j'ai allumée en m'éveillant.

Je vois l'applique elle-même et son reflet dans l'armoire laquée brune et sombre, où se reflètent le lit et les oreillers, en une image un peu trouble, comme dans une vitre délavée par une pluie continue; première des trois étapes lumineuses qui accompagnent la prose dans son trajet de mémoire :
- celle du demi-sommeil contre les oreillers, la plus faible, qui est pâle et voilée contre mes yeux ouverts;
- la lumière jaune de l'effort qui m'emprisonne à la surface du papier;
- celle du jour enfin, où tout redevient présent, largement incompréhensible désormais.

Le mur de droite, parallèle à la fenêtre, est celui de l'une des deux bibliothèques Lundia de ma chambre (la seconde est dans mon dos). Au-delà de la lumière de la lampe, dans la pénombre, j'aperçois sur ses rayons les rangs de la poésie médiévale : troubadours, trouvères, siciliens, poètes du « dolce stil novo », Minnesängers, lyriques portugais, et espagnols, catalans, latins, gallois... ; et la poésie de la Renaissance, les maniéristes, les baroques, les « métaphysiques » anglais...

petit trésor accumulé au long des vingt dernières années (et plus), surtout depuis mon séjour aux USA de 1970. Il n'y a rien de vraiment rare en ce « trésor », ni de très coûteux, mais cet ensemble de livres constitue, en ce qui concerne les troubadours principalement, un instrument de travail non négligeable (beaucoup de textes cependant sont des photocopies).

Il m'arrivait autrefois d'en vérifier mentalement le contenu (un réflexe d'avare) et l'ordre, la disposition des volumes sur les rayons, les relations entre eux établies par la contiguïté, la familiarité des voisinages jouant un grand rôle dans la signification intime de leur présence, dans leur accessibilité : pour les relire, les réfléchir, les faire servir à cette branche de mon *Projet*, la seule à avoir survécu jusqu'à aujourd'hui, comme une branche coupée de son arbre, et que j'essaierai peut-être un jour ou l'autre d'achever, avant d'avoir tout oublié (et particulièrement le sens même de cette proximité, de cette intimité des livres) : une étude sur la *forme sonnet*.

Les troubadours (du moins ceux que je possède dans des livres) sont placés à ma gauche, contre les radiateurs toujours fermés, le plus près possible de la tête du lit.

J'entrevois ici les couvertures bleue, beige et rouge respectivement des trois volumes de la monumentale anthologie de Marti de Riquer, la reliure suisse du gros Giraut de Bornelh de Kolsen (un reprint), les deux tomes énormes et gris de la quatrième et encore récente édition d'Arnaut Daniel, ce chef-d'œuvre de la machine philologique devenue folle, avec la dissertation minutieuse, obscène, fascinante et presque touchante de son auteur, Maurizio Perugi, sur le verbe *cornar*, qui faisait tant rire Alix.

Tout à fait en haut des rayons, dans sa reliure blanche, dépassant la planche, l'édition en fac-similé des *Théorèmes* de Jean de La Ceppède, pas celui de *la Baleine franche* qui a sa rue près du Jardin des Plantes, mais celui qui fut au parlement

28

d'Aix l'ami de Cesar de Nostredame, et de Louis de Gallaup de Chasteuil.

8 *Insensiblement, d'aube en aube*

Insensiblement, d'aube en aube, j'en suis venu à ce commencement, beaucoup plus ardu encore que le recommencement quotidien de l'avance des lignes noires sur le papier parce qu'il s'agit d'un commencement irréversible, sans répétition possible, sans recours, parce que c'est le *commencement absolu* d'écrire ce que je me suis promis d'écrire à la fin du premier fragment, l' « Avertissement », placé au début de mon livre, et son début matériel pour un lecteur :

« Tenter d'expliquer (et simultanément de m'expliquer à moi-même) ce que cela sera. »

Cela qui, sous le titre ' le grand incendie de Londres ', va remplacer le *double* rêvé, impossible, abandonné, d'un autre *Grand Incendie de Londres*, qui aurait été un vrai roman, et du *Projet.*

Mais si j'écris des mots comme *commencement d'écrire ce que cela sera,* c'est bien évidemment que je ne vais pas immédiatement écrire *ce que cela est,* car si j'écrivais maintenant, par exemple, dans cette tranche horaire d'obscurité que je m'impose, aujourd'hui chaude, mouillée, épuisante, ce que je pense que va être ce que je continue à désigner sous le nom de ' grand incendie de Londres ', ma tâche serait déjà à moitié achevée, mais surtout *cela* ne serait rien. Je veux dire par là que je pourrais dès aujourd'hui écrire, en une phrase de dix mots exactement : « ' Le grand incendie de Londres ' sera . . . . », mais en même temps il est clair que ' le grand incendie de Londres ' ne sera ce qu'il sera qu'une fois achevé (s'il l'est jamais : cette affirmation étant tautologique, certes, mais pas seulement), c'est-à-dire s'il va assez loin pour pouvoir être dit être (auquel cas, étant donné ce qu'il doit être, il sera, je peux le dire, quoi qu'il arrive ensuite, nécessairement achevé); il s'ensuit que je n'écrirai la fin de cette phrase programmatique, de cette définition (avec ses quatre mots ici manquants) qu'à la presque fin du livre, en admettant que j'aie l'occasion de l'écrire du tout (et il se trouve que, même dans l'hypothèse d'existence atteinte, cela n'est pas certain).

C'est pourquoi le commencement d'écrire ce que cela sera est le commencement de quelque chose qui n'est pas le récit lui-même mais qui ne s'achèvera qu'avec le récit tout entier, qui avancera à mesure que je l'écris. Le présent de la composition l'accompagne.

J'essaie donc de me résoudre à dire ce que je fais, ce qui se dira et se racontera dans ce livre, dans les lieux et moments que j'ai un peu décrits plus haut (et dans d'autres si je viens à les quitter). Le plus difficile ici pour moi a été de me rendre compte du fait que cela n'est possible que si je ne m'arrête plus une fois que j'ai commencé (du moins jamais longtemps), et, malheureusement et à nouveau (ceci n'est pas ma première tentative), aujourd'hui rien encore, intérieurement, ne me l'assure.

C'est pourquoi j'ai tant et si longtemps hésité à choisir l'instant de ce recommencement. Mais il faut également que je ne cède jamais à la tentation de dissimuler les variations, les faiblesses, les incohérences, les obscurités involontaires que la simple progression irréversible de ces lignes tracées au présent (au présent de leur trace) va nécessairement faire apparaître si je ne reviens pas en arrière, si je ne corrige pas, si je me refuse la distance protectrice d'une construction réfléchie, d'une organisation, d'une simulation, si je ne sors jamais du temps propre de ma tentative.

Cette *branche* que vous lisez est la première du livre; c'est une branche du matin. Elle se compose (pour le moment dans le futur, surtout), se composera de paragraphes (presque) quotidiens de prose, plus exactement clos en une seule unité (deux au plus) de temps matinal, ne franchissant jamais les frontières d'un prématin nocturne (volets fermés, à la lampe, avant la lumière solaire).

Le présent de ma vie les pénètre, les pénétrera, comme la

lumière du jour qui sans cesse entre combattre le cercle jaune qui entoure ma main.

Je les date dans mon cahier (mais plus dans la version 1, lisible, qui les suit avec quelque retard), mais je les arrête toujours à la fin d'une *matinée* (ainsi définie), quel que soit l'état d'achèvement apparent de leur contenu ; et je les reproduis sans modification de l'ordre que leur impose la chronologie de leur composition, gouttes successives qui tombent sur les pages la nuit, sans autre relation de préséance que celle du temps où elles tombent, qui sert à la définir. Cette contrainte n'a pas de vertus cachées. Elle est semblable à celle d'autres gestes quotidiens : se lever, s'habiller, se raser, se nourrir.

Tel est le commencement d'écrire ce que cela sera.

9 Parallèlement à la branche matinale

Parallèlement à la branche matinale, quoique plus rarement parce que plus difficilement encore (et pour toutes ces raisons que je n'arrive même pas à commencer à dire et bien sûr pas à dire d'un seul coup), il y aurait une autre branche de récit que j'appellerai pour le moment *branche du soir*. Car j'essaie de m'établir aussi dans ces heures du début de la nuit, qui étaient proprement les nôtres, avant la pleine et totale nuit qui lui appartenait exclusivement (pour la maladie, la *mélancolie*, mais aussi pour la pensée, pour la *photographie*) (et ces heures-là, maintenant, il me faut les oblitérer absolument, sous n'importe quel sommeil ; ne voir personne après huit heures du soir ; ne pas répondre au téléphone ; ne pas être là).

Les heures qui m'entourent, précédant ou suivant, selon la saison, la tombée du jour, la chute, puis le retrait de la lumière, ces heures étaient notre propriété conjugale commune, indivise. Je m'efforcerai de les occuper aussi, comme les miennes, celles du matin, par la narration : narration d'un autre *Projet* interrompu par la mort : le sien.

31

De ce *Projet*, je connaissais l'existence, les contours, mais elle en parlait peu directement, moins par modestie, timidité, superstition ou incertitude que, plus brutalement, parce qu'elle pensait ceci : *raconter un Projet l'annule.*

Mais elle en parlait cependant incessamment, en oblique, autour, buvant sa Guinness dans le laid fauteuil de cuisine face à moi, dans ces moments intensément conjugaux du soir, entre les nourritures, les boissons, et le récit des journées.

C'est pourquoi ces heures, aujourd'hui, me sont proprement insupportables (celles de la nuit, elles, sont simplement impossibles à regarder). Et j'ai entrepris de les user ainsi, soir après soir, certains soirs.

J'écris les lignes du soir dans la grande pièce dont les deux fenêtres donnent sur l'église et le square, pendant que la lumière variable se retire, et que la même lumière, fixe, sort de cette image, la dernière qu'elle ait achevée, collée au mur entre les deux fenêtres : qui montre ce que je vois de l'endroit même où j'écris le soir; et où nous sommes, une dernière fois au monde, présents tous les deux.

De mes lignes matinales j'accroche la lumière montante, et les autres affrontent la lumière qui diminue. Moi, je me sens semblable à l'*ermite* de l'énigme : imaginez, dit l'énigme, un ermite. Il se lève à l'aube, avec le soleil. Il monte sur le chemin poussiéreux jusqu'au sommet de la colline. Il arrive en haut au soleil couchant. Il passe la nuit en prières et le lendemain, avec le soleil nouveau, il redescend pour arriver le soir dans la plaine. Montrez (telle est l'injonction de l'énigme) qu'il y a un endroit sur son chemin où il est passé à la même heure en montant et en descendant.

La solution, quand on y pense, est simple : inventez, nous dit-on, un ermite fantôme qui se lève à l'aube du second jour, en bas, au moment où l'ermite (réel) commence sa descente : supposez que l'ermite fantôme suit pas à pas, à la même allure exactement, l'ermite montant, le premier jour, sur le chemin (c'est son *double*).

C'est le même chemin. L'ermite qui descend et l'ermite ombre qui monte ne vont-ils pas se croiser? N'est-ce pas là, en ce point de leur rencontre, le lieu de la solution?

Pensez, *vous*, que l'ermite fantôme de l'énigme est un ermite de *mémoire* : que dans la lumière du soir, la lumière descendante, elle, Alix, ma femme, accompagne ma prose lente sur son chemin de papier. Pensez, si vous lisez, peut-être, longtemps après la première, la *dernière branche* de mon récit, que quelque part nos images coïncident.

10 *En avançant dans la prose je rencontre*

En avançant dans la prose je rencontre, presque à chaque pas, l'impossibilité de la maintenir sur une ligne unique, de la diriger dans un seul sens. A tout moment j'éprouve le besoin, comme quand on raconte, en vrai, pour quelqu'un, et d'autant plus si on raconte (comme c'est mon cas ici) à quelqu'un d'éloigné, que beaucoup de noms ou de circonstances risquent de surprendre (et il est nécessaire alors de les rapprocher de lui par une explication, sous peine de n'être pas compris), j'ai besoin, donc, d'expliquer, de m'arrêter pour accrocher, au fil ténu de la narration, la lampe d'un éclaircissement indispensable. Il suffit pour cela sans doute d'une *parenthèse*, marque naturelle de ce qui, à la voix, serait une interruption, dans le ton de l'incise digressive; mais il arrive souvent que l'ampleur considérable du développement incident qu'elle contient rende extrêmement périlleuse son introduction, au risque d'une rupture excessive de la continuité.

Il y a plus (et c'est une chose, encore, qui est au cœur de tout récit) : il n'y a aucune raison pour que, ayant ouvert une parenthèse, m'étant engagé dans cette parenthèse ouverte, je ne rencontre pas de nouveau, pendant que je suis en train de dire ce qui doit y être dit, de nouveau la même nécessité d'une parenthèse, nouvelle parenthèse présentant par rapport à la première la même contradiction entre une obligation de clarté et l'inconfort d'une rupture, que la première parenthèse avait créée dans le déroulement principal du récit; et ainsi de suite (potentiellement à l'infini).

Mais ce n'est pas tout : l'incertitude dissipée par l'ouverture d'une parenthèse, qui donne naissance à des lignes explicatives, à des précisions, à des rappels, des rectifications, des annonces, n'est pas la seule ni même la principale cause d'une digression. Le récit peut devoir s'interrompre momentanément pour une tout autre raison, peut-être plus fondamentale encore, sur le chemin forestier de la prose. Car on en vient, comme un chevalier du roi Arthur, à une clairière. Et deux nouveaux chemins s'ouvrent dans les arbres, ou trois, ou plusieurs. Il faut choisir. Mais comment choisir? La nature même de ce que je raconte, autant que sa véridicité, antérieure à toute intention de raconter (« cela a été »; « cela est »; « je vous l'ai dit, ce fut ainsi ») et, plus encore peut-être, la nature même de l'opération de récit rendent inévitables en fait de tels carrefours, de tels embranchements multiples sur la carte, ces endroits de l'hésitation, où il n'est peut-être aucune « droite voie ».

Je me suis trouvé presque immédiatement devant cette difficulté, aux toutes premières lignes écrites, qui sont maintenant reproduites dans l' « Avertissement » de l'ouvrage. J'avais écrit, je vous le rappelle :

« Le Grand Incendie de Londres... »; et aussitôt il y avait deux suites possibles : ou bien :

« aurait eu une place singulière dans la construction d'ensemble, distinct du Projet quoique s'y insérant... »; ou bien :

« tel était le titre qui s'était imposé à moi depuis un rêve, peu de temps après la décision vitale qui m'avait conduit à concevoir le Projet... ».

En choisissant la première comme voie principale j'ai voulu, au moins, signaler la seconde; je me suis engagé un instant dans la seconde, c'est-à-dire que j'ai ouvert une parenthèse, d'intention explicative, et aussitôt je me suis arrêté. Car il s'agissait d'une véritable bifurcation : sur la branche première, je m'engageais dans ce en quoi je me suis engagé : je racontais comment le Grand Incendie de Londres est devenu ce qu'il essaie d'être maintenant, à cause de l'évidence du désastre du *Projet*. Sur l'autre, très différente, je me replongeais dans les premières années de l'imagination du Projet, de sa mise en place, et il me fallait dire ce rêve, et aussi *quand* et *où* je l'avais rêvé. Les deux voies s'en allaient très loin (c'est-à-dire dans beaucoup de lignes de prose) sans se rejoindre, et elles divergeaient si vite et si radicalement que je ne pouvais (ni ne voulais) penser à les suivre simultanément, en sautant de temps en temps de l'une à l'autre. L'œil qui lit en est sans doute capable, n'a pas trop de difficulté à cette gymnastique (dans le meilleur des cas, qui n'est pas celui du lecteur habituel de romans, encore moins celui du lecteur que je recherche), mais pas le marcheur dans la forêt, ni le livre qui, typographiquement, l'imite : du moins pas sans artifices.

A partir du moment où je me suis rendu compte du fait qu'il ne s'agissait pas d'un faux carrefour (je voulais que les deux voies soient, en fin de compte, parcourues; j'avais à dire les deux), dès que je me suis représenté ' le grand incendie de Londres ', comme le récit d'un parcours dans le système des branches de l'arbre du *Projet*, comme la lecture de la carte routière d'un pays où avait lieu le *Projet*, du réseau hydrographique des rivières au cœur du continent géologique, du squelette dans le corps, des nervures dans la feuille verte; dès que j'ai accepté de considérer comme vain l'effort d'une représentation topologique linéaire (ou seulement semi-linéaire : balayage de lignes sur une surface, des morceaux de surface plane, les pages) par quelques astuces d'encres de couleurs, de signes, de corps, de graphes... (que peut-être les progrès des machines à traitement de texte rendront, un jour, possible (mais il s'agirait alors d'un autre livre, d'un autre objet plutôt, pas un livre : j'y pense)), j'ai décidé que toutes ces branches, routes, rivières, sentiers d'os, nervures du récit, je les parcourrais, mais à mon pas de prose narrative accompagnant le marcheur.

Il y aurait un moment où je reviendrais à ce rêve, que la parenthèse ouvrante signalait. Pourtant, et c'est pourquoi je n'ai pas effacé la parenthèse elle-même, qui annonce la route alternative non suivie, je n'ai pas voulu dissimuler (comme on le fait d'habitude, spontanément, sans y penser) qu'il y a eu choix, entre deux parcours possibles (et une parenthèse, ordinairement, n'est qu'un cas particulier de cette situation, quelques pas sur un chemin qui s'éloigne, ou un chemin de traverse, qui suit parallèlement la route principale, et qui soudain diverge, ou se perd).

C'est pourquoi tout chemin qui se présente et n'est pas suivi immédiatement, mais n'est pas non plus abandonné pour toujours, sera signalé dans le texte, discrètement, avec indication de l'endroit où il sera possible de le retrouver dans le livre, livre qui cependant sera un livre comme les autres, que l'on pourra lire à la suite, sans se préoccuper de ces digressions, ou en les lisant à part, pour elles-mêmes. Le lecteur, armé de son œil et de sa patience, s'il est un lecteur pour qui l'exploration à peu près simultanée de branches divergentes n'est pas trop rebutante (simple extension d'ailleurs des bonds silencieux du regard qui va de la fin d'une ligne au début de la suivante, d'une page à une autre (un mouvement remontant cette fois), et je n'invoquerai même pas la lecture concomitante de plusieurs livres, ou celle de notes, de gloses...), pourra, en principe, prendre une mesure plus variée, moins « pédestre », du paysage chaotique de ce roman.

11 *Dans l'état actuel de mon entreprise, encore balbutiante*

Dans l'état actuel de mon entreprise, encore balbutiante, je prépare donc en pratique, chaque fois que je rencontre de telles voies divergentes, et une fois choisie la principale qui est, tout simplement, celle le long de laquelle je vous conduirai d'abord sans interruption, où je vais continuer à la suite, des *insertions*, auxquelles j'assigne, provisoirement et grossièrement (c'est donc plutôt un tiroir de rangement qu'un plan d'architecte), une place dans une branche éventuelle future où elles pourraient être reprises, et absorbées alors par le livre avançant.

Comme je n'ai aucun plan explicite préexistant mais seulement une vision vague et générale des ensembles, comme l'organisation de ce que je m'obstine à désigner ' roman ' sera celle qui se fera à mesure que le livre se fera, ces assignations n'ont aucune valeur définitive. Je ne me sens aucunement tenu de les respecter; et je les effacerai à mesure. Bien sûr, si vous lisez ceci, c'est que tout cela aura coagulé en pages imprimées, sera devenu du passé, et ces fragments de prose seront où vous lirez qu'ils sont.

Pour poursuivre l'exemple de la toute première insertion, celle du rêve où j'ai puisé le nom et le titre du *Grand Incendie de Londres* (il n'est pas indifférent que ce soit la première), l'insertion proprement dite est introduite par les mots suivants : « peu de temps après la décision vitale qui m'avait conduit à concevoir le *Projet* ».

Elle prendra place dans un autre chapitre de cette même *branche*, la branche initiale du livre (il s'agit là d'une décision *locale*, prévision à court terme, qui ne contredit nullement mon affirmation précédente de l'absence de tout plan global du récit). La voici :

Dans ce rêve, je sortais du métro londonien. J'étais extrêmement pressé, sous la pluie grise. Je me préparais à une vie nouvelle, à une liberté joyeuse. Et je devais pénétrer le mystère, après de longues recherches. Je me souviens d'un autobus à deux étages, et d'une demoiselle (rousse?) sous un parapluie. En m'éveillant, j'ai pensé que j'écrirais un roman, dont le titre serait *le Grand Incendie de Londres*, et que je conserverais ce rêve, le plus longtemps possible, intact. Je le note ici pour la première fois. C'était il y a dix-neuf ans.

Or, dans cette *insertion* même, les mots « je conserverais ce rêve, le plus longtemps possible, intact » constituent l'appel d'une nouvelle insertion, intérieure à la première, indiquant un nouveau chemin divergent rencontré alors que je me suis déjà engagé dans un chemin qui diverge lui-même de la voie principale. Cette *insertion* est de nature explicative, une sorte de glose. Pour servir d'illustration à l'explication présente, qui introduit les *insertions* de mon livre, en tant qu'espèce, je l'insère à son tour (et vous la lirez donc peut-être, comme la précédente, deux fois (mais rassurez-vous, dans ce cas, ce ne sera pas dans le texte de la branche présente)) :

L'image du rêve était la fin du rêve, et la mémoire du rêve. Elle résumait des poursuites, une quête, quelque chose comme une intrigue policière, était à la fois leur condensation commune et leur résolution. En l'image du rêve s'achevait mon rêve. Mais elle conservait quelque chose de plus que ce négatif mental que je rangeai précautionneusement dans un tiroir de souvenirs disponibles (« adressables », pourrait-on dire), afin de l'exposer le moins possible avant qu'il ait donné tout ce que j'en espérais, l'*élucidation* de cette arrière-ombre additionnelle, d'où avait surgi si étrangement la décision soudaine d'un roman à écrire, avec son titre sorti ainsi tout armé de mon cerveau. Le Londres que je voyais dans le rêve, en dépit de l'autobus et du parapluie, anachroniques, était un Londres dickensien : celui que j'avais imaginé longtemps auparavant en lisant, dans de gros volumes à couverture cartonnée violette, d'impression médiocre, achetés chez Gibert pendant l'hiver de 1951, *Little Dorrit, Bleak House* et *Our Mutual Friend*.

Il y a, au début de ce dernier roman, moins lu sans doute mais cher au cœur de tous les dickensiens fanatiques (dont je suis), une apparition à la fois ' vivid ' et ' gruesome ' de la Tamise, dans sa traversée de Londres : le personnage du père de Lizzie, fouillant de sa gaffe l'eau boueuse prématinale, dans l'espoir d'accrocher quelque cadavre dont la découverte assurerait, à ce chiffonnier du fleuve, mieux qu'un simple gagne-pain, beaucoup d'or (ce qu'il appelle, en une de ces phrases récurrentes qui sont, chez Dickens, comme accrochées au portemanteau des personnages, « gagner son pain à la sueur de son front d'honnête homme » – « *an honest man's brow* »).

L'atmosphère du rêve était aérée, libératoire, presque joyeuse, et pourtant je me sentais, fouillant l'arrière-ombre armée du rêve où m'attendait je ne sais quoi, comme le découvreur et détrousseur de cadavre fouillant, lui, de son bâton, de sa ' gaffe ' l'eau vivante, molle, trouble, nocturne, brumeuse, pour surprendre et dépouiller les noyés, les arracher à leur bien-être irrespirable.

L'image tendre du rêve était comme posée en transparence sur ce quelque chose que je ne parvenais pas (et peut-être ne le désirais-je pas vraiment) à faire venir au jour.

Image *double* du rêve, avec d'une part l'idylle, la quête libératrice, et d'autre part ces dessous d'opacité oppressive, qui n'était pas moins stevensonnienne que dickensienne, évoquant aussi bien le brouillard nocturne, la ' purée de pois ' qui engloutit Mr. Hyde, que la porte ouverte dans la ruelle obscure, se refermant sur le mystère de la demeure noire de nuit où se glisse, pour fuir ses ennemis, le jeune héros médiéval de *The Sire of Malestroit's Door* : la maison où il pénètre alors est plus sombre encore que la nuit de la rue, faiblement traversée d'étoiles, dans la mince tranche de ciel entre les maisons opaques et serrées.

Dans la ruelle, des épées le cherchent, mais la nuit seconde où il les fuit contient, elle aussi peut-être, la mort, s'il ne choisit pas, romantiquement et en aveugle, d'épouser la jeune fille. Mais si le visage, qu'il ne voit pas et où les larmes à la fin le touchent, était celui de la *guivre*, du monstre ? si le jour de mon rêve, et la prose de ma mémoire, loin de dissoudre les monstres, leur donnait forme au contraire, et figure ?

Ma mémoire du rêve a par ailleurs ceci de tout à fait particulier que j'en ai différé extrêmement longtemps la mise en mots, par une sorte de superstition dont je ne comprends pas l'origine et qui me faisait considérer à la fois ce rêve comme décisif et dangereux pour mon *Projet* la pose de ces quelques lignes le racontant.

Je ne lui ai jamais donné d'existence vocale, je ne l'ai jamais raconté à personne. Et pourtant je pense, plus, je suis fermement persuadé de ne l'avoir ni oublié ni déformé. Mais, étant donné l'extrême fragilité générale des rêves, semblables dans leur éclat à ces cailloux translucides que l'on sort brillants de la mer et que le soleil, presque instantanément, ternit de sel ; étant donné aussi le peu d'habitude que j'ai de me souvenir des miens, je ne peux m'empêcher d'avoir des doutes sur la stabilité de celui-ci, au cours de tant d'années.

Mais ces doutes sont sans importance réelle pour le récit. Car, dans le récit, le rêve est cela, et le récit en est né. Il n'y a eu plus rien à dire alors que ses « bords », ses circonstances, dont je me suis souvenu assez exactement, je crois.

Il viendra alors ici, sans doute, une nouvelle *insertion*, et une suite peut-être ; et ainsi, sans doute, deux nouveaux parcours, qu'il vous sera permis de suivre, si l'envie vous en prend. Mais je ne les suivrai pas maintenant plus avant.

Pour vous aider cependant à vous représenter ce qui se passe, permettez-moi de vous proposer une image : je suppose (m'inspirant de l'aspect très particulier d'une quelconque des pages de ce cahier où j'écris) une grande, très grande feuille de papier sur laquelle (je suppose encore que je ne suis aucunement limité par des considérations techniques, commerciales ou architecturales) chaque branche de mon roman sera soigneusement copiée (par un scribe : moi, par exemple) : chaque chapitre *sur une seule ligne* : une unique ligne noire, écrite petit, mais lisiblement ; les paragraphes dont se composent les chapitres séparés par des blancs visibles.

Chaque « branche » occupera alors une bande de papier de cette immense feuille fictive, annoncée par des signes initiaux de couleur vive et séparée de la bande (branche) suivante par une ligne entière de blanc absolu. Chaque fois qu'une *insertion* est annoncée dans la prose, un fil de couleur partirait, qui rejoindrait (pas nécessairement vers le bas d'ailleurs) le point du texte appelé par l'insertion. Il y aurait des fils de couleurs différentes indiquant une certaine classification des insertions, leur répartition en espèces, selon leur nature, leur tonalité affective, narrative, formelle.

J'imagine un lecteur devant ce ' grand incendie de Londres ' mural. Je le vois choisir un itinéraire de lecture, s'approcher. J'aime penser à une telle bande de papier écrit, tissu de prose, avec ses *figures* de fils, les *insertions*, sur un mur nu, blanc, et silencieux. Quoi qu'il en soit, le système que j'ai prévu est suffisamment discret et praticable pour ne pas interdire *a priori* que mon livre soit lu par plus de quelques dizaines de fous oulipiens. L'intervention de contraintes (il y en a), même les plus extravagantes au regard des habitudes de la fiction, ne sera pas affichée, afin de ne pas écarter de moi, d'avance, la quasi-totalité des lecteurs, allergiques, je le sais, à ces frivolités. Si mon livre doit rester non lu, que ce ne soit pas pour cette raison-là.

12 *Chaque jour, une fois achevée une bande de prose*

Chaque jour, une fois achevée une bande de prose, devenue tranche noire écrite sur une page de mon cahier, et celle de la veille (ou de plus en arrière dans le temps), page noire, plus lisible, sur la feuille de papier plus noble, je sors de l'obscurité trouée de lampes et envahie de lente lumière diurne, en ouvrant les volets, en éteignant les lampes; j'entre dans une autre journée.

Elle présente de nombreux points communs avec la première qui est celle, obscure et presque clandestine, de la prose parce que, dans un état de découragement continuel, j'essaie, ne serait-ce que pour franchir les heures qui ne sont pas anéanties par les parleries et les labeurs de ma vie dite sociale, ou la lecture des romans policiers anglais (et en anglais) (presque ma seule lecture depuis plus de trente mois), d'accompagner ceci, version sans ambition de mon roman abandonné, de l'accomplissement d'au moins quelques fragments d'une version seconde, infiniment, caricaturalement, plus modeste du *Projet* que je viens, simultanément, de définir.

Les deux, donc, avancent, très peu chaque jour, pas tous les jours, mais avancent cependant, même si chaque jour, ou presque, je prends de nouveau du retard sur des plans pourtant peu ambitieux, si je les compare à ceux qui furent autrefois les miens :

‘ le grand incendie de Londres ’, entre ‘
‘ le projet ’, entre ‘   ’ aussi (et en minuscules).

Ils s'enchevêtrent, se mêlent, mais d'une manière, hélas, plutôt désordonnée, si je les compare aux entrelacements prévus pour leurs originaux délaissés :

le *Grand Incendie de Londres*, roman
le *Projet* (en majuscules et en italiques)

dont ils ne sont que des fantômes.

41

Je travaille mon ' projet ' à la machine à écrire, dans la cuisine, une fois rangés mon cahier et la chemise orange qui abrite ce qui existe déjà, physiquement, du ' grand incendie de Londres ', en ce moment. Ma machine à écrire s'appelle *Miss Bosanquet*. C'est une Brother électronique CE-50, noire de clavier et gris-beige de corps, qui corrige sans effort toute la dernière ligne en cours et à laquelle je suis maintenant habitué, après un long apprentissage, car je me suis longtemps méfié de ces machines somptueuses, électriques ou électroniques, qui répondaient, me semblait-il, à la moindre suggestion du doigt mais beaucoup trop vite, avant même, pensais-je, d'être effleurées. Car je craignais de n'avoir aucune autorité sur elles, de ne parvenir à en tirer aucune phrase satisfaisante.

La présente *Miss Bosanquet* (nom générique de toutes mes machines à écrire) est en fait *Miss Bosanquet III*. La première était une Silver Reed 280 de Luxe, *made in Japan* pour Silver Reed Seiko Ltd., de couleur orange pour la carcasse et de machinerie noire. C'était une petite machine mécanique portative, guère perfectionnée mais robuste, qui a longtemps convenu à mes faibles capacités dactylographiques, puisque je tape lentement, maladroitement, avec deux doigts seulement et beaucoup de fautes, bien qu'avec patience et obstination. Bien sûr, l'actuelle *Miss Bosanquet* se montre beaucoup plus indulgente pour mes fautes, puisque je peux en effacer beaucoup tout de suite, sans laisser de traces ou presque. (Encore faut-il que je les remarque.)

J'avais nommé ma machine mécanique *Miss Bosanquet* au moment de son achat – et elle avait remplacé, elle, ma ur-machine, lourde et antique, conservée longtemps de mon séjour à l'université de Rennes, qui était devenue si grincheuse et si poussive que j'avais pratiquement renoncé à m'en servir, de peur qu'elle ne me casse les doigts dans une crise de fureur (de plus son couvercle, qui avait beaucoup servi de refuge à Séraphin, conservait une odeur de chat à la fois nostalgique et peu agréable) –,

achat qui a coïncidé avec la lecture que j'ai faite de la macrobiographie de Henry James par Leon Edel : *Miss Bosanquet* (la vraie) fut la dernière secrétaire de James, et c'est à elle, à sa machine, que furent dictés (elle avait remplacé l'écossais McAlpine, au beau nom si picte) les derniers romans, les dernières longues merveilleuses nouvelles, belles, sombres et compliquées, tout ce qui tomba de la bouche même du Maître, en sa maison du Kent, en ces étonnantes immenses phrases hésitantes mais retrouvant toujours au dernier moment leur équilibre miraculeux, leur ' balance '.

Ces phrases, telles que nous les lisons dans *la Coupe d'Or* ou *The Jolly Corner*, n'ont, en fait, jamais été *écrites*, au sens strict, par leur auteur, mais transmises au papier par des intermédiaires semi-humains, semi-mécaniques, comme la fidèle miss Bosanquet. Nommer *Miss Bosanquet* une machine aussi ordinaire que la mienne (ma première bosanquet-machine) était, pour moi, marquer mon humilité définitive, et le rappel incessant de mes ambitions anciennes.

Miss Bosanquet III (après *Miss Bosanquet II*, une IBM électrique) est installée pratiquement à demeure sur la table de la cuisine. La nuit, aux premières heures, je peux l'allumer sans craindre de réveiller les voisins. Je ferme toutes les portes. Je passe de ' off ' à ' on '; le voyant rouge s'allume. Je me place devant le clavier.

13 *Je reprends, par les doigts, à la machine*

Je reprends en ce moment, par les doigts, à la machine à écrire, un poème, intitulé « La lampe », qui a pour point de départ la photographie *Fès*, que j'ai décrite au paragraphe 3 de ce même chapitre, (il s'agit, plus précisément, de la moitié claire du *double*), parce qu'elle représente quelque chose comme l'image de mes efforts matinaux vers la prose, encre et lumière venant brouiller la mémoire dès qu'elle se dépose en lignes noires sous l'éclat jaune de la lampe à mon bureau défendu d'obscurité. (cette « reprise » fait partie de mon ' projet ', le minuscule ' projet ' actuel, qui comporte une relecture de tout mon travail ancien (je serais bien incapable d'écrire quelque chose de nouveau aujourd'hui, en poésie en tout cas)).

Le *corps* de la composition (qui est un exemple de ce que j'ai nommé, au moment où je l'ai fait, *composition rythmique* plutôt que poème) est un paragraphe (strophe ? matrice, épure d'une strophe ?) de quatre lignes pleines à la machine à écrire ; ainsi :

la lampe   s'évapore   dans le bas   de rectangle   de miroir
s'emplissent de lumière   d'ailleurs   de gris et de blanc   d'une lumière
le rectangle de miroir   d'une lumière   de gris et de blanc   et le mur
s'emplissent de la lampe   d'une lumière   *lentement*   et d'ailleurs

cette « strophe », qui est la chambre (*stanza*) verbale de « La lampe », est répétée onze fois sur deux pages (cela fait douze « strophes » en tout : il y en a six sur chaque page) ; avec les mêmes mots, dans le même ordre, dans le même espace de chaque fois quatre lignes dans la page, avec les mêmes espacements entre les mots ; sauf que deux changements, principe rythmique très élémentaire de la composition, sont imposés : un mouvement de l'adverbe souligné, *lentement* (que la typographie indiquerait par de l'italique (il y a là un léger paradoxe, dans le cas d'une réalisation effective du 'grand incendie de Londres' en livre)) : il se déplace vers la gauche, pendant qu'un *blanc*, situé ici, à la première strophe, entre *bas* et *rectangle* à la première ligne (blanc de dix signes dans le tapuscrit, alors que les autres groupes de mots ne sont séparés que de quatre signes), pendant qu'un blanc, donc, avance, lui, vers la droite (avec une « vitesse » variable de fragment à fragment) jusqu'à croiser l'adverbe (de manière virtuelle) entre les sixième et septième « strophes », c'est-à-dire dans l'intervalle fictif qui sépare la fin de la première page du début de la seconde.

Le mode d'existence de ce poème devrait être surtout *oral* (les versions manuscrites, tapuscrites ou imprimées ne sont que des *partitions*) et j'ai isolé par un blanc de quatre signes les segments que la voix doit séparer nettement (mais pas nécessairement d'une durée de silence régulière, métronomique : il faut interpréter ; tel est le sens de la désignation : *partition d'une composition rythmique*) et fait se diriger l'un vers l'autre, se rencontrer, puis s'éloigner à nouveau dans l'espace ponctué par les têtes d'un éventuel auditoire. Il faudrait peut-être d'autres indications d'exécution (vitesses, hauteurs...) dont je me suis dispensé,

ayant été jusqu'ici le seul « exécutant » de ce poème, mais en fait rien ne doit être trop contraignant pour la voix ; la seule exigence est que *lentement* soit marqué, par insistance, et le *blanc*, par un silence distinctif.

J'ai dit que le poème dont le titre est « La lampe » a pour point de départ la photographie dont le titre est *Fès*, et je veux dire par là que j'établis, au moins descriptivement, une concordance entre ce que je vois sur la photographie et la plage rythmique qui rend compte de quelque chose dans la vision que j'ai de cette photographie, de l'émotion de cette aube imaginaire et implicite envahissant la lampe au-dessus du lit, qu'on ne voit pas mais que restituent pour moi, comme je l'ai dit, la mémoire ainsi que d'autres photographies.

Je dis *de gris et de blanc   et le mur* pour, ensuite, par la répétition identique associée au déplacement simultané du blanc et de l'adverbe qui se rapprochent, se croisent, s'éloignent de nouveau (le sens de *lentement* étant, ainsi, double, puisqu'il est à la fois mot du corps de la « strophe » et désignateur du mode de mouvement de sa répétition variée) pour accompagner le regard de l'image en mon œil, et en mon œil comme si j'étais *double* : regard suivant la lumière sur le mur, de gris et de blanc, de droite à gauche très *lentement*, de gauche à droite m'accordant au silence du *blanc* dans la page,

pendant que, toujours au présent, la lumière de la lampe s'évapore dans la chambre de *Fès* et la lumière du jour, de ce jour-là, jamais oublié, jamais oubliable, l'envahit, comme celle du jour qui maintenant envahit ma lampe de travail quotidiennement, quand s'évapore en fumée de lignes, en lignes, en lignes noires, en désolation cette prose, ma *mémoire*.

Ainsi « La lampe » forme le dernier anneau d'une *chaîne* abstraite dont le début est dans ma nuit, dans le lit d'où je viens, quand je rejoins au cœur de l'avant-matin le lieu où j'écris cela que j'ai commencé, jusqu'à ce que, le jour ayant gagné sur la nuit et les lampes, je laisse ' le grand incendie de Londres ' pour essayer de ressaisir le ' projet ' (le ' projet ' minuscule), dont « La lampe ». (avec quelques autres compositions semblables) fait partie. Le geste de la main et de l'œil et de la voix ferme la chaîne d'un mouvement qui va de la nuit, privée, de la mémoire, à sa trace inconnaissable : ici, dans le poème, le blanc qui se déplace de bord à bord, effaçant tout. « La lampe », comme la photographie *Fès*, est un *double* :

Car le même poème doit se retourner, dans le temps comme sur la page : sur la page le titre en bas, la strophe alors comportant les mêmes mots mais en un pseudo-palindrome, un rebroussement par segments, comme font les vagues de la mer, c'est-à-dire en remontant, par fragments autonomes de voix :

et d'ailleurs   d'une lumière   dans le blanc   de la lampe
s'emplissent   et le   mur   de   gris   et   de   blanc   *lente-*
ment   d'une lumière
de miroir   du rectangle   d'une   lumière   de   gris   et   de
blanc   d'ailleurs
s'emplissent   de   lumière   de   miroir   gauche   de   rectangle   dans le bas   la lumière s'évapore

où le blanc et l'adverbe de la lenteur ont échangé leurs places, leurs rôles, le sens de leur mouvement. Et la lumière, à la fin, s'évapore.

14 *Les pages non écrites pèsent*

Les pages non écrites pèsent sur ces pages. Car je me
représente les lisant, en public, quand elles auront été composées en nombre suffisant (j'ai une idée un peu informe
mais en fait assez stable de la masse d'écrit qui sera nécessaire pour être masse critique, pour que ' le grand incendie
de Londres ' existe), et elles sont loin encore de commencer
à l'être pendant que ceci, leur présent, progresse, avec sa
lenteur d'escargot; mais en même temps je me sens aussi
comme si la totalité de l'hypothétique prose entreprise était
déjà derrière, fixée. Pourtant, ou bien un seuil quantitatif
sera atteint, et la fin sera au-delà, certes, mais surtout il y
aura une fin (longtemps après ou non, peu importe (c'est-
à-dire aussi longuement après, si je m'en tiens suffisamment
à la règle de progression quasi quotidienne)); ou bien le
livre ne sera pas.

Tout ceci (ce qui m'entoure) aura changé en des années (des
années sans doute). Je ne peux guère imaginer comment, ni à
quel point. Et comment ces changements ne se marqueraient-
ils pas dans ma mémoire, dans ma manière de faire les phrases
(et c'est le seul aspect désormais de la *mémoire* qui m'importe),
de pousser les lignes noires serrées sur le papier, de m'adresser
à vous, lecteurs fantômes, lecteur générique. Le présent de
votre lecture se heurtera au présent de mon récit qui n'est, en
fait, déjà plus du tout le même que celui qui s'affirme avec
assurance (même si c'est l'assurance d'un événement désespérant) aux quelques lignes (déjà anciennes, elles) de mon
« Avertissement ».

Il y aura donc dans ce livre plusieurs présents en lutte l'un
contre l'autre, comme ceux dont le parfum indéfinissable
monte à chaque page d'un vieux journal ouvert, mêlé à l'odeur
de vieux papier : ainsi, au début du quatrième carnet de mon
grand-père intitulé (par lui) *la Fuite utile de mes jours*, à la date
du « Lundi 28 octobre 1958 » :

J'ai donc passé presque deux mois sans ouvrir ce journal et je me reproche ma négligence. Avec ma mémoire oublieuse, il est certainement utile, pour fixer les événements essentiels de la famille et mes occupations. Je vais donc essayer de résumer ceux des 50 jours écoulés.

Tout présent parle (après coup) avec évidence, avec une assurance terrible. Un présent qui parle est un temps violent. Mais il y aura encore dans cette prose d'autres présents (plus insidieux, ceux qu'on s'efforce d'annuler, de dissimuler, de dissoudre, dès qu'on récrit, retravaille, repense ce qu'on a écrit; et je me défends de le faire).

Car le présent de ces lignes (le moment où je les trace, dont je ne conserve pas le nom, qui est leur date) restera invisiblement répandu dans toutes les *insertions* que je laisse pour le moment en attente dans leurs pages pour être, peut-être, absorbées par le récit dans l'ordre qu'il vous proposera plus tard. Sur l'étoffe murale de papier écrit que j'ai imaginée, je signalerai le déplacement presque continu du présent de la composition par un glissement chromatique dans les encres choisies, à tout petits sauts de fréquences, mais je ne vois pas pour l'instant comment, sans charger immodérément les marges, je pourrais en conserver une trace explicite dans le livre imprimé.

Pourtant ces bonds continuels dans mon livre que représentent virtuellement les *bifurcations*, les *incises*, toutes les espèces du genre *insertion*, sont l'équivalent d'un des privilèges absolus de la lecture : pouvoir, en ouvrant un livre, être aussitôt n'importe où (privilège qui, dans la pratique, est surtout utilisé par le lecteur de poésie, beaucoup moins par le lecteur de romans). La coexistence de présents aussi incompatibles que péremptoires (tout présent, je l'ai dit, est péremptoire, c'est sa jeunesse) dans ' le grand incendie de Londres ' achevé sera (serait), je crois, une différence réelle (sans valeur particulière mais réelle) avec les principales variétés de romans réellement existants, et donnera sans doute naissance à quelques paradoxes narratifs que je voudrais apprendre à faire jouer, contre la monotonie inévitable de ma voix.

Il en sera de même des autres temps de la narration, plus habituels, en avant et en arrière des présents multiples, des irréels à la localisation incertaine. La possibilité de ce jeu, qui devrait avoir des effets sur la mémoire du lecteur, que je ne supposerai pas (à la différence de l'architecte du grand *Lancelot en prose*) absolue, n'est assurée que si ceci, que je dis maintenant, vient *au début* : et le jeu ne devrait pas, dans ces conditions, être générateur de contradictions senties comme embarrassantes. Il faut que le présent de ces pages, celui qui s'installe sous les lignes de ces premiers chapitres, puisse servir de référence, être proprement le présent vrai de la narration, celui pendant lequel la narration s'accomplit, tout en apparaissant pour ce qu'il est, c'est-à-dire mobile.

La stratégie de la véridicité qui a été initialement non pas la découverte, mais plus trivialement le choix d'un dispositif de protection, une condition de possibilité de ma prose, se redouble ici, s'étend, d'une manière plus radicale encore : non seulement j'affirme maintenant que ce que je raconte est vrai, aussi vrai que je le peux, mais je vous dis aussi que dans cette *branche* présente les choses, vraies, sont racontées à la suite, mais pas à la suite nécessairement dans ce qui se passe : à la suite dans le temps de leur dévoilement, c'est-à-dire à mesure que je les raconte. Le temps de la narration, dans cette branche première, est *vrai*. Je vous présente, et vous lisez (selon votre propre présent), en ce moment même des pages qui sont disposées exactement selon la succession des instants de leur écriture, et j'y raconte aussi comment je raconte ce que vous lisez. Je n'accorde à cette exigence à laquelle je me soumets aucune vertu théorique spéciale, pas plus d'ailleurs qu'à la contrainte du véridique qui gouverne (indépendamment) la totalité. Ce ne sont, en définitive, que des conditions personnelles de fonctionnement dans un *jeu de langage*, auquel vous êtes convié, et qui dépendent en grande partie des circonstances même de la mise en route du récit. Je me protège de la cohérence d'un *monde possible*.

Il est vrai qu'en tout cela je ne suis pas certain d'être cru. Les lecteurs sont méfiants (l'histoire de la lecture leur donne amplement raison). Je préférerais l'être. Je me permets néanmoins de l'affirmer explicitement, et le plus nettement possible : ce que je vous dis est vrai, dans l'ordre même où vous le découvrez. C'est ainsi, par conséquent, que je vous invite à me lire. Et, que vous le vouliez ou non, l'ombre de cette affirmation s'étendra sur votre lecture.

Maintenant, je me souviens : je sortais de la chambre. C'était encore la nuit, en automne. Je sortais le plus silencieusement possible dans le couloir sur lequel ouvrent toutes les pièces, en chaussettes. Je refermais la porte de la chambre. Dans la chambre le lit où, m'éveillant, j'étais resté un moment immobile, à la place qui était la mienne, à droite, du côté de l'armoire laquée brun sombre et reflétant, sur deux oreillers, sous l'entassement de couvertures, proche, cet autre sommeil, et chaleur à la fois intense et troublée, celle de ma jeune femme endormie. Je restais assez longtemps immobile, les yeux ouverts, pour m'habituer au peu de lumière, à l'éveil, pour examiner mentalement le trajet que j'allais suivre dans la quasi-obscurité et déjà, vaguement, ce qui m'attendait dans la journée, le travail, la vie commune et parlante. Je me préparais aux heures de silence, sous la lampe de la cuisine. Je me tournais, j'embrassais ses cheveux, sa tempe, sa joue, je disais « bonjour » doucement, je répondais à quelque réponse endormie, je disais « à tout à l'heure », je sortais silencieusement du lit, j'avançais en aveugle, dans la très faible lumière, vers la porte. Je sortais dans le couloir. Comme aujourd'hui encore je sors, mais derrière moi la chambre est vide. Et mon silence est inutile, puisqu'elle est morte.

chapitre 2

La chaîne

Dans mon souvenir, le « Projet »

Dans mon souvenir, le *Projet* suit une courbe ascendante, qui atteint son apogée en un lieu et en un moment précis. En ce lieu, à ce moment, une sorte d'illumination me le fait apparaître soudain dans son articulation, qui devient évidente : c'est-à-dire que ses parties, encore imaginaires et jusque-là autonomes, s'ajustent, s'enchaînent, à ce qu'il me semble alors, indissolublement. Je me dis alors que le temps d'incubation, de vision, de ' fantaisie ', est passé ; qu'il faut, et qu'il est possible, d'accomplir. Une illumination décisive éclaire l'*état du « Projet »* et s'accompagne d'une illumination seconde, qui concerne le récit, *le Grand Incendie de Londres*, pour lequel tout aussi brusquement un *comment* (qui lui-même d'ailleurs commande un *quoi*) m'apparaît, homomorphe sinon même isomorphe au *Projet*.

Ce qui était depuis le début exhortation : « Cela sera un roman ! », devient : « cela sera *ce* roman ». « Ce roman dira *cela* » (et je vois les grandes masses du récit, pas les détails, bien sûr : de très haut !). Par ailleurs l'éclair qui illumine le *Projet* autant que la résolution romanesque nécessitent, avec une évidence aveuglante (en ce moment, en ce lieu dont je parle, l'évidence de tout cela me transporte) une *décision*, dont par miracle d'ailleurs j'ai précisément les moyens, comme je l'expliquerai tout à l'heure. Aujourd'hui (j'y pense en l'écrivant) je vois que la conjonction triple et nocturne (c'était la nuit) d'un départ, au moins programmatique, du *Projet* dans

51

son ensemble, du roman et d'une décision pratique, impliquant un changement de vie, une *vita nova*, répète l'autre moment, antérieur de presque dix ans, où j'ai conçu le *Projet*, et le roman, en même temps que je prenais une décision vitale dont le *Projet* et le *Grand Incendie de Londres* constituaient, en quelque sorte, la justification.

La différence est peut-être que, cette fois, je ne rêve pas. Mais le rêve, qui fut à l'origine (au moins chronologique) du tout, se présente à mon souvenir, en cette nuit de juillet 1970, sur un balcon, à Madrid. Je revois le rêve; le *rêve*, et la *décision* initiale, et le *Projet* m'apparaissent clairement liés, et liés au roman, qui en est un corollaire. Je mesure combien de temps a passé; que si j'ai entre-temps écrit un peu de poésie que je peux accepter de reconnaître comme telle, un peu de mathématique aussi, aucun commencement de récit ne s'est poursuivi au-delà de quelques pages, jamais satisfaisantes; que rien ne m'assure que cette poésie, cette mathématique, conçues, composées et assemblées en vue du *Projet*, pourront y trouver place; enfin, que la contemplation rêveuse du projet futur, du roman futur, s'est continuellement substituée à toute tentative de leur donner une consistance réelle dont la mathématique, la poésie, le récit même (ou ses ébauches) pourraient être considérés comme des jalons. Bref, j'ai vécu dans une illusion : que tout ce que j'accomplissais était accompli dans cet unique but.

Au mieux, me dis-je, c'était une illusion nécessaire, puisque la croyance en la réalité, en la possibilité du Projet m'a soutenu dans l'effort, simultané sur plus de cinq ans, d'une thèse de mathématique et d'un livre de poésie en sonnets; qu'il me faut donc, ou bien reconnaître que le *Projet*, ou le *roman*, ou les deux, sont des chimères, ou commencer à les faire descendre de leurs nuages et trouver un sol de papier! Mais la formulation explicite de cette alternative (qui implique en particulier l'abandon de l'idée de transposer au *Projet* tout entier le mode d'organisation combinatoire, ludique, du livre de sonnets) n'est elle-même qu'une illusion. Je n'ai nullement (je parle de cette nuit ancienne, à Madrid) l'intention de renoncer au projet ni au roman, et si je me laisse un moment aller à la contemplation morose de ce renoncement, c'est que, simultanément, je suis en train de reconnaître, dans toute son ampleur, l'espèce d'illumination générale qui m'a envahi, en ouvrant le livre que j'ai emporté avec moi sur le balcon.

Le bilan sévère du projet ne fait que faciliter la reconnaissance de la solution, qui m'aveugle, comme étant l'unique possible, et me force à en accepter les conséquences pratiques, puisqu'il n'y a rien d'autre à faire, puisque je ne peux pas continuer comme avant, attendre que tout se mette en place de soi-même. Si je reviens, mentalement, en arrière, si je me dis, dramatiquement : « Je n'ai rien fait ! », c'est que je viens de découvrir ce qu'il faut faire pour faire, et ainsi je suis sûr de n'avoir pas d'autre choix, à moins de renoncer. Et renoncer, c'est me retrouver au moment initial, d'avant le *Projet* et le rêve, devant un jugement de nullité de ma vie, de toute vie.

J'anime, en somme, devant mes propres yeux, le spectre de la *mélancolie*. Ce qui est tout autre chose, je le sais d'expérience, qu'éprouver la mélancolie elle-même.

16 *Aujourd'hui, sans doute, où je raconte ceci*

Aujourd'hui, sans doute, où je raconte ceci, j'ai devant moi, en mon souvenir, avec ironie, une autre illumination nocturne, réellement noire celle-là, un peu plus de huit ans plus tard, après un très semblable bilan. Et cette fois le *Projet, le Grand Incendie de Londres* n'ont pas résisté. La récurrence a eu raison d'eux : car, trois fois, il s'est passé la même chose : une sorte de rêve (rêve ou rêverie), une sorte de décision, une sorte de projet. Et ce n'est pas tellement un ' ce que je vous dis trois fois est vrai ' qui a prévalu mais qu'une vérité, toute autre, sortie chaque fois du même puits que le rêve, accompagnait ce que je me disais à moi-même, et que je ne l'ai vue, ou plutôt que je n'ai commencé à apercevoir sa nudité, que la troisième fois. Chaque fois, quand l'heure du bilan se présentait, dans sa réitération, précédée toujours des mêmes angoisses; quand, face au ' je n'ai rien fait! ', l'illumination d'un nouveau ' mais c'est cela qu'il faut faire! ' m'aveuglait brusquement (et c'était proprement d'un aveuglement qu'il s'agissait) je l'accueillais, j'en avais de la joie, je m'abandonnais aux espoirs qu'elle suscitait; je me livrais aussitôt à un de mes passe-temps favoris : faire des plans. La troisième illumination vitale de cette espèce m'a conduit, elle, en 1978, aux quelques phrases de *l'avertissement* qui se trouvent encore, sept ans après, placées au début du ' grand incendie de Londres ' : la vérité, je la voyais enfin, c'était l'échec du *Projet*, et du *Roman*. Je la voyais nettement et humblement; et j'entreprenais de le raconter (c'est cela que disait, alors, l' « Avertissement », en sa dernière phrase).

Mais l'ironie générale de mon existence redouble alors. Car, ayant immédiatement entrepris le récit de mon échec, fort de l'illumination (noire) et de la décision, j'ai été incapable de continuer. Et cela s'est répété une fois encore, ce qui fait que la tentative présente est, à nouveau, la troisième de son espèce (il n'y en aura pas d'autre).

En 1978, si je me suis interrompu, assez vite, c'est que ce que j'avais commencé d'écrire alors n'était, en fait, qu'une manière de ruser avec la décision de renoncer au *Projet* en même temps qu'au roman. Et d'ailleurs, quand je me suis arrêté, ce fut pour me consacrer à une description purement utilitaire (en vue uniquement, me disais-je, de la prose) du *Projet*, mais qui se transforma en fait bel et bien en un « projet » en bonne et due forme, que j'ai même publié (confidentiellement, certes, mais publié tout de même). Et, ce faisant, j'ai détruit la raison même d'être du ' grand incendie de Londres ' dans sa troisième version.

Car j'avais un besoin absolu de véridicité. Quand j'ai recommencé deux ans plus tard, à l'automne de mon mariage, j'étais persuadé avoir trouvé, enfin, des conditions satisfaisantes, un équilibre raisonnable entre les tâches, infiniment plus modestes, de la quotidienneté et une prose sans obligations. J'ai poursuivi assez longtemps. Mais tout ce que j'ai écrit alors, ou presque, est désormais caduc, et cette fois par un événement sans ironie et irrémédiable, une mort.

Entre l' « Avertissement » et les lignes qui, maintenant, le suivent, il s'est donc passé, invisiblement, plus de six ans. Et la possibilité, aujourd'hui, de ce que j'appelle, avec une légère différence d'accent, ' le grand incendie de Londres ', que j'écris, et dont j'ignore toujours si je l'amènerai à l'existence (puisque je m'impose pour ce but la contrainte d'un minimum, assez considérable, d'étendue) est liée à la conquête, incertaine, d'un état approchant le plus possible de l'indifférence, du renoncement, de l'absence d'espoir, de croyance, de passion, voisin de ce que j'imagine naïvement être l'*ataraxie*, chère à Sextus Empiricus.

Or, ce qui est devenu nul, pour moi, depuis janvier de l'année 1983, ce que je ne peux plus même penser, c'est la *poésie*. La prose, du moins une prose telle que celle à laquelle je m'exerce ici, m'apparaît, à l'inverse, le lieu d'absolue neutralité qui n'a, et pour longtemps, besoin ni des yeux d'un lecteur ni des oreilles d'un auditoire. La poésie, parce que j'avais pris l'habitude de la dire à haute voix, de lire en public, et pour elle, avec qui je vivais, s'est arrêtée pour moi. J'ouvre les yeux dans le noir. Il est trois, ou quatre heures. Je m'installe sous la lampe noire, avec du papier, le cahier, les feutres de quatre couleurs. J'avance ligne après ligne sans espérance et quand le jour, un peu plus en retard de nouveau chaque jour, m'en chasse, je retourne aux apparences de la vie.

17 *L'après-midi, je sortais avec Laurence*

L'après-midi, je sortais avec Laurence, et elle me conduisait dans quelque cinéma connu d'elle, devant un western de série C, où une doublure de Henry Fonda, par exemple, affectait (en espagnol) de ne pas voir les Indiens massés en haut du cañon, alors qu'une centaine d'enfants vociférant dans la salle lui en signalaient la présence. Laurence, très nettement plus ' sophistiquée ' que ces provinciaux madrilènes (nous avions vu ensemble, à Paris, tant de westerns qu'elle savait d'expérience qu'il est vain de tenter de forcer le héros à accomplir les actions de héros prévues par le scénario, de manière prématurée), se contentait de me serrer assez violemment le poignet d'une main pendant que sur l'autre achevait de fondre le reste de *helado de coco* ou de *turrón* qui, de là, glissait, poissant sa robe de petite fille habillée selon les normes d'hispanité absolue qu'elle adoptait résolument dès qu'elle franchissait les Pyrénées (en contraste avec l'espagnolisme modéré de sa tenue parisienne, tempéré par les modes laïques du neuvième arrondissement de Paris).

Elle n'abordait pas cependant les risques éprouvants du western sans munitions : outre la glace au turrón elle faisait, avant d'entrer dans le cinéma, provision de ces *illustrés* (on ne disait pas encore « BD ») traduits de l'américain des années quarante qui constituaient à cette époque une bonne partie du fonds culturel commun aux pays de l'Europe méditerranéenne. Ils lui permettaient de franchir, dans un état de sérénité relative, les moments les plus dangereux du film (la salle restant toujours suffisamment éclairée pour lire, peut-être par un dispositif anti-amoureux de pays prude), signalés, prémonitoirement, par des variations brusques de l'intensité musicale et les soupirs nerveux et rauques des petits spectateurs.

Son premier western, à cinq ans, avait été *Three Ten to Yuma*, et elle en avait vécu les dernières minutes *sous* mon fauteuil, cependant que je lui transmettais, à voix basse, les péripéties de l'invraisemblable mais morale victoire de Van Heflin sur les méchants, incarnés (une fois n'est pas coutume, si mes souvenirs sont exacts) par Glenn Ford. Quand on a passé par là, aucun faux Henry Fonda à voix de torero pour feuilleton télévisé espagnol des années soixante de ce siècle ne saurait vous atteindre.

Les westerns des cinémas de Colón, ou de Generalissimo, empruntaient les mêmes lieux, gares, cactus, cañons et bars que les autres, mais les noms de lieux du Nouveau-Mexique, restitués à leur langue originelle, l'espagnol, par le doublage, sonnaient étrangement étrangers dans cette hispanité de cinéma, comme si l'acteur choisi pour cet exercice ne les avait pas reconnus comme espagnols, et il semblait que les voix, dans ces films, étaient en fait soumises à une logique de la traduction pour laquelle, comme en intuitionnisme, non-non-P peut s'éloigner, sensiblement, de P.

Allant, revenant, par les rues chaudes, ou pendant les dîners que nous prenions, très généralement, seuls, le récit continu du monde que me faisait Laurence, interrompu parfois d'un dialogue socratique où elle m'amenait, par questions au conditionnel et réponses (les miennes) quasi monosyllabiques, à adopter de la manière la plus spontanée le programme d'activités qu'elle avait prévu pour le lendemain, n'effleurait ce qui concernait Sylvia, sa vie, qu'avec une neutralité absolue : ses paroles disaient très peu, ne dissimulaient rien, et n'impliquaient aucun jugement. Ce mode britannique de conversation, chez une petite fille de dix ans, aussi pimpante, enrubannée et désordonnée tout ensemble que les petites Espagnoles qu'elle fréquentait, m'étonnait un peu. Mais sans doute se bornait-elle à me retourner, en écho, mon propre silence.

Franco n'avait plus que cinq ans à vivre et Madrid, qui aujourd'hui, à ce qu'on entend dire (peut-être pas innocemment) est devenu presque aussi dangereux que Manhattan, respirait la paix et la sécurité civiles, ces charmes désuets des dictatures sûres d'elles-mêmes, qui ont versé assez de sang assez longtemps (ce sang dont on s'efforcera, plus tard, pendant de longues semaines d'agonie, de prolonger la vie du dictateur) pour pouvoir dormir sur leurs deux oreilles; et leurs sujets (du moins ceux qui ne risquent pas d'avoir affaire à sa police) avec elles.

Dans la rue, au pied de l'immeuble, allait et venait le *sereno*. Très tard, il bavardait avec les femmes, en noir sur leurs chaises, devant les portes, entre les collisions browniennes des enfants, leurs cris, leurs courses, leurs marelles. Les citoyens de Manhattan, comme j'ai pu m'en rendre compte il y a six ans (du moins ceux qui peuvent se payer ce luxe), ont réinventé le sereno. Mais, pour les très nerveux serenos new-yorkais, au revolver bien visible à la ceinture, sur leur embonpoint faussement bonhomme de shérifs désabusés, la nuit est permanente, et leur regard n'a rien de paternel.

Cette nuit-là, Sylvia était sortie, Laurence s'était endormie en lisant *Mafalda*. C'était presque la fin de mon séjour. Je m'étais allongé sur le balcon de l'appartement, qui était très haut sur la rue, et j'entendais, dans l'air encore bruyant et immobile, dans la chaleur sombre et pleine, la rumeur presque méditerranéenne de cette rue de Madrid.

J'entendais cette rumeur nocturne qui monte des rues dans les villes du pourtour de la Méditerranée et qui pour moi (comme je ne connais guère les autres pays proches de cette mer) est une voix me parlant en langue romane. J'avais sorti sur le balcon une lampe, et le premier volume du *Cancionero* de Baena, alors tout récemment édité par José Maria Azaceta et emprunté par Sylvia, à ma demande, dans la bibliothèque de la Casa de Velásquez (où elle était pensionnaire externe (à cause de Laurence)) (c'est ce même volume que je devais acheter l'année suivante, calle Duque de Medinacelli, dans la librairie du Consejo Superior de Investigaciones Scientificas). J'essayais, dans la chaleur angoissante, par la scansion de quelques vers d'Arte Mayor, de trouver un peu de calme pour réfléchir (on se calme comme on peut). Et c'est précisément là, de ce livre, sur ce balcon, qu'a surgi l'illumination soudaine de mon *Projet*.

18 *Le vers d'Arte Mayor*

Le vers d'Arte Mayor, vers dans lequel est écrit le célèbre *Laberinto de Fortuna*, de Juan de Mena, invention originale et étrange du moyen âge espagnol, n'a pas été jusqu'ici (en ce qui concerne sa métrique, ce qui fait qu'une suite de syllabes peut être dite en Arte Mayor, et une autre pas) expliqué de manière satisfaisante. Si je prends, par exemple, la composition 37 du *Cancionero* de Juan Alonso de Baena, une œuvre due au compilateur de l'anthologie lui-même, qui est un *planctus*, une plainte (les troubadours auraient dit un *planh*) en célébration du roi Don Enrique, mort à Tolède, comme il l'explique en son titre :

> *Este desir* (un « dire », écrit comme un désir) *fizo Johan Alfonso de Baena componedor d'este libro al finamente del dicho senor Rey Don Enrryque en Toledo, el quel dezir es muy dolorido, bien quebrantado et planido, segunt lo rrequeria el acto del negocio, e otros u va por arte comun doblada et los consonantes van muy bien guardadas.*

Si donc je prends comme exemple ce poème, je vois qu'il est composé noblement de huit huitains d'Arte Mayor, lequel mètre convient admirablement (et exclusivement, dans l'esprit de Juan Alfonso et de ses contemporains) à une occasion aussi solennelle.

Chaque huitain est de deux quatrains ou plutôt d'un quatrain « commun redoublé », c'est-à-dire selon la formule (disposition des rimes)

abbaabba,

formule à la fois élevée et confortable, dont le *patron* (pour emprunter un terme au tricot), le quatrain à rimes embrassées *abba*, porte la marque antique des troubadours, ces excellents « facteurs » de poèmes, qui le préférèrent aux autres dispositions de quatrains. Le deuxième quatrain, la deuxième partie de la strophe, de l'autre côté de l'invisible réelle fracture médiane, est de même apparence, ayant le même élevé schéma de rimes *abba*. L'ensemble de la strophe pourrait être un début de sonnet, mais de sonnets il n'est pas encore en l'Espagne à cette époque.

Le vers d'Arte Mayor, disais-je, convient admirablement à une conception formelle et solennelle du poème, à ce *dire-desir* très 'douloureux'. Et d'ailleurs chaque vers y est en son essence redoublement, de par ses deux moitiés bien placées, chacune sur un identique compas métrique d'accents :

> *El sol innocente con mucho quebranto*
> *Dixo a la luna con sus dos estrellas*

A muchos senores duenas et donzellas
Por ser falleçido los puso en espanto.

Por ende senores faziendo grant llanto
En altos clamores le demos querellas
A Dios e a la virgen lanzando centellas
Con grandes gemidos fazados su planto.

El sol innocente, telle s'incarne l'honorable mesure de tout Arte Mayor. Car la voix monte et insiste noblement sur *sol* et sur *cen*, qui sont les deuxième et cinquième ' syllabes ' respectivement de ce demi-vers. Répétée sans cesse, cette mesure donne à toute composition en ce mètre son allure si caractéristique de montagne russe dans un manège de foire. L'âme du roï Don Enrryque, si elle a surmonté le mal de mer résultant, n'a pu que s'en sentir honorée.

Or, on reconnaît aussitôt une des deux formes possibles du *taratantara* tel que, avec une insuffisante révérence, le baptisa autrefois Bonaventure Des Périers. Il y a deux « taratantaras » : celui-là, c'est le ta*ran*tatara, ou taratantara grimpant : monotonie du 2 suivi du 3, indéfiniment se répétant, et fascination du plus élémentaire hémiolisme. Pierre Lusson l'a bien exprimé dans son

œuvre poétique complète
La tendre assuétude des crusiques hémioles

un monostiche qui est, en apparence, un alexandrin de treize pieds plats (comme disait autrefois Jean-Paul Sartre), (en fait, c'est un vieil alexandrin du temps des césures épiques); mais à la voix il se prononce comme un taratantara modèle, ta*ran*tatara en premier, comme il se doit, comme l'exige la Théorie du Rythme Abstrait de son auteur (TRA) qui insiste sur la prédominance du 2 sur le 3; et suivi d'un tata*ran*tara :

La te*n*dr' asswé*tud*' / des crousik' zémiol'

Tout cela est bel et bon. Mais l'Arte Mayor a son secret, l'Arte Mayor a son mystère, comparable à celui du pentamètre iambique anglais dont sont écrits, entre autres, les *Sonnets* de Shakespeare (mais encore *Paradise Lost*; et tant d'autres, et tant d'autres!) Si on reconnaît aisément le *tarantatara* comme motif métrique indispensable à la bonne tenue morale du vers d'Arte Mayor, en général, on reste perplexe cependant devant un vers comme celui-ci :

Maestres de sala, aposentadores

Pourquoi? parce qu'on est un peu gêné, au sein du mot unique qui occupe la deuxième moitié du vers, de placer avec conviction un *ran* sur la syllabe ...*po*..., comme on devrait, plutôt que sur la syllabe ...*sen*..., ou ailleurs, en dehors de l'accent de mot obligatoire de ...*do*, un indiscutable *ra*.

On n'est pas moins perplexe face à :

A muchos senores, duenas et donzellas

où, dans le deuxième hémistiche, c'est la première syllabe, *due*, et non la deuxième, qui est porteuse d'accent. Enfin, pour peu qu'on aie l'esprit métricien, on est franchement désarmé, je dirais même offusqué par :

El Rey virtuoso, de muy alta guisa

dont le deuxième hémistiche est un indiscutable tata*ran*tara, un hémistiche tombant et non montant, avec son accent intérieur sur la première syllabe du mot *alta*, qui est la troisième du segment, et non la deuxième, comme il se devrait.

Sans doute pourrait-on, suivant une coutume chère aux théoriciens de la versification, sous toutes les latitudes et en toutes époques, dire que l'élévation évidente de la figure du roi impose au vers de tomber, là, au lieu de monter, et donc au deuxième hémistiche d'être un « tatarantara », exceptionnellement, et non un banal « tarantatara » comme les autres. Mais cette explication, quoique sémantique, ne me tente pas.

J'étais plongé, au moment d'entreprendre son étude, dans

l'examen des différentes théories qui ont été avec exubérance proposées (les métriciens espagnols, en particulier, sont toujours exubérants) pour rendre compte des phénomènes curieux de l'Arte Mayor. Elles oscillent entre l'escamotage pur et simple de toute difficulté au nom et à l'invocation du génie poétique et de son irréductible liberté (qui plie le vers à une injonction de sens) et leur dénégation, par le recours à des principes d'équivalence qui visent à rendre normaux, par affirmation pure, les contextes déviants, du genre : « un dactyle vaut un spondée », ou : « une citadelle vaut deux villes ».

19 *Or, il se trouve, tout à fait fortuitement*

Or, il se trouve, tout à fait fortuitement, que l'instant d'illumination de mon *Projet* est lié à mes efforts pour élucider le mystère de l'*Arte Mayor*, qui eux-mêmes résultent, tout aussi fortuitement, de la découverte que j'avais faite, quelques mois auparavant, de la récente théorie du vers iambique anglais, proposée par Morris Halle et Samuel Jay Keyser dans leur mémorable article de la revue *College English* : « Chaucer and the Study of Prosody ».

La rencontre, pour moi, de cet article fondateur de la métrique contemporaine et du vers d'Arte Mayor représente le déclic initial d'un mécanisme dont la mise en fonctionnement m'a amené à cette *illumination* dont je parle (il s'agit à proprement parler d'une « illumination »; je ne me prononce pas sur sa valeur de vérité; ce n'est pas de cela qu'il s'agit ici). Le numéro en question de *College English* se trouvait, parmi de très nombreux autres périodiques, au premier sous-sol de la bibliothèque de l'université Johns Hopkins, à Baltimore. Johns Hopkins, qui me nourrissait généreusement, pendant quelques mois de 1970, en des temps où, simultanément, les universités étaient riches, ouvertes, et le dollar élevé (le dollar a fait mieux encore depuis mais pas les universités; et ces temps ne reviendront plus, sans doute, de mon vivant), me demandait, en échange, deux cours : l'un sur la grammaire générative et transformationnelle (dont Halle est un représentant éminent) pour ses étudiants de français, l'autre sur la poésie des troubadours; et, cherchant, pour ce second cours, des exemples de la postérité du Grand Chant, je m'étais préoccupé de son absence apparente en castillan, géographiquement insolite entre tant de splendeurs portugaises et catalanes; et j'avais été conduit à explorer les *Cancioneros*, dont le plus connu est précisément le ' Baena '. Et là, j'avais aperçu ce mètre insolite, l'Arte Mayor.

C'était le dernier vendredi avant les vacances de Pâques et je devais, très tôt le lendemain matin, prendre l'avion en compagnie de Jean Paris pour une conférence de poétique dans l'Iowa. J'étais venu, selon mon habitude, dès l'ouverture, dans la bibliothèque où j'avais, merveille des merveilles, un bureau isolé, souterrain, paisible, à quelques mètres à peine d'une photocopieuse Xerox (découverte d'un luxe tout neuf à l'époque, comme il nous en vient régulièrement de ce grand pays), et accès à un rayon médiéval pratiquement inemployé, hérité par Johns Hopkins du grand Leo Spitzer. Dans ce tunnel de papier je passais le plus clair de mon temps libre (la bibliothèque était ouverte *tous les jours*, de huit heures à minuit!) (même le dimanche!).

Ce matin-là, je n'arrivais pas à lire, rendu fébrile par la joie d'un voyage vers l'intérieur des USA, dans un de ces dix États qui possèdent un morceau de rive du Mississippi, et de ce fait associés dans mon imagination à Tom Sawyer et Huckleberry Finn. Aussi, parce que, après ces quelques jours en Iowa, j'allais rejoindre Louise à Boston. C'était un moment presque neigeux, et la salle des périodiques de la bibliothèque, à peu près déserte, regardait l'herbe à niveau de ses fenêtres, et le ciel gris blanc, attentif, hésitant, comme composé d'un seul nuage aux frontières débordant l'horizon et le toit. Je voyais descendre un peu de neige, par secousses, par bouffées, ce que la langue anglaise désigne d'un mot irremplaçable, *flurries*. J'ai commencé à lire « Chaucer and the Study of Prosody », au hasard, par hasard, par nervosité; et j'ai été plongé aussitôt dans un état d'exaltation intense. Il ne m'est guère possible d'attribuer à la prose de Morris et Samuel Jay (d'une lourdeur proprement chomskyenne; comment les linguistes d'aujourd'hui peuvent-ils se permettre d'écrire si mal!), pas plus qu'à l'ampleur du sujet ni à son importance, qui ne sont pas, à proprement parler, vitales, la responsabilité majeure d'une réaction aussi vive. Il me semble plutôt que j'ai eu, à la faveur de la neige, entre les *flurries* de la neige sur le campus de Johns Hopkins et la rêverie érotique récurrente de ma passion sentimentale pour Louise, le pressentiment, dès les premières pages de cette lecture, d'une raison de gloire du *Projet*, dont *le Grand Incendie de Londres*, dans sa version initiale, imaginaire, et pleine, devait faire son héros. Et cela bien avant que cette gloire m'apparaisse, comme un ciel de Tiepolo, sur un balcon de juillet à Madrid.

Car la théorie du iambe anglais, telle que je la lisais là, établissait, pour la première fois pour moi, un lien formel, qui n'était pas uniquement descriptif, entre la poésie et la langue. Le lien, certes, était ténu : la langue n'intervenait que par un biais (une théorie de la grammaire de la langue, la syntaxe générative), (et je ne voyais pas alors que l'intervention de cette version particulière de la linguistique n'est pas l'élément le plus original de l'hypothèse de Halle-Keyser, qu'elle n'est heureusement même pas nécessaire, sa dérivation des bases transformationnelles étant purement notationnelle, et *ad hoc*). La poésie intervenait d'un autre côté, purement mécanique (la théorie du vers). L'exemple était lointain dans le temps (Chaucer). La langue de ce vers n'était pas la mienne. Et pourtant, si ténu qu'il fût, le lien était là.

Je dirai même que la modestie du lien, sa technicité étaient des raisons supplémentaires de mon enthousiasme. Car je ne me heurtais à aucune explication générale de la poésie, de ces explications envers lesquelles je ressentais une très vive méfiance (et je ne parle pas là des théories involontairement pataphysiques comme celles de Kristeva; mais les tentatives, souvent ingénieuses, fines, de Jakobson, qui oscillent entre la réduction à des constatations descriptives de linguiste et l'appel à des principes de symétrie si vastes qu'ils englobent aussi bien les lois poétiques que celles du cosmos et de l'antimatière, me laissaient incrédule, insatisfait, et vaguement hostile) : des hypothèses claires, empiriquement vérifiables, à partir desquelles je pouvais rêver à ma guise, explorer. J'interprète ainsi ma réaction du moment, pendant cette lecture de hasard. J'ai emprunté l'exemplaire de *College English*, en même temps que le premier volume du *Cancionero* de Baena; je les ai joints à ma provision de livres, pour tous ces jours où je n'aurai pas accès aux rayons sauveurs de la bibliothèque Milton-Eisenhower. Je les ai posés côte à côte près de moi dans l'avion, le lendemain.

20 *Le « Cancionero » de Baena (les volumes I et II seulement)*

Le *Cancionero* de Baena (les volumes I et II seulement, car le troisième, déjà, était épuisé quand je suis allé l'acheter calle Duque de Medinacelli) m'a accompagné dans deux déménagements : de la rue d'Amsterdam à la rue de la Harpe, puis de la rue de la Harpe ici, rue des Francs-Bourgeois. Rue de la Harpe il se trouvait, avec d'autres *Chansonniers* espagnols, dans notre chambre, au sommet de la bibliothèque Lundia qui, démontée, recomposée, augmentée (un peu), est maintenant en partie à ma droite dans la chambre.

La rangée verticale des *Chansonniers* s'appuyait alors, en l'absence de montants, sur une pile horizontale composée d'éditions de trouvères, provenant pour l'essentiel des machines Xerox du sous-sol de la bibliothèque Milton Eisenhower de Johns Hopkins, pile que je n'avais pas trouvé le temps de classer depuis, n'ayant jamais réussi à entreprendre la ' branche ' française du grand ' chansonnier ' (au sens anthologique dérivé) médiéval qui devait constituer une partie du *Projet* (et le classement n'a même pas été achevé! il ne le sera sans doute jamais). Elle a été huit ans dans mon armoire rue d'Amsterdam et, jusqu'à la construction de la bibliothèque Lundia en octobre 1980, derrière mes vêtements et souliers rue de la Harpe. Au moment d'achever un article sur le vers iambique abstrait, avec application aux iambes russes et surtout anglais, que m'avait demandé Jackie pour une publication de l'université ex-Vincennes j'avais pris, afin de vérifier la position intermédiaire singulière des *Cinquante Ballades* de John Gower, qui sont en décasyllabes français mais aussi, simultanément et parfois avec quelque tension, de véritables pentamètres (c'est un beau ' bilinguisme métrique '), quelques-unes de ces photocopies, encore agrafées en liasses par des trombones et étiquetées de minces languettes de papier (un seizième de feuille de format français ancien, 21 × 27, en rectangles longs, indiquant la numérotation des pages souhaitées pour reproduction Xerox dans le volume source (le Xerox ' libre-service ' n'existait pas encore).

Je cherchais des décasyllabes. Mais le premier trouvère que j'ai ainsi sorti de sa liasse poussiéreuse, Richart de Semilli, n'en a guère, dans son mince ' chansonnier ' de dix pièces seulement (il s'y trouve surtout des pastourelles, qui n'aiment guère le décasyllabe, et particulièrement le décasyllabe ' lyrique ' qui est pour les dames, ni l'épique qui est pour les messieurs tueurs de Sarrazins, parfois dits « chevaliers »); il a, en revanche, composé quelques-uns des premiers (et très rares) alexandrins lyriques médiévaux (qui plus est, rareté supplémentaire, en rimes plates), dans une ' chanson à refrain ' qui commence ainsi :

> J'aim la plus sade riens qui soit de mere nee
> En qui j'ai trestout mis cuer et cors et pensee
> ' Li dous deus que ferai de s'amor qui me tue
> Dame qui veut amer doit estre simple en rue
> En chambre o son ami soit renvoisie et drue '
>
> Elle a un chief blondet, euz vers bouche sadete
> Un cors pour enbracier une gorge blanchette
> ' Li dous deus que ferai de s'amor qui me tue
> Dame qui veut amer doit estre simple en rue
> En chambre o son ami soit renvoisie et drue '

. . . .

En relisant ces vers (et mon arrêt sur eux n'était pas indépendant de l'adjectif rime au vers 7), je me suis souvenu que ces alexandrins (ils sont si peu fréquents, dans le registre lyrique, et présents ici avec l' ' excuse ' du ton ' bas ', souligné par la disposition non enchevêtrée des rimes, et ce refrain plus long (trois vers!) que le corps de la strophe (qui n'en compte que deux), que tout d'abord j'avais cru, avant d'établir (tâche fort longue) pour moi-même un répertoire métrique (celui de Mölk-Wolfzettel n'existait pas encore) à leur absence totale chez les trouvères), je les avais découverts (et je les avais retenus, aussi, à cause de la conjonction insolite de ces mots qui appartiennent au vocabulaire de la douceur, à la ' convenance ' du Grand Chant, dans sa branche en français, ' sade riens ', mais que l'histoire de la langue et l'histoire de la littérature par hasard conjuguées dotent à nos yeux, aujourd'hui, d'une juxtaposition d'évocations terme à terme antonymes de leur signification première : car ' riens ' est passé à ' aucune chose ', ' néant ', partant de ' chose ', et ' sade ' n'a plus rien de doux) et je les avais lus en l'air alors que l'avion, franchissant l'Iowa et le Mississippi, survolait la campagne divisée en carrés de neige d'un mile de côté, bordés de gris (les routes) : toute la lumière se réfléchissait dans la neige géométrique, dans le pavage en coussins de neige de l'Iowa, et, rêvant vaguement à la dame de Richart de Semilli, à ce qu'il espère d'elle, annoncé déjà par le fragment ci-dessus, dès le mot ' drue ' (' quant elle est en meson toute seule et sanz noise / lors mande qui qu'el veut si se greve et envoise /), je laissais lentement dans ma tête venir à ébullition les imaginations métriques suscitées par une première lecture rapide de l'article de Halle-Keyser posé ouvert sur mes genoux (alternant avec d'autres imaginations, moins métriques et plus proches de l'esprit du poème de Richart, de Louise).

Et comme les décasyllabes anciens et les vieux vers de l'Arte Mayor se trouvaient là, très matériellement, à ma disposition, il est naturel que je me sois dit (je ne me souviens pas de me l'être dit, mais ce genre de choses n'appartient pas au domaine du souvenir) que je pourrais y chercher la clef d'une interprétation nouvelle de ces mètres (y compris l'alexandrin médiéval), en *transportant* les principes mis en œuvre pour l'élucidation des vers de Chaucer. Plus tard, quand j'écrivais l'article sur le vers iambique déjà mentionné, la conjonction d'une relecture de « Chaucer and the Study of Prosody » et de la coexistence, en haut de la bibliothèque Lundia, du *Cancionero* de Baena et des photocopies de trouvères m'a restitué la neige oreiller de l'Iowa ; et d'ailleurs, je m'en souviens, il neigeait.

21 *L'après-midi du lendemain*

L'après-midi du lendemain j'étais sorti, dans le froid ensoleillé, marcher en regardant mes premiers vers d'Arte Mayor, dont j'espérais élucider le mystère métrique. Le soleil était éblouissant, sur la neige ; et le froid, froid. Si bien que j'avais le plus grand mal à tenir le livre ouvert (les *Cancioneros* font de gros volumes, celui-là ne faisait pas exception ; et il était lourd, en plus, avec son cartonnage de bibliothèque) en marchant, et à lire, dans la lumière excessive réfractée.

Je me suis réfugié dans le musée. Dans cet endroit confortable, accueillant, spacieux, à la lumière à la fois reposante et efficace (comme dans la plupart des musées américains), raisonnant paisiblement, sans regarder la peinture (certainement excellente), le livre fermé, je me disais ceci (supposons que je me disais ceci) : si Halle et Keyser ont raison (je sens qu'ils ont raison), leur *principe du maximum* est sinon universel, du moins généralisable. S'il est généralisable, il peut être essayé, éprouvé, ailleurs que sur le VIAN (*Vers Iambique Anglais*). Si je l'éprouve sur le vers d'Arte Mayor, s'il n'est pas absurde de le faire, je peux le savoir très vite, puisque le principe prévoit une conséquence assez spectaculaire (spectaculaire, disons, pour les théoriciens du vers) : la relative indifférence accentuelle des commencements dans les unités métriques : les hémistiches, les vers. Car, selon le principe de HK (pour Halle-Keyser), au début d'une unité indépendante, rien ne peut véritablement être estimé fort, ou accentué, plus marqué que ce qui précède dans l'unité, et pour cause, puisque avant il n'y a rien (rien c'est-à-dire une frontière infranchissable pour la comparaison); rien à quoi on pourrait valablement ce début comparer. Si le principe de Halle-Keyser est valable pour les vers d'Arte Mayor, il doit y avoir des vers, et des demi-vers (c'est un vers à demi-vers), où la première syllabe, prévue faible par le modèle, le *taratantara* comme j'ai dit, est en fait forte, c'est-à-dire accentuée. Je n'ai eu aucune peine à trouver immédiatement un premier hémistiche commençant par une syllabe marquée, dans le poème de Baena que j'ai cité il y a peu de temps :

Doña Catalina

(il y a aussi des vers où la première syllabe du deuxième hémistiche est forte. Cependant ils sont plus rares, ce que ne prévoit pas le principe du maximum, mais, dans mon enthousiasme du moment, je n'y prêtais pas attention. Ainsi celui-là, dû à Alfonso Alvarez de Villasandino :

Dueña et donzellas).

Quand j'ai lu ce demi-vers, parfaitement honorable puisqu'une *dame* en occupe le début, qui ne saurait être que bien et haut placée, et pourtant est mise en position basse et humble selon le modèle, je n'en ai pas été surpris. Je dirais même que je m'y attendais, que j'étais presque sûr qu'il en serait ainsi et que, par conséquent, tout le reste suivrait, que je parviendrais à élucider le principe de l'Arte Mayor (et cela a été presque vrai; presque seulement parce que, comme dans le cas du VIAN, il restait quelques phénomènes obscurs, qu'il m'a fallu dix ans pour dissiper, après la scansion de centaines de milliers de vers dans d'autres langues, et un changement complet de *point de vue*).

Cette certitude, que j'aurais tendance à considérer *a posteriori* comme benoîte et béate, ne prouve nullement une prescience quelconque de la vérité des choses (j'ai eu bien de telles certitudes, par exemple mathématiques, qui se sont révélées fausses trivialement), mais il me semble, alors qu'aujourd'hui je m'efforce de tirer le fil mental de l'enchaînement d'événements et de déductions dont mon illumination estivale, à Madrid, a été l'aboutissement, qu'elle témoigne surtout d'un travail implicite de mon esprit pour établir les corrélations nécessaires à l'élaboration de plans pour l'édifice du *Projet*. J'avais besoin moins certainement du *principe du maximum* (qu'on ne peut guère ' extraire ' du contexte de la théorie du vers) que d'un équivalent combinatoire plus universel (et il m'a fallu plusieurs années pour le dégager, à l'aide de la Théorie du Rythme Abstrait (TRA)). Et il était nécessaire que son terrain d'application soit *dans la poésie*.

Ainsi, au terme de cette brève enquête introspective, j'aboutis, dans mon souvenir, au musée du campus de l'université d'Iowa. Je tiens le premier indice concret d'une possibilité, autre que rêvée ou affirmée dogmatiquement, axiomatiquement, d'enchaînement de deux anneaux en apparence fermés l'un à l'autre du *Projet* (vu comme chaîne) : un *principe du maximum* abstrait, déjà combinatoire, permet la ' traduction ' d'un vers en une séquence arithmétique de zéros et de uns. C'est un lien qui permet d'accrocher du *calcul* à la *versification*. La grande modestie initiale de ce lien, la première faible ' vrille ' algébrique s'enroulant autour de son ' tuteur ' de langue mesurée, m'étonne, mais je n'en vois pas d'autre dans mes souvenirs. Je crois que c'est bien à partir de là, de ce moment de paix neigeuse, tiède, dans une des petites chambres à peintures du musée (ce sont des peintures qui veulent, comme certaines musiques, des chambres, pas de grands salons d'apparat), que l'imagination des parties enchevêtrées du *Projet* s'est fixée sur son grandiose *programme*, et celui-ci, après quelques mois de travail souterrain dans mon esprit, s'est révélé brusquement tout armé sur le balcon dont je suis parti au début de ce chapitre.

Je ne vais pas y revenir immédiatement, car j'ai besoin de ramener au jour un autre fil, celui du *mode d'enchaînement* des différentes parties du *Projet*, qui m'apparaît en même temps, et en même temps que je découvre et décide la façon dont *le Grand Incendie de Londres* sera écrit. Il se trouve d'ailleurs que je n'ai pas besoin de me déplacer beaucoup pour cela, que je peux rester encore un peu dans l'Iowa, devant la même neige, nocturne cette fois. Mais je m'autoriserai auparavant une digression, imposée par une juxtaposition d'images, conduisant à autre chose, qui pourra venir plus tard; images que j'ai exhumées au moment de me souvenir.

22 *Il y avait en même temps que moi dans le musée*

Il y avait en même temps que moi dans le musée un petit monsieur âgé d'origine lithuanienne, nommé Ratermanis, qui était professeur au département de Langues romanes de l'université de l'Iowa, qui avait connu autrefois Troubetskoï et Jakobson (je ne sais pourquoi, bien que ce soit sans doute chronologiquement impossible, je reste persuadé qu'il avait aussi connu Baudoin de Courtenay), et qui approchait d'une retraite paisible dans cet état du Middle West, après de nombreuses années d'enseignement de la littérature française suivant de non moins longues années d'errances dans l'Europe des orages, moins paisibles, comme on pense.

J'avais échangé quelques paroles courtoises avec lui, après être intervenu au colloque, et il était là, dans le musée, depuis un moment, ne se hasardant pas à interrompre ce qu'il supposait être mon absorption dans la contemplation de quelque trésor pictural. Il sortit de sa serviette et me confia deux articles, son œuvre, que j'ai encore quelque part; où il propose, avec l'appui d'une phonologie modeste, d'étendre notre regard sur la rime, dont la répétition nous dit qu'un certain segment sonore qui est ici *a* est encore *a* plus loin, mais de ne pas nous en tenir à cette constatation. Car si nous nous penchons sur les environs de la rime (que ce soit son contexte gauche, ce qui la précède dans le segment, ou son contexte à distance, une *autre* occurrence d'elle-même, dans un autre segment), il nous est indiqué de diverses manières, pensait M. Ratermanis (et il espérait ainsi, quoiqu'il ne le dise guère, par prudence de savant et discrétion personnelle, comprendre quelque chose de nouveau touchant l'essence du ' poétique '), que si la rime nous dit que *a* est *a* (ce qu'elle fait, certes, ce qu'elle fait) elle nous dit aussi et avec autant d'insistance qu'elle n'est pas *b* (d'ailleurs, si elle n'était pas *pas-b*, tout serait *a* et il n'y aurait pas rime du tout).

Plus précisément, si dans un poème on rencontre, en deux vers consécutifs, une rime et une autre, d'espèce différente, une figure de rimes *a-b*, où *a* et *b*, rimes distinctes, sont présentes en deux timbres différents, la deuxième rime, *b*, considérée en son timbre, n'est pas seulement ' autre que *a* ' mais, d'une certaine manière (que M. Ratermanis tentait de préciser en ayant recours à des matrices de traits distinctifs (bien sûr, Jakobson avait été son maître)), un antonyme de *a*, un *non-a*. Et par conséquent la figure de rimes *a-b* ne devrait pas s'interpréter uniquement, comme on le fait naturellement et implicitement, ' *b* vient après *a* et n'est pas *a* '; on devrait plutôt dire : ' *a*, mais *b* '. Et M. Ratermanis voyait ainsi polémiquer entre eux les timbres des rimes baudelairiennes (combat satanique qu'il s'efforçait, à ce que je crus comprendre sans grand succès, de faire apprécier des étudiants de français de l'Iowa neigeux, avec une courtoise obstination lithuanienne (mais peut-être était-il letton)) : ' *a*, certes, messieurs, mesdemoiselles, mais *b*! '.

M. Ratermanis, ai-je dit, était un petit monsieur. Mais, en y repensant, je m'aperçois qu'en fait, comme son nom, si lafontainien, l'indique, c'était un tout petit monsieur léger, légèrement précieux, au français précis et parfait, teinté de nuances estudiantines du Quartier latin des années vingt (si j'en crois le modèle qui traîne dans mon oreille depuis l'enfance par confrontation des voix des amis de mes parents), rendu légèrement hésitant sur quelques mots par l'éloignement, la nostalgie, et de très nombreuses années de Middle West. Il était fort modeste (il ne doutait pas de l'immense supériorité universelle de Jakobson (sauf peut-être sur Baudoin de Courtenay, balte comme lui)) mais n'estimait pas nécessaire de s'excuser de ne pas saisir les variantes les plus récentes, barthésienne, kristévienne, greimassiennes ou autres, du structuralisme; non qu'il jugeât ces entreprises *a priori* méprisables (ce que l'attitude matoise de Jakobson louvoyant entre les différentes avant-gardes ' théoriques ' lui interdisait, et sa propre modestie), mais parce que tout simplement il pensait qu'il était trop tard pour lui d'essayer d'en apprendre assez pour confirmer le soupçon que ces manières d'aborder la littérature, et surtout la poésie, ne lui seraient pas sympathiques.

Ce que j'avais dit du *vers libre*, et du vers en général, le matin, lui avait donné à penser que, bien qu'entraîné apparemment par la même vague avant-gardiste, j'étais d'une espèce un peu différente, peut-être mieux à même d'apprécier ses idées sur la rime, et c'est pourquoi il est venu me parler, avait décidé de m'envoyer ses articles, et il était heureux de ce hasard qui lui permettait de me les remettre en main propre. Ce qu'il fit. Je ne lui ai pas écrit le bien que j'en pensais, hélas! je n'écris jamais. J'ai lu les articles avec plaisir; je les ai montrés, à mon retour, à quelqu'un qui travailla un moment, en linguiste, sur le vers, et qui y fit une allusion rapide quelque part. Ensuite, j'ai oublié. Il y a quatre ans, quand Alix, à Rouen, pour l'hommage à Queneau, a suggéré que l'Oulipo s'occupe d'une variété nouvelle de rime dont le principe serait non plus ' a, puis b ', mais plus agressivement ' a, mais b ', j'ai repensé à la théorie ratermanienne qui en représentait, en somme, le ' plagiat par anticipation '. Et voilà que je le revois : cher M. Ratermanis, je suis heureux de vous avoir ainsi retrouvé sous l'adéquate et silencieuse lumière du musée de l'Iowa.

Cependant, dans l'après-midi finissant, et toujours la neige, mais de plus en plus obscure, et lourde, je fus conduit quelque part, où l'on se réunissait. L'Iowa était (est encore?) un État ' sec ', dont le gouverneur (un démocrate nommé Hughes qui eut, un instant, des velléités présidentielles) était (avait été) un alcoolique repenti : c'est pourquoi, si on buvait particulièrement sec dans l'Iowa, il fallait, pour s'approvisionner en boissons, atteindre un magasin fédéral en forme de hangar parqué à bonne distance de la ville (Iowa City), comme un bordel. Ce soir-là, un samedi, d'interminables files de voitures y amenaient des Iowiens qu'inquiétait, subitement et tardivement, la perspective d'un week-end voué au seul root-beer (ma boisson américaine favorite) ou au Seven-Up.

L'Iowa (l'université de l'État) se faisait une gloire de son *workshop* (atelier) d'écrivains, pour lequel elle attirait (et là était son originalité diabolique) de malheureux jeunes poètes et prosateurs désargentés de tous les pays du monde, afin de les faire œcuméniquement se rencontrer et se réciproquement traduire : triple enfer (l'Iowa, les autres écrivains, la traduction) qu'ils ne découvraient que beaucoup trop tard, quand ils étaient déjà entourés de toutes parts de Middle West, de neige, de maïs, et de prohibition : un des plus malheureux de ces malheureux était un poète français, Alain Delahaye (de qui j'ai appris, pour mon plus grand bien, qu'il y avait une poésie américaine réellement et pas seulement administrativement contemporaine, postérieure donc à Pound et Cummings, poésie qu'il traduisait (il traduisait alors Merwin et Galway Kinnell), et qu'il y avait même des poètes français (pas seulement lui) qui connaissaient cette poésie (c'est-à-dire connaissaient autre chose que Ferlinghetti, Olson, Ginsberg, ou le pauvre et stupide Gregory Corso) et la traduisaient ; et je découvris ainsi, grâce à lui, la revue *Siècle à mains*). Et c'est chez lui, dans le logement iowien qu'il partageait avec un Japonais, que se tenait la séance alcoolique où me traînait Jean Paris. Son visage, ordinairement ou, disons, matinalement aussi pâle que ses cheveux, prenait, à la tombée de la nuit, une large roséeur, à la fois sombre et fixe, et, tout en buvant, il proférait à l'égard de l'Iowa, de ses coutumes, de son climat, de ses habitants, à intervalles réguliers et courts, des insultes répétitives, solipsistes, et extrêmement anatomiques. Le Japonais jouait au go ; c'était un excellent joueur de go, qui n'eut aucun mal à me battre, sur un coin de table, dans la cuisine.

J'ai oublié son nom, perdu son adresse. Il était venu (il parlait bien anglais) dans l'Iowa écrire des nouvelles sur le

Japon de l'ère Kamakura, ce qui me parut, sans doute à tort, légèrement paradoxal; et, s'étant montré poliment surpris du fait que je jouais (même mal) au go, il ne refusa pas de parler quelque temps avec moi de la poésie japonaise ancienne, qui m'avait passionné assez longtemps, avant ma venue aux USA; du renku (renga), que je venais de composer avec Paz, Tomlinson, et Sanguineti (Edoardo).

Il connaissait (mais il ne me livra pas son sentiment à ce sujet) l'article du professeur Konichi sur les anthologies impériales japonaises qui m'avait enthousiasmé, et où j'avais trouvé l'idée (l'annexant immédiatement) d'une construction poétique dont les éléments seraient non les mots, les phrases ou les vers, mais les *poèmes* eux-mêmes; qui serait un *poème de poèmes*, donc, accompagné ou plutôt soutenu d'une esthétique de la réticence, de l'inachèvement et l'imperfection. Rien de tout cela, sans doute, n'était nouveau pour lui. Ou peut-être pensait-il que c'était faux; ou encore la poésie n'était nullement sa '*cup of tea*'. Je ne pouvais déchiffrer son expression, pendant qu'il m'écoutait et me répondait, en un anglais lent et précis, en buvant du rosé de Californie.

Quoi qu'il en soit il me dit, sur le haïku, quelque chose qui influa décisivement sur mon *Projet*, et sur le rêve de mon *roman* :

- qu'un haïku était toujours (ce que je savais) ouvert, implicitement prolongeable en un long poème par chaînons, un ' renku ', mais que peut-être, plus encore qu'un début de renga, un ' hokku ', il était, virtuellement, infini vers le futur; c'est-à-dire :

- que le commencement d'un poème infini était chaque haïku, infini dans les deux sens : prolongeant, en un nouveau début, tous les haïku antérieurs,

- mais surtout, imaginairement et potentiellement infini, à écrire;

- que le renku mimait cela, au moyen des conditions de changement que lui imposaient les règles traditionnelles, comme dans le temps potentiellement infini (infini pour toutes fins pratiques) changent à l'infini les saisons, les fleurs, les pluies, les lunes;

- que les voix des poètes qui se partagent la composition des strophes-chaînons d'un renku sont comme les générations;

- et c'est pourquoi (mais c'est là, maintenant, ma propre interprétation) il faut être au moins trois pour un renku, car la plus profonde ressemblance de l'homme n'est pas toujours avec ses parents mais avec ses grands-parents parfois, ou plus loin encore;
- il faut être cinq au plus, car la mémoire transmissible par la voix ne couvre jamais plus de cinq générations;
- la fin d'un haïku, d'un renku, enfin, n'est qu'un arrêt dans la forme perpétuelle, une sorte de mort.

23 *J'essaie, non sans mal, de conserver une ligne à ma prose*

J'essaie, non sans mal, de conserver une ligne à ma prose; une direction à mon récit. Non sans mal car, contrairement à la présentation sereine que j'en ai fait au premier chapitre, il ne s'agit pas toujours, il ne s'agit même pas le plus souvent, de choisir une route principale quand sur mon chemin un carrefour se présente, et d'abandonner provisoirement les autres, pour les reprendre en des *insertions*.

Il se peut, d'abord, que le choix soit presque indécidable; il se peut encore, et c'est plus certainement, quand une telle situation se présente, le lieu d'une influence sur le résultat immédiat, ce que vous lisez, il se peut donc qu'il n'y ait pas, en fait, un carrefour, mais devant moi la forêt encore impénétrée des choses en mémoire, et qui attendent.

Le récit, alors, doit être un défrichement. Mais tout défrichement rencontre des obstacles : ce peut être l'incertitude sur la direction à prendre, mais aussi que je sais que des choses horribles, ou tristes, ou simplement oiseuses, indifférentes, inutiles, sont proches, que je voudrais contourner.

Mais surtout, et particulièrement en ce moment, le début de

mon entreprise encore si proche, la multiplicité des possibilités de dire qui s'offrent à mesure que je dis, en une croissance encore exponentielle. Et c'est pourquoi je vais, en apparence, un peu dans tous les sens. Je n'ai pas voulu masquer cette difficulté, ce que j'aurais pu faire aisément, en choisissant à l'avance l'ordre des événements à suivre, soutenu par exemple et protégé par une chronologie.

Car cette solution m'est en fait interdite, à la fois par la nature même de l'expérience de prose que je tente, puisqu'elle doit accueillir le plus possible les suggestions du présent, du temps où je raconte, et les fondre à mesure dans ce qui est raconté. Aussi à cause du *Projet*, puisque je le parle ; et à cause de ce qu'il était, de ce que devait être simultanément le *roman*, leurs multiplicités parallèles.

C'est pourquoi, ayant fait ce saut en arrière, je ne continue pas la description du rêve de solitude, tel qu'il me fut donné par les circonstances de le vivre, à l'automne de l'année 1970, conséquence immédiate de mes réflexions, sur le balcon d'été, à Madrid. De cette manière, qui peut paraître chaotique (je ne m'en excuse pas), j'approche, doublement, l'image du *Projet*, autant que celle du *roman* ; par la narration de leur histoire, et par les bizarreries propres à cette narration.

Je me lève, je prends mon bol sur la table de la cuisine. Je l'ai posé là hier au soir avant de me coucher, pour ne pas avoir à ouvrir bruyamment le placard, pour minimiser le bruit de mes déplacements. Je continue, jour après jour, à me conformer à ces habitudes sans importance : silence sans importance, mouvements sans importance.

Je verse un fond de café soluble Zama Filtre dans le bol, je le remplis d'eau chaude sur l'évier, je le porte lentement sur la table, à ma place, le dos à la fenêtre, face au frigidaire : je le pose lentement devant moi, écartant l'assiette sale du dîner, les peaux de banane, les sacs de papier brun vides, le désordre. Le liquide est toujours aussi peu agréable. Je bois le grand bol d'eau tiède et caféinée. Il est un peu moins de cinq heures, heure d'été, trois heures du matin au soleil ; la nuit, quoi.

Je reviens dans la chambre, je m'assieds. Dans la bibliothèque, maintenant, le *Cancionero* de Baena et les photocopies de chansons de trouvères sont séparés. Je ne crois pas que je les rouvrirai de sitôt. Insensiblement, d'aube en aube, les lignes noires avancent dans mon cahier, pendant ces tranches horaires immobiles dont je sors épuisé et indifférent pour des journées irréelles. Le cône lumineux de ma lampe déborde du bureau; et, comme un écho de sa lumière, affaibli, il y a, sur le mur blanc auquel mon lit est appuyé, draps verts aujourd'hui, celle de l'applique blanche que j'ai allumée en m'éveillant. Je vois l'applique elle-même et son reflet dans l'armoire où se lisent le lit et les oreillers, image trouble, comme dans une vitre lavée de pluie. En m'éveillant, j'ai sorti le réveil Kintzle du tiroir où je l'avais enfermé parmi les chaussettes, pour ne pas entendre son faible bruit quand je ne parviens pas à dormir.

chapitre 3

« *Prae* »

24 *J'étais venu, il y a quatre ans*

J'étais venu, il y a quatre ans, avec un sentiment d'urgence né à la fois de la mise en mouvement, une nouvelle fois (et une nouvelle fois en vain), de cet écrit et d'un désir, disparu aujourd'hui, de lui assurer quelque protection « documentaire », interroger mon père et ma mère sur le passé, celui d'avant ma naissance ; le passé lointain, le plus loin possible aussi de ce qu'il ne fallait en aucun cas, devant eux, remuer. Je m'y préparais depuis longtemps, sans parvenir à m'y résoudre.

J'étais armé d'un magnétophone Uher, l'un des deux appareils achetés à l'origine pour ma mère, dans les premiers temps de sa cécité, pour des cassettes de musique ou de textes, et abandonné par elle à la suite de catastrophes répétées du dispositif dit « *reverse* ». Il était dans ma chambre, dans le tiroir, avec quelques cassettes vierges.

C'était le début d'octobre, et les vendanges, tardives, commençant à peine, je me proposais aussi, comme chaque année alors, d'aller ramasser et cueillir les *azeroles* (mais elles étaient rares), de retrouver la couleur du tapis d'azeroles tombées sous les arbres, de faire, antidote à la prose angoissante, à ses poisons, les gestes apaisants de la préparation des gelées.

Regardant devant moi pendant que j'écrivais à la table (c'est en un lieu que je décrirai plus loin) ma mère préparer lentement, maladroitement, les accessoires divers nécessaires à son petit déjeuner, je ressentais, plus violemment encore, avec le sentiment diffus de quelque catastrophe proche, cette urgence. Car la lenteur de ses mouvements, leur maladresse, me semblait-il, s'étaient aggravées depuis mon dernier séjour. De plus en plus, elle se trompait sur la position des objets autour d'elle : les meubles, la table, les buffets, les chaises. Loin de faire, avec plus d'assurance, par familiarité, les mêmes gestes quotidiens dans un environnement étroit et maintenu avec soin par mon père quasi immuable, de jour en jour elle paraissait au contraire plus hésitante, plus lente, mais surtout elle s'était mise à confondre la droite avec la gauche, sinon le haut avec le bas.

Elle avançait, devant mes yeux, à la fois distraite et inquiète dans l'obscurité (pour elle totale) des mêmes lieux, portant des piles excessives d'assiettes, de torchons, de verres, et rencontrait avec mécontentement des configurations d'objets apparemment toujours nouvelles pour elle, toujours plus surprenantes, qu'elle avait de plus en plus de mal à reconnaître. Je ne pouvais m'empêcher d'imaginer quelque chute grave en la voyant sortir, poser le tapis de bain à sécher sur le ponceau, dont le rebord n'a pas cinquante centimètres de haut (et qui n'était pas alors protégé par le « sas » vitré de l'entrée comme aujourd'hui), et revenir, courbée, le long de ce rebord, en se guidant de la main (et en effet, quelques mois plus tard, elle est tombée, pas gravement, mais assez sérieusement pour passer de cet état d'incertitude inquiète à une sorte de panique qui l'a menée un moment près de la prostration).

De plus en plus, quand elle se déplaçait, quelque chose la faisait se diriger dans une direction autre que la bonne, comme si sa protestation intérieure de tous les instants contre l'état de non-voyante auquel elle s'était, en apparence, résignée prenait sournoisement mais impérieusement cette voie pour se manifester.

J'avais quelque temps espéré d'elle des pages à la machine à écrire (des sortes de lettres) où elle m'aurait donné les descriptions de lieux que je lui demandais, et l'évocation de quelques moments dans la vie de ces êtres du passé lointain, ces récits fixés du fonds familial, tout cela qui parfois resurgissait dans les conversations, aux repas, pendant les visites. Avec beaucoup de réticences elle avait commencé, avait rempli

quelques feuilles (que j'ai encore), mais s'était interrompue
très vite, invoquant l'impossibilité de se relire, la détérioration
de sa mémoire, la confusion de ses pensées, l'oubli de ce qu'il y
avait à dire de plus important, et aussi, curieusement, la crainte
de se répéter. J'ignorais si j'aurais plus de succès avec mon oreille magnétique. Et j'étais plus incertain encore en ce qui concerne mon
père. Non parce qu'il ne se souvenait pas volontiers de toutes
ces choses, et surtout d'ailleurs des plus anciennes, mais sa
réticence (une constante de toute sa vie) à toute trace écrite de
lui-même, à toute image, n'était guère encourageante. Et cela
risquait d'accroître encore la dissymétrie documentaire frappante existant dans les archives familiales, que j'avais rassem-
blées (partiellement) l'été précédent, entre les deux côtés de
mon arbre généalogique.

J'avais accumulé dans ma chambre à peu près tout ce dont je
pouvais espérer disposer : photographies et lettres, papiers
d'état civil... ; et les précieux carnets de mon grand-père
maternel (les six carnets spirales à couverture de couleur,
intitulés *la Fuite utile de mes jours*) ne couvrent, avec des
lacunes, que les années (1944-1965). En tout, c'était assez peu
de chose, et j'étais donc venu commencer à ajouter à ce peu,
extraire des paroles, les enfermer, lutter contre l'écoulement
accéléré du vieillissement, avec l'optimisme stupide dans
lequel me plongeait mon état de bonheur amoureux. L'air était
doux, le soleil. Je voyais la mousse, les tuiles, l'ombre des tuiles
inclinées sur le mur, par le fenestron. J'entrais dans les lignes
d'une description, que j'ai conservée, parmi les bruits domestiques si paisibles : un ronronnement d'eau, des courgettes
cuisant dans le grand faitout noir.

25 *Description définie*

Mon regard, de gauche à droite, découvre :
- un bout de couloir barré d'un rideau rouge-orange à motifs

géométriques, autant qu'on puisse juger à cette distance;
- un frigidaire surmonté d'une batterie de casseroles et
prolongé, jusqu'au bout de ce mur, de différents éléments de
cuisine, encastrés (un « plan de travail », en somme, comme on
dit dans les catalogues de la CAMIF);
- un placard métallique blanc, sur lequel est posé un *tian*;
- une cuisinière quatre feux : deux sont électriques, deux au
gaz (butane);
- un autre placard bas et blanc, du même type que le premier
(il contient de l'huile, je le sais);
- un évier où a séché la vaisselle de la veille.

Le tout, à partir de la cuisinière, est coiffé d'une sorte de
hotte à maçonnerie descendant jusqu'à deux mètres environ du
sol, à partir des chevrons, et destinée à permettre une élévation
satisfaisante des fumées culinaires et des vapeurs, ainsi que
leurs dispersion et dissipation dans l'un des vents qui soufflent
à l'extérieur; ce qui a lieu, à moins que quelque oiseau à
l'odorat indifférent n'ait bouché le tuyau d'aération en y
installant sa nombreuse famille; dans ce dernier cas (printa-
nier), les fumées et vapeurs redescendent (graisse de mouton
mêlée d'asperges, par exemple), accompagnées de commentaires aviaires qui se font entendre, je suppose, en guise de
protestation contre les variations intempestives de température
(jugées d'un point de vue ornithologique, ou plutôt ornithocen-
triste, bien entendu).

J'aperçois ensuite, sur le mur qui me fait face :
- le supporte-torchons (il contient quatre torchons : deux
sont rouges, deux sont bleus); au-dessus de lui le baromètre,
rond comme un gros réveil, qui sert simultanément de ther-
momètre pour cette région (une moitié) de la pièce : en ce
moment, d'après lui, la température est de 16,5°;
- vient après le *fenestron*, engoncé dans l'épaisseur considérable du mur, à six carreaux, à travers lequel je vois un bout de
toit à tuiles moussues rondes et un morceau de mur gris
aveugle. Au bas du fenestron, dans le mur même, un ancien
évier désaffecté avec des bouteilles et toutes sortes de débris
inesthétiques de nourriture (pain, viandes...) destinés aux
chiens d'Annie, Laïc et Gros de la Plaine. Au sol, les deux

poubelles en plastique, dont les fonctions sont très strictement différenciées : dans l'une le végétal avec l'animal, tout ce que la terre du jardin est susceptible d'accueillir favorablement, de digérer, de manduquer, de méditer, de ressasser, enfin de transformer, ressusciter et restituer sous forme de tomates, aubergines, fraises, courges, melons ; les ingrédients d'un *compost*, en somme. L'autre poubelle contient tout ce qui est métallique, tout ce qui est verre, plastique, non naturel, « chimique », en un mot, ou comme on dit aujourd'hui, non biodégradable. Le destin de son contenu est fort différent : être emporté une fois la semaine par les boueux cantonniers vers une destination inconnue de moi (la décharge de Conques, peut-être), mais vraisemblablement ignoble. Les papiers, eux, sont brûlés dans la cheminée, qui n'appartient pas au domaine de cette description, étant située derrière celui qui est assis comme il faut l'être pour décrire ce que l'on voit et qui est en train d'être énuméré.

A hauteur des poutres et accrochés aux chevrons, qui sont parallèles au premier mur, on identifie successivement :
- un chaudron de cuivre ;
- trois tresses d'oignons ;
- deux tresses d'aulx ;
- un bouquet de quatre grands saucissons ;
- un sac de toile de jute sur lequel on déchiffre
De l'   guadel   BP4   72 507   Le Mans
Il dissimule en partie une poêle attachée au même piton.
- A la verticale au-dessous des saucissons, le petit buffet (par opposition au Grand Bahut), couleur crème, dans lequel est enfermée la vaisselle dite ' ordinaire ' ; il contient aussi le sucre, le café, les confitures en voie d'extinction (ce n'est pas l'Armoire aux Confitures, qui est, elle, au grenier) ; son dessus est encombré d'une véritable armée de médicaments, ainsi que d'une cafetière et d'une essoreuse à salade visiblement perfectionnée à l'extrême ;
- une petite table roulante accueillant une corbeille de fruits (oranges et pommes, certaines au bord du pourrissement).

On passe alors et maintenant légèrement à droite dans mon champ de vision. On voit :

- un grand bahut (c'est le Grand Bahut) de chêne aux proportions majestueuses (il touche presque au plafond) et, dans le faible espace qui demeure entre les poutres et lui, on note des bougies et une autre grande bassine de cuivre, purement ornementale et mémoriale (la première mentionnée a la responsabilité effective des confitures destinées à l'Armoire aux Confitures). C'est là que Duduche, chatte de Denise, fille de Duchat, jadis chatte (je dis bien chatte) de Georges Perec, trouvait un refuge conforme à sa dignité, en cas d'envahissement des lieux par un nombre jugé, selon ses normes, excessif d'enfants; prenant appui sur le dessus du petit buffet, entre salières et médecines, et gagnant d'un bond impressionnant quoique toujours souple, élégant et esthétique, silencieux, facile, ses hauteurs.

Le Grand Bahut se compose de quatre compartiments extérieurement délimités par deux partitions internes, l'une verticale (les portes), l'autre horizontale (les tiroirs). La moitié supérieure contient la vaisselle noble (à distinguer de la vaisselle non noble, telle que nous l'avons vue dans le petit buffet), les alcools, ou liqueurs (ainsi que l'huilier-vinaigrier); la moitié inférieure, les biscuits et tablettes de chocolat. Des deux tiroirs médians, celui de gauche a l'argenterie, celui de droite, les serviettes de table et les dessous-de-bouteille (la table est celle des repas, et celle où s'écrivit cette description). Les portes du Grand Bahut s'ouvrent avec un bruit caractéristique de bahut de bois que l'on ouvre (qui fait immédiatement penser aux vers célèbres de Fr.nc.s J.mm.s : « Il y a une armoire à peine luisante / qui a entendu les voix de mes grands-tantes »); l'oreille associe ce bruit à celui de la télévision : car les incursions fréquentes et enfantines dans ses profondes biscuitières, bonbonnières et chocolatières connaissent généralement leur paroxysme pendant les instants les plus dramatiques des westerns (nourrissant ainsi les inquiétudes diététiques et odontologiques de ma mère qui entend ces bruits de sa chambre).

On atteint alors, du regard, le mur de droite, où se rencontre, au-dessus d'un calendrier particulièrement remarquable dû à l'imagination d'un artiste sollicité par l'administration des PTT, le petit bureau de ma mère, avec sa machine à écrire, aux touches modifiées pour identification au toucher par mon frère, couverte d'un très vieux foulard de toile et de quelques livres d'exercices en braille;

- puis le grand radiateur électrique à accumulation (il chauffe pendant la nuit et restitue peu à peu sa chaleur le long du jour par toute sa surface métallique, laide, grise, polie et vernie), sur lequel se trouve la cloche de vache que l'on secoue pour prévenir de l'heure des repas (ou d'un appel téléphonique), et un assortiment de casquettes et bérets basques de mon père coiffant un pot de grès d'où émerge le manche, rouge, d'un sécateur. Sur le mur même, au-dessus du radiateur, une glace rectangulaire en bois, un extincteur à neige carbonique; un seau à charbon, qui sert surtout à évacuer les cendres des feux de bois de la cheminée, s'adosse au radiateur, sur la plus basse des deux marches conduisant à la porte d'entrée,

qui elle-même s'ouvre sur le ponceau. A travers elle (sa moitié supérieure est vitrée), on voit une plage de ciel blanc lumineux barré de deux fils électriques. Et, à la droite extrême de mon champ de vision, un haut de cyprès incliné sous le *cers*;

- et sur la table se trouvaient mes cahiers, aux lignes illisibles ou presque, brouillons en diverses couleurs, mes crayons, feutres, stylos, tout ce qui m'accompagne partout; un couteau de cuisine et une des nombreuses radios portatives à piles de ma mère.

J'occupais la moitié de la table, assis devant sa largeur, tournant le dos au reste de la pièce (où se trouvent, par exemple, le téléphone, la télévision, la cheminée). Ce territoire a été le mien des années; cette place était encore la mienne au moment des repas.

26 *Je m'en emparais le matin dès six heures*

Je m'en emparais le matin dès six heures, heure à laquelle la pièce, en ce début d'octobre, était encore largement immergée dans l'obscurité nocturne. Je commençais par prendre connaissance de la température auprès des deux thermomètres, situés sur des murs opposés mais surtout, ce qui est plus important, soumis différemment aux influences contraires des deux vents dominants, *cers* et *marin*.

Il y a le plus souvent une différence d'un degré environ entre leurs indications, et je me demandais (sans aller jusqu'aux gestes nécessaires à une véritable expérimentation) s'il s'agissait là d'une différence d'un degré réelle, d'une perte de chaleur dans l'air de la pièce entre les deux murs, susceptible de créer, courant de convexion, une minuscule brise (qui de toute façon resterait pratiquement indiscernable, étant donné les irruptions brusques et fréquentes du vent, réel, du dehors) ; mais c'est plus probablement une inégalité de leurs perceptions.

Je me préparais ensuite un petit déjeuner : je prenais dans le Grand Bahut un bol de faïence de taille respectable dont la périphérie s'orne d'une bande de couleur (du bleu ou du vert), j'y versais une quantité moyenne de Nescafé, à partir d'un de ces grands bocaux « économiques » qui faisaient ensuite, une fois vidés, lavés, des récipients précieux pour l'accueil des grandes masses de confitures, figues, mûres, ou *mérinvilles* : j'y ajoutais l'eau, toujours très chaude le matin, du robinet de l'évier, jusqu'à remplir le bol.

Dans le bol presque plein que je portais avec précaution sur la table, le liquide brun-noir (à peine plus sombre que du café de restaurant new-yorkais) fumait en oscillant un peu, comme le miroir odorant d'une inhalation (moins balsamiquement toutefois).

J'avais déjà alors abandonné le lait matinal, par un de ces raisonnements diététiques que j'affectionne, destinés à justifier des variations de goût, comme l'abandon des tripes en boîte trempées de biscottes au dîner ; je ne le développerai pas ici. Le changement de régime avait au moins l'avantage de simplifier considérablement les opérations physiques du petit déjeuner : car il me fallait, antérieurement à cette décision, sortir le lait du Frigidaire, dans son emballage de plastique, mou et froid, mouvant et imprévisible (tel le « berlingot » de l'archaïque

« shampooing Dop » de mes quinze ans), et le reverser dans le pot à lait métallique bleu, après lui avoir coupé les oreilles avec des ciseaux; opération que je n'aimais guère, craignant, de ma maladresse parfois accentuée dans les minutes qui suivent le réveil, quelque désastre laiteux sur la table de cuisine.

(Le lait une fois introduit dans le pot bleu, je mesurais la quantité nécessaire dans le bol, sans aller d'ailleurs aussi loin dans cette direction que mon grand-père, qui préparait déjà le mélange définitif de lait et de café antérieurement au passage sur le feu. Il est vrai que c'était en des temps d'avant le Nescafé. Puis je le reversais dans une casserole que je disposais ensuite sur la couronne bleu et jaune du gaz.)

Le renoncement au lait m'a fait gagner pas mal de temps. Dans le liquide noir et chaud du bol, je trempais des biscottes beurrées avec de la confiture, ou bien encore des petits-beurre quasi carrés que je prélevais dans la grande boîte d'aluminium où ils séjournaient en rangs serrés, sur deux hauteurs.

Ensuite je rinçais mon bol à l'eau chaude, puis à l'eau froide, sur l'évier.

J'avais pris, il me semble, l'habitude de ce lieu de travail pendant les matinées, en une année de froid intense où il m'était devenu impossible de rester dans ma chambre pour autre chose que lire (couché) ou dormir. On ne pourrait imaginer (sauf entre cinq et huit heures du matin) endroit moins propre à l'isolement. J'y parvenais toutefois, trouvant même charme et stimulation à calculer, par exemple, dans un brouhaha de radios, de passages, de téléphone, entre l'appel de la voiture du boulanger, M. Landes, et celui du laitier (maintenant à la retraite) M. Gros. Je ne bougeais pour ainsi dire pas de la table avant l'heure de la mise du couvert, midi.

27 *Le Grand Bahut qui me faisait face*

Le Grand Bahut qui me faisait face et que je viens de décrire n'est pas en contact direct avec le mur de droite. Quelque exigence de symétrie mobiliaire a ménagé entre le mur et lui un intervalle d'importance à peu près égale à celui qui le sépare de la deuxième poutre soutenant le plancher du grenier. Cet intervalle est peuplé de cabas, de paniers, de sacs en papier ou en plastique : un entassement plutôt agréable à la vue (j'aime les couleurs de l'osier) qui déborde jusqu'au pied du petit bureau de ma mère.

Un de ces paniers, le plus grand et le plus sombre, était posé, au moment de la description, sur la table de la cuisine. Il était rempli aux deux tiers de fruits, des *azeroles* (3 000 fruits précisément, récolte moyenne faite la veille), que j'allais le jour même tenter de transformer en gelée.

La composition des gelées, et spécialement de la plus rare de toutes, la *gelée d'azeroles*, était autrefois la responsabilité de ma mère et je me contentais alors, ayant franchi la nécessaire distance ferroviaire (les huit cent neuf kilomètres de Paris-Carcassonne), après m'être assuré par téléphone de leur degré convenable de maturité, de les cueillir, comme celles qui attendent dans le panier, sur la table, aux basses branches des arbres, le long des vignes, dans la couleur d'automne qui est la leur, aux derniers jours de septembre ou aux premiers d'octobre, juste avant le début des vendanges.

(D'année en année, sur le chemin de la garrigue, du haut de la petite colline des « ormeaux », entre pins et cyprès, après le grand pin parasol aux écureuils (aujourd'hui abattu), je revois la tête rouge, orange et vert des trois grands azeroliers, le cercle orange, jaune, rouge-roux des fruits déjà tombés à terre, sorte d'ombre de fruits pour ces arbres, comme les amandiers en mars, après grand vent, en ont parfois une de fleurs.)

J'ai assuré ensuite moi-même la totalité de la préparation : je commence par laver les azeroles à grande eau, éliminant les feuilles, les herbes, les brindilles bien sûr, mais surtout la queue des fruits qui (un peu comme celle des cerises) risque de faire basculer la gelée dans la catégorie gustativement peu glorieuse des tisanes; c'est un des écueils majeurs à éviter. Je place ensuite les fruits dans la grande bassine à confiture qui a déjà été ennoblie par les générations annuelles de mûres, figues, coings et mérinvilles. Je couvre d'eau et j'allume le gaz.

L'eau bout et une forte odeur herbagère et feuillue se répand (toute la part proprement infusoire de l'azerole doit d'abord et absolument, ainsi, s'évaporer). L'eau, la vapeur imbibent les azeroles, les gonflent (à travers leur peau perméable, rouge et cirée, comme celle d'une pomme minuscule), transforment la chair vive, acidulée et claire, vert clair, jaune-vert autour du double noyau irrégulier et rugueux (hémisphères de Magdebourg mal joints) en une pulpe pâle, épaisse, grisâtre et incroyablement fade (je l'ai goûtée). La peau se décolore, puis éclate.

C'est là le stade ultime d'une cuisson prolongée. Mais bien avant ce stade il faut avoir arrêté la cuisson, les sucs essentiels des fruits (qui leur donnent leur saveur en bout de langue caractéristique, légèrement piquante), âme de la gelée, ayant passé dans le liquide. Je verse le jus dans des bouteilles de contenance connue (je dois déterminer avec assez d'exactitude le volume total de jus obtenu) et je jette les fruits délavés, épuisés, essorés et morts dans un seau d'où ils iront rejoindre, au jardin, pour l'enrichir noblement, le compost. La première phase rituelle est terminée. Je lave alors la bassine, je pèse le sucre, je verse le jus et le sucre ensemble dans la bassine, je remets la bassine sur le feu. Bientôt arrive le moment décisif, difficile.

L'*azerole*, comme la plupart des gelées, mais certainement plus que n'importe laquelle d'entre elles, est imprévisible, capricieuse, difficile, impressionnable, évasive, contrariante, secrète. Le liquide rose-roux, chargé de sucs et de sucres, qui tourne en rousoyant autour de la cuiller de bois dans la bassine, teinté de cuivre en épaisseur, de rose thé sur une assiette, d'une couleur entre la pomme (gelée) et le coing, le précieux liquide couvert d'écume par ébullition lente, ne gèle qu'à son heure.

Si le moment idéal de la gelée, celui où il faut absolument que s'arrête la cuisson, n'est pas atteint, il ne gèle pas. Et il est vain alors d'essayer encore de le recuire, pour tenter de rattraper l'occasion perdue. Il est vain de continuer indéfiniment à le poursuivre, dès qu'on l'a par malheur dépassé. Le liquide s'épaissit, devient de plus en plus sombre rouge, réduit, telle une étoile naine, jusqu'à n'être plus qu'un berlingot visqueux d'azerole (et c'est d'ailleurs ainsi qu'on le traite dans la région). Il ne gèlera plus. Son moment machiavellien est passé.

28 *Les gelées ne gèlent que froides*

Les gelées ne gèlent que froides. Mais là est bien la difficulté. Car comment déterminer *quand* il est indispensable d'éteindre le feu, de verser le liquide dans les pots, le fractionner, commencer l'attente fiévreuse du verdict? A cette question il n'est pas de réponse certaine, constante, chiffrable. C'est pourquoi la fabrication des gelées n'est pas une science, n'est pas une technique, mais un art.

L'instant décisif dépend de beaucoup de facteurs : de l'état des fruits, de leur degré de maturité, de l'ensoleillement de la saison, de l'âge des arbres, des vents, de la taille des fruits, de leur masse même... Des azeroles jaunissantes, trop longtemps tombées à terre, grasses et farineuses de pluie ou de rosée, sont moins favorables que de petits fruits encore tout vifs et bien acides, juste décrochés par le vent ou la main. La cuisson est plus risquée par temps de *marin*, dit-on, que de *cers*. Certes : le marin, qui rend les femmes acariâtres, les filles insaisissables, les garçons grognons, les chevaux fous, les mulots neurasthéniques et les mouches pêgueuses, ne peut que jeter du trouble en l'azerole. Il vaut mieux pour tenter la gelée un bon cers presque froid.

On pourrait imaginer qu'un savoir ancestral, d'innombrables générations de grands-mères gélifiantes auraient pu, pesant chaque cause, arriver à quelque conclusion quantifiée et normative : « Faire bouillir à feu doux tant de minutes, éteindre, mettre dans tels pots... » Il n'en est rien. Aucune cause n'agit seule et de manière suffisamment constante ; et derrière leur combinaison déjà impondérable se dissimule, tel un paramètre caché plus fuyant qu'en physique des particules, ce qu'on pourrait appeler le libre arbitre (ou le « clinamen ») de la gelée : un moment, où le liquide se tend imperceptiblement dans la bassine, se contracte autour de lui-même, sous l'action de toutes ces raisons de geler ou de ne pas geler, on soupçonne que rien n'est décidé encore, que tout va dépendre de l'intensité de votre désir de la gelée, de la gloire des gelées, de la qualité de votre attention, de votre vigilance, de l'ordre des constellations au-dessus de votre tête dans le macrocosme, de l'intensité de la loi morale dans votre cœur.

Comme Isaac Newton soi-même, en de tels instants, on est tenté de croire immodérément à l'astrologie. Disons-le encore autrement : quand la gelée rate, il se peut que ce soit parce qu'elle avait toujours été destinée, ‘ faée ’, à rater, ou bien parce qu'elle a brusquement, sous l'action du démon de Maxwell des gelées, décidé de rater, ou bien encore qu'ayant voulu réussir vous ne l'avez pas comprise, et avez laissé s'échapper votre chance, sans espoir de retour.

On ne dispose, pour surprendre l'azerole, pour lui arracher le secret de ses intentions (si l'on ne veut pas renoncer à tout effort, pour s'en remettre au hasard) que d'une arme unique, qu'il faut manier d'ailleurs avec précaution. Je la nommerai le *test du frisson*. Debout devant la bassine, vous guettez la surface odorante et rousse (le parfum est maintenant devenu un vrai parfum de gelée, ce n'est plus une odeur de tisane), le message d'un frémissement infime, infimement perceptible, révélateur de la mutation qui peut-être se prépare dans le cœur de la masse translucide.

De la longue louche à bec vous saisissez quelques gouttes brûlantes que vous versez dans une soucoupe. Vous inclinez légèrement la soucoupe après quelque refroidissement et vous regardez le liquide glisser vers le bas. Car tel est le test du frisson : si l'azerole n'est pas dans des dispositions gélifiantes, elle coulera dans la soucoupe comme le ferait un liquide ordinaire, simplement sirupeux, chargé de fruits et de sucres.

Mais si par miracle le germe secret du gel (presque aussi mystérieux que celui qui germa un jour dans un tonneau de glycérine bercé par les mouvements d'un navire en mer (et père de tous les cristaux de glycérine créés depuis)) est là, il *frissonne,* comme la surface d'un lac ou d'une mer dont l'immobilité se trouble des prémices ondulatoires presque imperceptibles qui commencent à froisser la surface plane; ainsi, dans la soucoupe blanche, la nappe d'azerole se met à frissonner.

Il faut alors agir vite, très vite; car la possibilité de gelée qui vous est consentie par l'azerole, ainsi surprise, et comme malgré elle, dans son intimité, ne durera pas. Il s'agit d'une faiblesse brève, d'un abandon à la volupté de quelques minutes. Si vous laissez passer ce moment, tout est perdu. Dès que la soucoupe a frissonné, donc, j'arrête la cuisson et je verse dans les pots préparés à cet effet sur la table; dans une première tasse la première louchée, trempée à l'eau froide, qui sera la toute première gelée nouvelle, où je pourrai inspecter sa qualité propre, son goût, sa couleur, sa transparence, son toucher, sa consistance, son individualité, deviner s'il s'agit d'une grande année ou non.

Sur les flancs des pots, couverts dès le lendemain (une goutte d'alcool en surface, un rond de papier transparent serré d'un élastique), je collerai une étiquette (autocollante) avec tous les renseignements nécessaires : année, nature, origine (les fruits de quels arbres); format du pot, numéro d'ordre; une cote, en somme, aux feutres de couleur, permettant de repérer convenablement les pots dans l'Armoire aux Confitures, au grenier, la Confiturothèque. J'emporterai quelques pots à Paris, à mon retour, comme cadeaux.

Si par malheur le test du frisson a échoué (il reste malgré tout un faible espoir, la gelée se décidant parfois brusquement beaucoup plus tard, dans le froid du grenier, en hiver, une nuit de gel), l'azerole liquide servira d'additif aux compotes, yaourts, petits-suisses; fort appréciée, semble-t-il, autrefois, de mes neveux et nièces.

29 *La cuiller, enfoncée dans le pot d'azerole*

La cuiller, enfoncée dans le pot d'azerole, y découpe des blocs nets et fermes de gelée. L'azerole n'est pas une gelée tremblante, veule, incertaine. Elle se tient toute droite et autonome dans l'assiette, sans couler, se défaire ou s'effondrer.

Je regardais une coulée en colline de gelée dans une soucoupe brune. Elle apparaissait comme une falaise de cristal trouble, translucide, roux rouge orangé et rose, reflétant la lumière de la lampe matinale (il était six heures) comme en l'irrégularité de minuscules éclats arrachés par le ciseau du sculpteur. Mais elle n'avait rien de la dureté de la pierre roulée par les vagues méditerranéennes : d'un relief doux, en ses bords, sous moins d'épaisseur, elle semblait presque rose seulement.

Mon regard pénétrait dans la masse, la traversait de part en part avec la lumière, les trajets de la lumière accusant les inégalités de la composition : parfois claire, parfois sombre, avec les grains minuscules de quelques impuretés; et une poche blanche d'écume à l'intérieur, de cette écume qui, blanc cheveu, traîne à la surface quand elle cuit, et que j'avais expérimentalement laissée s'enfermer en elle, dans le pot, en la refroidissant.

Je l'ai mangée, contemplant sur ma langue la saveur. Le goût de la gelée d'azerole est d'une originalité certaine : selon les axes principaux de l'hyperquadrique des gelées (si on fait une analyse factorielle « à la Benzécri »), ce nuage de points un peu comme un zeppelin où chaque point scintillant représente une gelée, avec toutes ses caractéristiques, et les ressemblances entre elles marquées par des proximités (mais il y a plus de trois dimensions, si on veut tenir compte de tous les facteurs qui contribuent à ce qu'on nomme « goût », et c'est pourquoi il faut imaginer une hypersurface), elle se situerait plutôt dans la région de la pomme que dans celle de la groseille, ou de la mûre. Je dis cela en simplifiant baucoup. Mais elle est donc non violente, discrète, légère, lente à se développer dans la bouche, modeste. Et elle ne se confond avec aucune : ni avec la pomme reinette ni avec le coing.

Sa singularité frappe : très subtilement acidulée, dans une tonalité étrangement assez éloignée de celle du fruit, comme si une véritable mutation, une naissance, s'était produite dans le liquide en ébullition au moment privilégié du gel (la gelée d'un an est plus sûre d'elle-même, décidée, profonde). Son unicité de goût, de parfum, de consistance s'accompagne d'une originalité d'un autre ordre, mais peut-être plus frappante encore, qui est sa rareté.

L'azerolier, père et mère de l'azerole, autrefois présent sur tout le pourtour de la Méditerranée (au moins en Italie, en Provence, en Languedoc, en Catalogne, à ma connaissance (dans les trois derniers cas ma connaissance est directe, dans le premier elle vient d'un poème de Montale); et le nom semble arabe), a reculé tellement en ce siècle qu'il n'est plus présent que dans les régions les plus tardivement touchées par la modernisation (et encore pourrait-on douter qu'il s'y trouve un seul arbre planté depuis la Seconde Guerre mondiale!). C'est le cas, précisément, du Minervois.

Or, la tradition locale ignore, pour l'azerole, la gelée, préférant le sirop épais, lourd et dense, obtenu après une très longue réduction. Ainsi la gelée, réinventée par ma mère sur le modèle des autres gelées provençales traditionnelles (coing, cassis, framboise, mûre, groseille...) a quelque chance d'être un véritable *unicum* confiturier, puisque par ailleurs l'azerolier a pratiquement disparu en Provence depuis la fin du siècle dernier (*le Jardinier provençal*, déjà, ne lui consacre que quelques lignes fort peu éclairantes).

Ici, de plus, les arbres, qui constituent un élément archaïsant encore assez présent dans le paysage de vignes, de garrigues, de cyprès, de pins, d'amandiers, d'oliviers et de chênes verts (la zone est climatiquement frontière : la montagne Noire, avec ses châtaigniers, est proche), disparaissent les uns après les autres, et ne sont pas remplacés (ils meurent, on les abat pour élargir un chemin, agrandir une vigne). Et il se pourrait que mes gelées soient les dernières (je n'en ferai pas cette année, je n'en ferai peut-être plus jamais), comme une langue dont le parfum et la beauté redoublent avant de se perdre.

J'ai aimé, je l'avoue, cette singularité presque invisible, concentrant dans un orgueil de couleur et de saveur une mémoire à la fois familiale et collective, silencieusement. Et je m'imagine un peu la préparation de la prose comme celle de la gelée d'azerole : les fruits sont les instants; la cuisson, la mémoire, et dans la voix qui incline le déroulement des phrases je guette avec impatience, inquiétude, incertitude, l'apparition, si hasardeuse, du *frisson*.

30 *J'ai commencé le plus indirectement possible*

J'ai commencé le plus indirectement possible, le magnéto-phone posé à plat sur la table, parmi les accessoires divers, appareils et cassettes, de la « cassettothèque » de ma mère, dans sa chambre. Nous nous sommes assis côte à côte sur deux chaises basses, et la mince bande brune du magnétophone s'enroulait, avalant le temps, et ensemble le bruit des voitures (un mélange de passages de voitures, sur la route nationale proche, la route du Minervois qui va vers Saint-Pons), les sautes du vent, les grincements et criailleries des portes, des voix au-dehors.

C'était la fin d'un après-midi et, pour commencement, pas trop solennel, je me suis fait décrire les trois espèces de biscuits, les biscuits de l'enfance, les lieux de leur enferme-ment, les stratégies du grignotage, les petites oreilles penchées aux coins des petits-beurre, ces bouchées minuscules, avalées au cours des premières années d'une vie, au début du ving-tième siècle, « avant quatorze », humbles introducteurs au souvenir; et les *Lu*, les *biscuits Coste*, la marque marseillaise disparue.

Puis je suis passé à une autre série émotionnelle, sonore cette fois, le *piano* : les pianos, leurs sons, les leçons, les circonstances encore. Je ne disais moi-même presque rien. Je cherchais à progresser, à m'enfoncer, non vers le centre de ces cercles de la mémoire, mais vers la simple résurrection en paroles d'instants. Je ne m'y arrêtais pas.

Je ne m'attachais, loin de tout ce que je ne peux que taire et qui ne concerne pas la prose, qu'à condenser en quelques heures magnétiques des choses que la mémoire parentale a pu enregistrer et conserver spontanément présent, accessible ainsi sans trop d'effort, en le parlant, de l'histoire familiale.

Au début du premier des beaux livres qu'il a consacrés à la préhistoire de sa famille, Jean Delay définit comme *avant-mémoire* tout ce qui, dit-il en reprenant une expression de Péguy, se situe en dehors des murs des quatre grands-parents. Moi, en cette prose de mémoire, et à ce moment dans cette prose, je ne voulais au contraire pas du tout aller au-delà de ces murs. Je voulais, plus petitement, ne tenir compte que de ce qu'à un moment ou à un autre de leur vie mes parents avaient pu connaître du passé de leur propre famille, qui est la mienne en quelque sorte au second degré, seulement ce qu'ils avaient pu entendre, lire, surprendre, savoir quand ils ont su, ou cru savoir, et par qui.

Ces murs-là n'ont pas la netteté du donjon des deux générations dont parle Péguy. Le murmure du passé se fait entendre plus ou moins loin, selon la branche de l'arbre généalogique : pour mon père, orphelin de père et de mère avant l'âge de cinq ans, il était tout proche. Et l'inégalité des éclairages tenait aussi aux silences (silence de mon arrière-grand-père maternel, Paul Devaux, par exemple), aux incuriosités.

Je n'envisageais pas d'essayer de rendre le paysage uniforme. Ce qui reste, dans la perspective où je suis ici, c'est ce qui, ordinairement, se transmet par la voie des récits; et si une grande partie de ce que j'ai enregistré alors appartient à ce que j'avais moi-même déjà entendu dire, répéter même, c'est avec cette différence que cette fois-là, bien que raconté pour moi, à ma demande, c'est resté un témoignage neutre, de la neutralité magnétique, cela n'a pas été, traversant mes souvenirs, filtré par eux, changé, magnifié, tronqué, ou déformé.

Cela ressemble, avec le décalage d'une génération bien sûr, à ce que je pourrais transmettre, à un âge équivalent, et mesure la très courte transitivité des narrations qui, en un chaînon ou deux tout au plus, mène au silence. Le magnétophone n'est qu'une ruse nouvelle contre l'effacement, tels autrefois les journaux intimes, les Mémoires, les lettres posthumes à un lecteur-descendant plus ou moins hypothétique (« quand vous lirez ceci... », « ô lecteurs à venir... »).

Avec cette différence cependant que le magnétophone prend une parole immédiate et sans contrôle, sans ratures, sans repentirs ou retours. D'ailleurs je n'ai pas expliqué mon intention, ne donnant en fait aucune raison pour mon acte que celle qui pourrait aller sans dire, une curiosité fort naturelle s'aidant des ressources nouvelles de la physique des sons. Et comme le magnétophone était devenu, par force, une présence constante, familière, dans la vie de mes parents, ma requête n'a pas trop surpris, ni effrayé. Les cassettes sont reproductibles et pourront être entendues par des petits-enfants ou arrière-neveux. J'ai pris soin de les dater, mais je ne sais pas encore si je m'en servirai dans ce livre.

31 *Je n'ai pas la curiosité généalogique*

Je n'ai pas la curiosité généalogique. Le court arbre dressé par Paul Geniet, peu avant sa mort, et résumant, selon toutes les règles de cet art, les quelques indications fournies par mes parents pourrait être complété (un peu) à l'aide des rares papiers que j'ai sauvés de la dispersion dans le grenier. Mais, pour remonter plus haut, il faudrait écrire aux mairies, aux paroisses (?), consulter les archives départementales, hanter les minutiers, et cette sorte de chasse au trésor est au-dessus de mes forces (et à vrai dire ne m'attire guère).

Si mon père l'avait fait, comme il en avait manifesté à plusieurs reprises l'intention (reflet d'une ancienne inquiétude d'orphelin?), (et il l'aurait peut-être entrepris sans l'immobilisation imprévue et définitive de ma mère), je me serais fait raconter ces recherches, et leur résultat serait alors devenu partie du donné transmissible par la circulation des paroles, de tout ce que j'ai *gelé* en quelques heures d'enregistrement (une faible partie seulement de ce que j'avais prévu) et placé à côté du résidu de photographies et écritures échappé aux morts, aux négligences, aux destructions volontaires.

Mais, de toute façon, les branches remontantes de l'arbre généalogique cessent très vite d'appartenir à la mémoire individuelle. Pour passer au-delà d'un siècle et à travers plus de trois relais de bouche-à-oreilles, une parole doit intéresser plus d'une famille vivante, et son statut change du tout au tout. Mes ancêtres, si j'en retrouvais d'autres, ne seraient plus que des traces archiviques. Je préfère remonter, en imagination, jusqu'au troubadour Rubaut, qui tensona avec le Génois Lanfranc Cigala, ou jusqu'à ce Roubaud d'Arles qui fut, vers 1595, ami du sonnetiste provençal Bellaud de La Bellaudière.

Il n'est rien en ceux-là dont j'aurais pu entendre mon père ou ma mère (ou mes grands-parents) dire : « ma mère (ou mon grand-père) m'a raconté que... ». Le peu qui demeure ainsi après que cinquante, soixante années ont passé, ou plus, voilà qu'il tient aisément dans une seule main : deux, trois cassettes d'une heure, et l'agitation de souvenirs provoquée par mes questions, si j'avais insisté, si j'étais revenu plusieurs fois à la charge, lors d'autres voyages, n'y aurait pas ajouté énormément, l'aurait multiplié par quatre ou cinq tout au plus. En outre, je n'ai pas cherché à rapprocher mes questions du temps présent, à extraire un récit de vie continu (qui engloberait certaines années de la mienne), et je n'ai aucune intention de l'essayer maintenant.

J'ai senti, alors, que ma mère ne s'y serait peut-être pas opposée (à mon père, il n'était même pas la peine de poser la question), mais je n'en avais pas le désir. Aujourd'hui, c'est de toute façon devenu impossible. Je ne le désirais pas pour plusieurs raisons, dont je donnerai seulement celle-ci : ce que j'aurais pu obtenir ainsi ne serait pas vraiment venu de la mémoire familiale commune; devant être évité par conséquent, non parce que, comme dans le cas de la construction généalogique, la réalité atteinte aurait eu un contenu purement historique, archivique, non vécu, qui concerne ma prose de mémoire beaucoup moins que les spécialistes de cette discipline (l'histoire), mais au contraire parce que j'aurais pénétré ainsi, en suscitant des confidences, et plus encore peut-être des réticences, des silences, dans d'autres mémoires, en ce qu'elles ont de personnel, de strictement privé, qu'il est de beaucoup préférable (conformément à la recommandation de Proust) de laisser sous-entendu.

Presque tout ce que nos parents nous disent, nous ont dit d'eux-mêmes est, de manière non nécessairement consciente, parabole, *exempla*. Ce sont des choses qui font partie du rapport d'instruction (autant dans le donné que dans le reçu), (rapport que Walter Benjamin nomme rapport didactique) qui gouverne, jusque dans et au-delà de la mort, leurs relations avec leurs enfants. Ce rapport d'ailleurs, on l'oublie trop souvent, pour ne s'en souvenir que dans les cas exceptionnels, s'étend au-delà de la première génération. Mais je ne voulais pas non plus y toucher. Mon but était plus contemplatif.

Il y avait (et cela n'est nullement une contradiction avec ce que je viens d'écrire) tout un pan de la biographie de mon père (et, dans une moindre mesure, de ma mère) pour lequel j'aurais aimé moins de silence (et je ne désespérais pas, alors, d'y parvenir; maintenant, c'est sûr, il n'y a plus rien à faire), parce qu'il touche, même si c'est modestement, à l'Histoire d'une manière très directe et, pour ma vie, décisive, c'est celui de la Résistance. Cependant, je me suis attaché à tout autre chose.

J'ai essayé de susciter des descriptions, des parcours, dans les villes de leur enfance (Toulon, Marseille, Digne...) afin de surprendre, entre les maisons, les jardins, les avenues, les promenades, les nourritures, les chambres, les nuits, les écoles, les saisons, les étoiles, les herbes, la mer, l'ombre, les jeux, les objets domestiques, quelque reflet précieux (pour moi) du monde, en ses espèces naturelles.

Qu'y a-t-il de plus proche d'un monde possible qu'un monde qui a été? Là, n'est-ce pas, tous les noms, même communs, sont des noms propres de choses, immobiles, et *désignées rigidement*, pour toujours. Voilà ce que j'ai fait. J'ai suscité, chemin faisant, bien sûr, quelques échappées biographiques, mais avec suffisamment d'indirection pour ne pas entamer l'image immobile des vies face auxquelles j'ai été pendant toute mon enfance. Cette image-là est bien celle qui appartient en propre à ma mémoire. En même temps que bruissait doucement la bande magnétique, j'entendais, je m'en souviens, un grand remue-ménage d'oiseaux inquiets, peut-être chassés des vignes par le commencement des vendanges.

32 *J'écris, à l'imitation d'un roman*

J'écris, au fond, à l'imitation d'un roman, dont j'emprunte en partie la forme, un traité de mémoire; mais avec cette particularité que c'est un traité réduit au compte rendu d'une expérience unique, avec ses protocoles et son mode propre de restitution.

Ceci, que je place presque au début, en prologue épistémocritique, si j'ose dire, à mon récit (qui pourtant n'a aucune intention théorique ni didactique), est de nature fondamentalement digressive (et il en sera de même de la suite, je le crains). L'absence d'une construction décidée, ininterrompue, est sa caractéristique première. Inlassablement, dans la pensée de la mémoire, je m'abandonne à de nouveaux commencements, retournant, par des chemins de traverse (*incises* et *bifurcations*) eux-mêmes multipliés en un réseau capillaire, en une chevelure de récits, à mon but originel.

Les pauses continuelles (ces paragraphes séparés les uns des autres par des blancs, une numérotation et un titre) sont le mode le plus convenable à la *contemplation*. C'est en elles que l'exercice spirituel trouve sa nourriture. En poursuivant différentes couches de sens sous l'examen de chaque objet unique, la *contemplation* « entre-les-proses » suscite tout à la fois l'impulsion de nouveaux départs et la justification d'une course irrégulière. La valeur de ces décisions m'apparaît d'autant plus grande (au moment même où sa discontinuité me saisit le plus) que ses relations sont plus indirectes avec l'idée directrice sous-jacente (celle que je ne dis pas; celle qui tient en une phrase : « ' le grand incendie de Londres ' sera... »).

L'évidence alors de la transcription (même si elle est destinée à s'évaporer très vite), est multipliée par l'identification soudaine d'une précision minutieuse dans la description des événements et des rouages (au moins en intention) aux proportions plutôt vagues et intellectuelles des ensembles; comme si la moindre vérité du souvenir ne pouvait être appréhendée, prosaïquement, que par une immersion véloce dans la variété totalement éparpillée des détails.

C'est pourquoi, alors que la prose véritable de roman additionne et sélectionne (drastiquement) les voix, les anecdotes et les gestes pour soutenir la progression de ses phrases, de ses paragraphes, de ses chapitres, la *prose de la mémoire* s'arrête et repart presque avec chacun d'eux (phrases, paragraphes, chapitres; paragraphes surtout) dans la vie quotidienne, insulaire, de la composition. Cela est tout spécialement vrai ici, dans cette première branche, qui est branche de contemplation. Car la contemplation ne peut viser à convaincre le lecteur, ni à l'entraîner dans le labyrinthe du conte. Elle n'offre rien.

L'extérieur de la mémoire, l'explication, bute sur la résistance à la période, la longue méfiance un peu risible des modernes vis-à-vis de l'héritage rhétorique et scolaire. Les phrases de la mémoire, produites tout à fait sans réflexion antérieure, préméditée, les unes après les autres, se prêtent malaisément à des configurations de discours (ou de dialogue). La mémoire, dans cette prose, devra demeurer autant que possible explication intérieure à elle-même, et en aucun cas intérieur sortant de soi pour expliquer l'intérieur à l'extérieur. Car la prose de l'explication abolirait la frontière et membrane de silence nocturne où l'intérieur rumine les bruits diurnes et quotidiens entendus en soi pendant que se passe (intérieurement) ce dont la mémoire a à se préoccuper.

Il n'y a pas de secret, parce qu'il n'y a pas de *sang sur le plancher de la salle à manger*. Lentement et inévitablement les périodes, comme les chevaux et les majuscules, disparaissent du paysage quotidien de cette prose. Ce qui reste est un mariage incertain de moments, de battements et de paysages. Peut-être quelque chose de la réalité de cette obsession demeure encore dans les cassettes que j'ai enregistrées.

Contre l'effort spontané et résurgent de contrôle, de cohérence, d'exhaustivité, la brusque étoile d'une contraction du réel, feu d'artifice anciennement engrammé en neurones, éclate, comme l'illumination soudaine de la massue, du « merlin » tombant dans la pénombre des abattoirs de Digne, au beau milieu d'une énumération hésitante (après soixante-dix années!) de noms de rues, de directions, de points cardinaux (c'est ma mère, aveugle, qui parle).

Ainsi le véridique, incorporé à la danse de la mémoire se représentant (principalement si on mime la parole), résiste à toute projection, par quelque moyen que ce soit, dans le royaume de la connaissance. La connaissance est une possession. Son objet même est déterminé par le fait qu'il doit être constitué en possession, même indirectement, par la conscience. Mais la possession par la mémoire est d'un ordre tout différent. Elle n'a pas d'existence antérieure à ce quelque chose surgi se représentant soi-même. Pour la connaissance, la méthode fait partie de l'acquisition de son objet, jusqu'à le créer parfois chemin faisant. Mais la *mémoire*, elle, sait (peu importe pour le moment que ce soit à tort). Elle n'a pas à connaître. Voilà, n'est-ce pas, pour mon entreprise, pour sa perception aussi, une source considérable de difficultés.

33 *La méditation*

« La méditation a sa source dans la lecture, mais n'est contredite par aucune règle ni ordre. Elle a la joie de courir librement, sans entraves, dans un espace ouvert, où elle peut contempler la vérité, ou s'attacher à un mystère et l'examiner jusqu'à ce qu'il en demeure en lui rien d'incertain, ni d'obscur » (Hugues de Saint-Victor).

Dans la fin d'après-midi, allongé sur le lit de cuivre de ma chambre avec un roman anglais, devant l'entrecroisement de branches de cèdre, les approches et les éloignements de feuilles trouées de lumière dans le vent, je me laissais reprendre, délaissant mon livre, par la même question, que je me suis posée souvent, et de manière récurrente, dans les mêmes circonstances :

je voyais, dans le haut de la fenêtre, dans un carreau de ciel, les passages souverains des nuages qui vont, de la droite vers la gauche ou de la gauche vers la droite, selon la nature du vent ; à droite si c'est le *cers*, le vent d'ouest, à gauche si c'est le vent d'est, le *marin*. Un peu en dessous, dans le troisième carreau de la moitié gauche de la fenêtre (le troisième à partir du bas), les plus hautes branches du pin parasol bougeaient de vent. Le vent les inclinait ; elles remontaient, de par leur élasticité de branches ; puis le vent les inclinait de nouveau. La souveraineté des nuages, l'oscillation des branches courbées du pin devant l'entrecroisement de verts, bleus, et lumières dans le cèdre, tel était le lieu de ma *contemplation*.

Et de cette contemplation ma *méditation* se fixait, chaque fois, sur ceci : s'il n'y avait pas les nuages, s'il n'y avait aucun bruit, comment saurais-je, seulement par le regard fixé sur le centre de ma contemplation, sur l'inclinaison des branches du pin, comment saurais-je quel est le vent ? Sous le vent, les branches, les aiguilles du pin ne sont jamais immobiles ; elles ne prennent pas la position de repos verticale, par rapport à laquelle il serait aisé de conclure ; inclinées, elles se relèvent avec force et dépassent, dans l'autre sens, parfois, le point qui serait celui, hypothétique, de leur état de repos.

Sans doute remontent-elles contre le vent qui sans cesse les reprend et les ramène, elles vont donc moins loin au retour de leur oscillation qu'à l'aller ; ce qui devrait, encore, suffire à résoudre le problème, s'il n'était vrai que les variations d'angle ne sont pas grandes, s'il n'était vrai également que toutes les branches ne bougent pas en même temps, sont en des points différents de leur course si on les fixe simultanément en un instant figé par le regard; et que la position d'équilibre, à laquelle je n'avais pas accès pendant que le vent soufflait, n'est peut-être pas verticale, puisque les vents, de force et de répartition inégales dans le temps (le cers domine, des deux points de vue), agissent certainement sur leur croissance (ainsi les cyprès, là-bas, sont de manière permanente légèrement inclinés, comme sous un cers résiduel).

Enfin, comme je savais, par ailleurs, quel était le vent, puisque je ne pouvais éviter de voir, à la limite de ma vision, les nuages avancer souverainement, ou bien la branche de grenadier venir gratter la vitre plus bas (cela, du moins, avant qu'elle ne s'effondre sous le poids de trop de neige, pendant l'hiver de 1981), ou telle porte battre, je doutais toujours de ma capacité à obtenir une conclusion indiscutable sur le seul indice des trajectoires du pin. Ce qui fait que cette *méditation libre*, paresseuse, demeurait perpétuellement stérile.

Il suffisait pourtant que je m'allonge, dans la fin d'après-midi, sur le lit de cuivre, par une heure de vent, pour que peu à peu, abandonnant comme chaque fois mon livre, je me laisse reprendre par la même interrogation oisive, à laquelle avec le temps je n'ai guère ajouté de variations significatives.

Je ne suis pas dans une situation très différente en ce qui concerne les doutes du souvenir : les images qui me reviennent semblables, celles que j'imagine les plus anciennes, disons, comment les interroger sans tenir compte de tout ce que je sais, ai appris, par ailleurs, extérieurement à elles, elles qui me viennent sans titre, sans commentaires, sans calendrier : les bruits et lumières et nuages de toute la fenêtre de la *mémoire*, dont ces carreaux particuliers peuvent avoir un sens autre, incohérent, ou aucun.

La branche du grenadier frottait la vitre, la grattait, et la pierre grise du linteau. C'était *cers*. Je me souviens (aujourd'hui) d'une pluie oblique, s'inclinant à pi/6 de la verticale; pendant que la branche de grenadier grattait ainsi, le matin du quinze août, il y a cinq ans exactement, avant que je parte pour l'hôpital de Carcassonne. Pierre Getzler m'a conduit sous la pluie. Nous sommes passés sur la route de

Limoux; le long de l'Aude, un lieu autrefois de promenades, pendant les années de guerre, maintenant éventré de supermarchés, de rocades, de HLM. Alix n'était pas encore sortie de son sommeil.

34 *Ainsi, le soleil descendant, le grenadier frottant la vitre*

Ainsi, le soleil descendant, le grenadier frottant la vitre de sa branche, et les branches les plus hautes du pin hésitant, penchant, oscillant vers la gauche (c'était le *cers* qui soufflait), je poursuivais ma *méditation vide*.

J'avais enregistré (sur une cassette d'une heure) ce qui était à l'époque le début de mon livre, les premiers paragraphes d'un hypothétique chapitre premier, et j'étais arrivé à une description de poèmes dont certains, précisément, avaient été composés dans la chambre où je me trouvais, mais sept ans plus tôt.

Ma lecture était lente, sans conviction, j'avais du mal à me relire, et, comme j'avais oublié à Paris le micro du magnétophone, il me fallait tenir l'appareil assez près, tourner les pages d'une main, et ma voix réapparaissait, assourdie, accompagnée de la rumination intérieure, comme intime, de l'appareil (qui s'enregistre lui-même enregistrant, au micro intérieur) et des innombrables commentaires que faisait le monde hors les murs : les secousses du vent abordant de front le mur du jardin, l'enchevêtrement des cèdres, les branches trouées de soleil frottant l'une sur l'autre, ces branches qui tout à l'heure deviendraient noires.

Le lit de cuivre grinçait (il grince toujours) et le soir, comme toujours, m'éloignait de tout : semblable à tant de soirs semblables, à la même place, lire, ou écrire, allongé, attendre que la lumière tombe, que les feuilles en soient noires. C'est ainsi que je mourrai, c'est ici que je mourrai, j'en suis certain. La cheminée à ma gauche était surmontée d'une glace, et devant la glace est posée cette photographie d'Alix, composée dans le style yūgen (enfin, ce que je décide être le style yūgen), à la couleur sépia sombre, presque rouge, intitulée *la Sieste* (elle est là toujours), où on voit ce qu'on voit dans la glace si on regarde, couché à cette même place, mais dans une autre lumière, celle du début d'après-midi en août, les rideaux presque entièrement tirés.

Dans la photographie comme dans la glace, la lumière, la fenêtre pénétrèrent en oblique, dans la glace semblable, en cette position de l'œil, à une porte penchée. La lumière, la couleur non-couleur appartiennent au *monde flottant* de la chambre, où est l'œil, comme dans *Fès*, énigme et offre d'une absence à ce qu'on voit.

L'image de style yūgen, encore une fois, invite à regarder, intérieurement, en l'imaginant, ce lieu hors d'elle où fut la source du regard particulier, intense, qui lui donna naissance; dont l'absence, indispensable à l'image, la place ailleurs que parmi les éléments du donné du monde en ses espèces naturelles, qui n'ont pas besoin de désigner le lieu d'où elles sont soumises aux regards; comme l'œil de la nuit est présent dans chaque lueur crachée et cachée à la fois par l'herbe crépusculaire.

L'image yūgen, *la Sieste*, et le double, *Fès*, invitent à voir, vers quelque chose qui est une arrière-image; à voir d'où l'on voit et, en ce sens, ne peuvent pas être conçus comme seulement et simplement objet de vision, même intellectuelle. Car même dans sa périphrase la plus paradoxale, comme *intellectus archetypus*, pourrait-on dire, la vision seule ne pénètre pas au fond du mode particulier d'existence de l'image yūgen, dans sa véridicité vide de toute intention.

Elle demande une déduction, ou un savoir antérieur, qui y supplée, mais ni déduction ni savoir réfléchis, seulement immersion, immersion totale et absorption : l'œil oblique, le lit, qui voit la porte penchée du miroir où s'enfoncent le soleil, les rideaux, la fenêtre, n'est pas une solution mystérieuse d'un problème de signification en acte qui revêtirait la photographie comme d'une troisième dimension mixte d'espace et de temps, mais est sa nature même, l'absence totale d'intention qui baigne dans la couleur non-couleur des objets.

Mais alors les rideaux étaient ouverts, car c'était octobre, dans la fenêtre pénétrant le miroir, à la lumière déjà hésitante, j'ai vu le carreau de ciel avec ses nuages souverains : ils entraient penchés dans le miroir, à la *Stieglitz*, s'écoulaient, disparaissaient, pendant que se mettait à baisser la lumière, que les cèdres noircissaient, que l'obscurité s'attachait aux angles, éteignait peu à peu les formes, noyait la photographie. Je remettais le magnétophone en marche. La lampe rendait la nuit soudain manifeste.

35 *Je rangeai le magnétophone dans la commode*

Je rangeai le magnétophone dans le premier tiroir de la commode, à droite du lit, avec quelques vieux cahiers anthologiques (des poèmes choisis et recopiés), des cassettes, et les carnets de mon grand-père. J'avais condensé, résumé, classé, thésaurisé ce que j'avais pu retrouver de la mémoire familiale, et tout, aujourd'hui, se trouve dans cette chambre :

Les *carnets*, donc, de mon grand-père, dans le tiroir : à droite de la commode, entre la commode et le mur, une caisse en carton contient les brevets d'invention de mon grand-père, ses autres carnets, ceux où il a noté ses lectures, les films vus, ses réflexions politiques (sur l'école, l'affaire de Hongrie en 1956...), et les papiers familiaux qu'il avait gardés en sa possession : actes de naissance, de décès (décès de toutes ses sœurs institutrices : leurs arrêtés de nomination, de mutation). Il y a bien des manques : les censures de la mort.

J'ai surmonté le tout de deux volumes cartonnés de *l'Illustration*, contenant des pièces de théâtre de 1900 et environs, qui exercent sur moi une fascination considérable et qui constituent l'inspiration la plus évidente des propres œuvres théâtrales de mon grand-père – *le Secret du grand empereur*, par exemple, que je me souviens avoir lu –, malheureusement disparues à l'initiative, je le crains, de sa fille aînée, ma mère.

L'essentiel des lettres et des photographies se trouve dans la penderie, sur l'étagère supérieure, dans de vieilles boîtes à biscuits, ou dans des albums photos archaïques où de nombreuses pages sont vides, vidées plutôt, comme dans ces collections de timbres amassées et ordonnées avec infinie patience et brusquement saccagées par une inconséquence de leur propriétaire ou une curiosité d'enfant. J'avais tenté, cet été-là, un classement chronologique sommaire des photographies, rendu difficile par les mélanges, parfois incongrus, introduits dans les albums par les déménagements et déplacements successifs (et par ces voyages particuliers des images que suscitent les morts), mais surtout à cause de cette habitude si répandue, presque incorrigible et exaspérante, de thésauriser des photographies, parce qu'elles sont destinées (en intention) bien au-delà de leur instant (version démocratique de l'*aere perennius* horatien), et au même moment de ne pas indiquer quand elles ont été prises, ni où ni, ce qui est pire, de quelles personnes il s'agit. Et pourtant, en peu d'années, comme tout cela devient trouble, incertain, même pour le propriétaire original de l'album.

Autant que je pouvais juger (mais je n'ai finalement jamais entrepris la tache d'identification systématique et de répertoire, que j'aurais certainement essayé de mener à bien si les circonstances avaient été autres), mon père est singulièrement orphelin d'images, et pratiquement tout ce qui est antérieur à 1930 provient du côté maternel.

J'ai hérité d'une double tradition, de silence et de deuil, où les morts, après vingt ans, trente, ou cinquante, omniprésents encore, n'apparaissent pourtant que dans les creux d'un mutisme, conservant une existence violente de trous noirs contournés par les paroles, mais s'y manifestant, soulignés par quelque timbre, quelque vibration, quelque déplacement dans la trajectoire d'un récit : places absentes dans des pages d'albums, images perpétuellement comme en train de brûler mais pas assez complètement pour que l'ombre, l'odeur ne se fassent encore sentir.

Cette tradition, adoptée par ma mère, était celle de sa mère à elle, qui en établit autrefois les règles, dès avant ma naissance, et les rites, et le cérémonial, au moment de la mort de son fils aîné, mon oncle Maurice (je ne sais si elle l'avait, elle, inventée). Mais le silence de mon père est beaucoup plus radical.

En me couchant dans le lit de cuivre j'avais donc, à ma gauche et à ma droite, cette collection disparate de vestiges, et j'avais eu le sentiment, en obtenant de mon père la garde du tout, d'en devenir le dépositaire, et d'avoir ainsi arrêté un temps le cours de leur destruction. Certaines de ces destructions, en effet, étaient récentes. Je me souviens avoir lu, au grenier, peu de temps avant l'opération de ma mère et le départ provisoire de mes parents pour Villejuif, les lettres reçues en 1948 de leurs amis les Coriol, à leur retour du Maroc où ils avaient passé la guerre, en cette période du début de la guerre froide qui semble les avoir passionnément opposés. Ces lettres ont disparu, peut-être sont-elles parmi les papiers que conserve encore mon père, mais j'en doute.

Et je pense que l'initiative de cette destruction, qui n'est pas douleur dans ce cas, ni censure morale (comme dissimuler l'incompatibilité d'humeur de mes grands-parents, dont les écrits de mon grand-père témoignaient) vient de lui. Ne pas écrire de lettres, n'en conserver aucune, ne garder du passé que son enseignement, c'est-à-dire quelque chose de transmissible oralement en quelques récits, à travers quelques jugements nets, telle est sa tendance profonde, et ma mère, en perdant la vue, a perdu aussi à peu près toute chance de s'opposer à sa passion de l'effacement. Il n'y a, pour mon père, pour ainsi dire pas d'état intermédiaire (autre que dans le présent, strictement clos, de la vie, et ce que l'on transporte du passé, impénétrablement, avec soi) entre le politique et le privé. Et le politique, pour lui, jugé à travers le prisme, décisif, de la Résistance, n'est pas une affaire individuelle. Ce qui fait que, sans une certaine lassitude de sa part et, peut-être maintenant, tout près de la mort, indifférence, les destructions auraient été plus radicales encore.

36 *L'exploration de ma « prae-mémoire » est définitivement arrêtée*

L'exploration de ma *prae-mémoire*, maintenant, est définitivement arrêtée.

Il est clair que, quelles que soient les raisons de prose (dilatoires ou d'exhortation) que je m'étais données pour l'entreprendre, son intention était avant tout amoureuse :

revenir jusqu'au plus lointain passé, faire les voyages que nous avions projetés, la Grèce, l'Égypte, le Portugal, le Canada bien sûr, l'Afrique du Sud (lieux d'Alix), Toulon, Lyon, Villanova d'Asti (les miens), mais aussi s'écouter, se raconter, c'était, comme le mariage, affirmer une durée commune, en espérance aussi étendue vers le futur que l'épaisseur même de la narration et de la monstration (papiers, livres, endroits, photographies de famille, lettres) nous amenait à partager.

Tout ce que j'ai écrit du ' *grand incendie de Londres* ' en ces années (et qui incorporait déjà en partie ce dont je viens de parler en ce chapitre) était cela, et la mort en signifie nécessairement la *disparition*.

Pas tellement parce que le ton de ces pages ne m'est plus, à l'évidence, possible aujourd'hui, mais surtout parce que le dehors de la prose, comme ce qui est hors la photographie dans *Fès* ou *la Sieste*, le lieu ou l'être d'*où* elle était à ce moment-là écrite lui a été enlevé, et du coup elle est devenue du passé irrémédiable autant que les deux (ou trois) photographies que j'ai décrites, qui elles-mêmes, et la prose avec elles (les suivant), désignaient dans leur séquence (s'insérant parmi beaucoup d'autres) le présent de leur composition.

Les *photographies d'Alix*, avec son *Journal*, sont ce qu'elle m'a laissé, explicitement, pour être montré.

Mais les lignes et bandes de prose (bandes étroites sur mon cahier, noires) qui venaient d'elles, ou les suscitaient (à la différence des poèmes, c'est la situation de la prose), n'existent plus, en tout cas ne peuvent plus appartenir à ceci, cette entreprise pour laquelle je suis absolument seul maintenant. Peu de temps avant sa mort, à l'automne de 1982, Alix avait, à son tour, apprivoisé le magnétophone et de sa voix nocturne, de son souffle souvent si difficile dans l'intérieur de la nuit (les vraies heures de la nuit absolue), enregistré des *moments of being*, des moments de vie, sorte de parole symétrique de la prose, comme la prose l'était dans le miroir de ses images. Je ne les ai pas encore réécoutés.

Par ailleurs, il ne me serait plus possible aujourd'hui de poursuivre mon enquête auprès de mes parents. Le grand âge ne le permettrait plus.

37 *Je suis sorti dans la nuit*

Je suis sorti dans la nuit. Il était deux heures.

Je suis sorti par la porte d'en bas, qui ouvre sur la terrasse, sous le grenadier et le treille de raisins sauvages; et je suis allé pisser un peu à l'écart, entre le romarin et le grand « pulumussier » (nom du laurier-rose dans une langue lointaine, archaïque, l'enfance).

Le vent du *cers* était doux et presque tiède, s'enveloppait dans la nuit autour de mes jambes et, comme chaque fois, les étoiles descendaient très près. La nuit contenait, comme les trajectoires des branches du pin dans les vitres contiennent les preuves déchiffrables de la direction réelle du vent, des indices de la saison : la tiédeur, l'épaisseur des sombres masses végétales, les conciliabules d'insectes, toutes les voix instrumentales du monde disaient octobre, toutes les horloges du village sonnaient octobre, et les étoiles, en se penchant, en s'approchant si près.

(En hiver elles se séparent; en été elles s'éloignent en foules; elles se détachent dans le froid : chacune pure, indifférente; ' aloof '.)

Le pulumussier, qui grandit chaque année sans abandonner sa forme, quasi hémisphérique, est le domaine incontesté, l'avant-poste exploratoire du hérisson (il ne s'agit d'aucun hérisson nominatif mais du hérisson « générique » copropriétaire depuis toujours du lieu, chaque année sans doute descendant de lui-même, comme l'écureuil dans les cyprès au-dessous du potager). Je n'ai jamais eu la patience de l'apprivoiser (et d'ailleurs que faire ensuite, quand on repart) ; j'ai eu cependant l'honneur de pouvoir le présenter à Alix, en août, dans les mêmes circonstances nocturnes, « *pottering about* », avec importance et myopie, dans les buissons.

En octobre, l'eau du bassin-piscine est devenue trouble, verte, brune, envahie de feuilles, et aux grappes de la vigne suspendue qui le borde il ne reste que des grappillons, à grains presque jaunes, très sucrés, toutes les grappes ou presque vidées par les guêpes, les peaux oxydées brunes encore attachées à la grappe, recroquevillées comme des mues de cigales.

Je suis passé sous le ponceau, toujours éclairé par les étoiles. Sur la colline, la clarté était plus pénétrante encore, sans obstacles d'arbres ou de bâtiments, qui dans la nuit doublent de volume et se protègent d'un matelas d'obscurité, d'une vie privée végétale ou pierreuse défendue de silence.

Les vignes avaient encore leurs feuilles, s'enfonçaient dans la terre argileuse, lourde. Je suis passé entre le tas de pierres bordé de ronces et d'azeroliers, j'ai remonté l'allée de cyprès presque jusqu'au bout, là où la restanque, ruinée par les orages et la pression des terres, s'est effondrée, et par où la colline perd peu à peu sa substance. Je me suis assis sur la dalle de pierre plate, dans la nuit tiède.

38 *Au loin passent des voitures*

« Au loin passent des voitures, de temps en temps, derrière des volets de bois fermés. Les objets anciens sont silencieux, hormis quelques grincements d'ancienneté dans la nuit. La maison est tranquille. La nuit était claire, étoilée.

» Table ronde. Table rectangulaire à deux tiroirs, sur laquelle un sac de voyage, un tableau, représentant un jardin de maison ancienne en contre-jour, une cheminée, sur elle deux anciennes lampes, une glace en bois de rosier, un chapeau, une armoire à battants transparents. Un lit, défait, une table de chevet, où comprimés, verre d'eau, cruche, lunettes.

» Une voiture passe derrière les volets.

» Il y a vingt ans, dans les rédactions, en octobre, les longues marches sous un ciel orageux, marches sans but, étaient nombreuses; les dessins de maisons isolées, abandonnées, sur des collines. Avant cela, comment savoir.

» Derrière la porte, un couloir, sur lequel donnent d'autres portes, on peut d'ailleurs commencer la description n'importe où. La première pièce ressemble assez aux autres, ou plus précisément la description sera assez grossière pour ne pas saisir les différences. On ne dira donc pas la disposition des quatre pièces, ni celle de la pièce suivante décrite en rapport avec les autres; il faudrait se dire que c'est n'importe laquelle, commencer n'importe où.

» Le couloir est vide en général, mais parfois y passe quelqu'un, en général une seule personne à la fois.

» Le reste de la maison surplombe tout cela, est disposable à volonté. La seule nécessité de l'imagination est de commencer par une pièce, un couloir, une maison, une musique, les disposer à volonté, garder la même disposition le temps du récit.

» Cela est capital, même si le détail du reste est sans la moindre importance. Si on se réveillait chaque matin dans un lieu qu'on n'avait pas vu la veille, nul doute que l'expérience en serait déplaisante. Mais que rien ne bouge, et tout le reste sera égal et sans importance aucune.

St-Félix. Pâques 1982. »

(Journal d'Alix.)

39 *Pendant les repas*

Pendant les repas, ma place était toujours la même à la table, celle où je restais assis pour travailler pendant les matinées. A cette époque de l'année, octobre, hors des vacances ordinaires des lycéens, j'y étais seul avec mes parents. Je faisais face à mon père, et ma mère occupait le côté droit, long, de la table rectangulaire (de mon point de vue), tournant le dos au petit bureau sur lequel se trouvait sa machine à écrire, et au gros radiateur électrique nocturne et gris.

C'était encore ma mère, alors, qui mettait le couvert, prenant dans le petit buffet et le Grand Bahut des assiettes, couverts, verres, bols, les serviettes, et dans le panier (ou plutôt la poche) à pain accroché au-dessus de la desserte où abondaient en permanence des fruits (quelques-uns parfois pourrissants), le pain sans sel (le pain ordinaire, qui nous était réservé, était au-dessus du frigidaire).

La géographie de la table, pour la conversation pratique, était conventionnellement repérée par rapport à elle, en prenant pour centre, pour position de référence, son assiette, d'où l'emploi de métaphores mercatoriennes et cardinales comme : « le sel est à l'est de ton assiette », « l'orange est au nord-nord-ouest »; cela supposait une orientation de la table analogue à celle d'une carte Michelin. Une variante était de nature horlogère : « le sel est à midi », « le pain est à neuf heures », « il manque une fourchette à huit-dix heures » (il était bien rare que ma mère n'ait pas oublié quelque chose, sa distraction

114

naturelle avivée de non-voyance, d'oublis, de lenteur, et d'anxiété).

Mon père disposait un assortiment compliqué de gélules et pilules, de pastilles blanches et colorées, destinées au soulagement de différents maux (réels ou imaginaires), mais bien incapables de guérir l'unique blessure réelle et inguérissable, celle des yeux. Les repas étaient un combat, généralement perdant, que je livrais pour éviter (mais sans trop de conviction) de succomber aux incessantes incitations et offres culinaires de mon père : une variante, mais souriante et brève (je ne restais que quelques jours), de celui qui l'opposait de manière constante à ma mère, dont une crainte grandissante était de manger trop (et peu à peu cette phobie s'est d'ailleurs déclarée pour ce qu'elle était : une asthénie).

Aussi chaque portion était-elle l'objet de longues négociations : le degré de remplissage des cuillers, des louches, du bol, de l'assiette, par les potions, les soupes, les légumes, les compotes; la dimension des biftecks, comme le reste, devant être définie à l'avance, par ajustement progressif, dans chaque cas, des évaluations antagonistes, selon les modalités du « trop » ou du « trop peu ». Mais, comme le mode de vérification était nécessairement divergent en ce qui concerne, déjà, les instruments de l'expérimentation (mon père par les yeux, ma mère par les doigts), (et c'était un des moments où transparaissait, irrépressiblement, dans leur refus commun de tenir compte de cette divergence, leur commune horreur de l'invraisemblable cécité); comme par ailleurs les unités de mesure restaient remarquablement imprécises (une cuillerée : de quelle taille? un bol : rempli jusqu'où?...) il était impossible qu'un accord préalable ne donne pas, ensuite, lieu à des contestations, protestations et polémiques que ma présence maintenait, mais tout juste, dans des limites amènes.

Ce n'est pas du tout que mon père ait eu le moindre amour-propre de cuisinier, ce qu'il ne prétendait pas être. Mais toute nourriture acceptée par ma mère était pour lui une preuve de la possibilité d'accepter, en même temps, la continuation inévitable de la vie. En outre, mais sans doute largement indépendamment, il se trouvait sans cesse à la tête de grandes quantités de nourritures, et, se les étant procurées, il lui fallait en assurer l'écoulement.

Ces nourritures provenaient de deux sources principales (je ne parle pas des boissons, dont il se chargeait seul en temps ordinaire, puisque ma mère ne buvait que de l'eau municipale, qui descend de la montagne Noire, et moi de l'eau minérale du Boulou), et tout ce qui arrivait de chaque source demandait impérativement à être transformé en enfants, en petits-enfants ou, plus rarement, en invités.

Il y avait d'une part les produits de son jardin, seule passion véritable des quinze dernières années pour mon père. Le jardin définissait, je crois, pour lui, l'horizon de vieillesse irrémédiable (qu'il a peut-être, avec sa chute, atteint il y a deux ans) : le moment où il ne pourrait plus y travailler.

Les produits du jardin se présentaient selon deux modes : immédiat et différé. La variante immédiate, saisonnière, était représentée à ce moment-là (celui de ce chapitre) par les dernières tomates, les dernières fraises, et la révélation tardive des framboisiers puisque, et je m'en félicitais, les courges n'étaient pas encore mûres. Mais je ne vais pas oublier les melons. Car le melon est le fruit préféré de mon père et par conséquent celui qu'il préfère offrir, partager et commenter. Au jardin, les melons recevaient un traitement de faveur. Leur éducation était particulièrement soignée, une sorte de préceptorat. Sans doute mon père n'avait pas de mal à tenir ordinairement tête tout seul à l'assaut brusque et tumultueux, si j'ose dire, de la récolte des melons, mais c'était un grand réconfort pour lui de la partager avec quelqu'un qui saurait en apprécier l'essence, qui n'est qu'en partie seulement révélée par l'existence, par l'individualité momentanée du melon unique, avec ses qualités propres comme ses manques, mais qui séjourne plutôt dans un empyrée situé au-dessus en quelque sorte d'un ensemble conséquent de ces fruits et suppose, pour être débusquée, des comparaisons de nature historique (selon l'histoire du melon, j'entends) ; et pour ce rôle, il faut le dire, je n'étais pas l'interlocuteur idéal.

40 *Les melons décevaient*

Les melons, cette année-là, décevaient. Séduit une fois de plus par le *démon des catalogues*, mon père avait commandé des graines de melons israéliens dont le portrait potentiel l'avait ému, et il en vérifiait jour après jour la perfidie (comparable seulement à celle de certaines semences de petits pois anglais, qui l'avaient plongé dans un état de fureur tel qu'il en avait presque invoqué la « perfide Albion ») : ils arrivaient sur notre table rabougris, la chair tirant sur le vert : leur parfum, incompréhensible, semblait n'avoir aucun rapport discernable avec leur fade goût. Ils étaient veules, douceâtres, et nuls.

Mon père les mangeait néanmoins consciencieusement les uns après les autres (et plutôt deux par deux), tout en méditant sombrement sur son erreur, mais, injure suprême, il jetait leurs débris sans même en recueillir les graines pour donner à leur patrimoine génétique la chance de s'améliorer en se frottant aux idiosyncrasies rudes des sols et du climat du Minervois. Ce contretemps n'aurait pas été bien grave si, par ailleurs, les semences de *vrais* melons, les provençaux (la Provence, on le sait, est la patrie élective du melon; aimer le melon, c'est déjà s'avouer provençal), qui constituaient à peu près exclusivement le fonds de notre richesse melonière, n'étaient arrivées à épuisement; et mon père souffrait du retard de ma mère à écrire à Yvonne Geniet pour lui demander des graines des extraordinaires melons de Trets.

Jusqu'à cette date, ou presque, le calendrier de la terre, irrégulier, qui produit à son heure plus qu'à la nôtre, avait créé des encombrements subits sur la table : des orages de laitues, des Nils de pastèques, des inondations de haricots barraqués; et il ne se rencontrait pas nécessairement au moment voulu à Saint-Félix les bouches susceptibles à la fois de les apprécier, de les juger, de les discuter, et enfin d'en venir à bout par la manducation. Cette situation s'était sérieusement modifiée avec l'arrivée du congélateur. Les crues avaient alors pu être canalisées, maîtrisées, les surabondances différées, ou étalées. Il était devenu possible de goûter les fèves fraîches à la croque au sel en novembre, les mûres à la crème liquide par une soirée glaciale de février.

Mais ce n'était là, en fait, qu'un soulagement trompeur. Car la capacité du congélateur étant limitée, les places y étaient chères, et bien des légumes, dont le sacrifice aurait été douloureux, certes, mais vite oublié, n'y avaient trouvé place qu'en sursis, ajoutant aux caprices et difficultés de prévision des récoltes ceux de la mise au point d'une stratégie convenable d'occupation des compartiments frigorifiques.

D'autant plus que la découverte du concept de congélateur avait rendu possible une extension imprévue de celui de commande sur catalogue, autrefois confiné aux achats de semences, d'outils, d'ustensiles de cuisine (essoreuses à salade, friteuses perfectionnées, par exemple) : les glaces, les pâtés, les choucroutes « comme à Colmar » et les cassoulets « de Castelnaudary », les saumons fumés, les lentilles à la graisse d'oie, les fromages conservés dans l'huile d'olive et les herbes de Provence (décevants) exigeaient eux aussi leur place, dès l'arrivée de livraisons somme toute presque aussi imprévisiblement chronologiquement et conservatoirement impérieuses que celles des légumes issus de la terre. Et d'ailleurs les quantités de ces victuailles étaient gonflées immodérément par les suggestions habiles des jeunes cravatés représentants qui se présentaient de plus en plus fréquemment dans ce lieu, devenu un nouveau havre de la vente par correspondance.

Une fois l'idée de commande de comestibles associée à celle de congélateur installée sur place, elle avait fait chez mon père des progrès foudroyants, par une capacité de renouvellement et de variation beaucoup plus rapide que celle des ouvre-boîtes, friteuses ou moto-bineuses. Et de grandes boîtes de biscuits, métalliques, rouge-orange, de la marque Fabis firent leur apparition (mon neveu Vincent ne faisait donc que son devoir en en vidant une quotidiennement lors de son séjour pour regarder à la télé les Jeux olympiques de Moscou, et mon père ne manqua pas de le donner en exemple par la suite à de plus médiocres appétits). Ma mère ne mesurait pas exactement l'ampleur de ces arrivages, qui l'aurait effrayée, comme susceptible de contribuer à ce qu'elle estimait être le gigantisme coupable des quatre enfants de mon frère, en encourageant dangereusement leur appétit. Une fois vidées, les boîtes Fabis étaient converties en réceptacles de vieux clous récupérés. Mon père en profitait. Il ne s'agissait nullement chez lui d'un désir d'accumulation, d'une avarice des provisions, ou d'une peur de manquer (sauf peut-être de clous et de chicorée), mais plutôt d'une forme d'extravagance de l'hospitalité, un vif désir de partage, de dons familiaux ou amicaux. Périodiquement, mes neveux et nièces (et Laurence parfois), accompagnés ou non de copains ou copines, venaient pour quelques jours et repartaient gavés, chargés de provisions, avec la conscience de laisser le congélateur dans un état de légèreté satisfaisante pour mon père; d'ailleurs il était alors encore lui-même un des plus gros consommateurs de ces produits, surtout en ce qui concerne les melons, les saucissons et les alcools.

Les autres produits alimentaires étaient (sont toujours) amenés à domicile : les voitures de M. Landes (le boulanger), de M. Gros (le laitier, maintenant à la retraite), de Mme Icher (la bouchère ambulante de Caunes-Minervois) s'arrêtent sur le chemin en face du ponceau et font entendre leur appel caractéristique. M. Sanchez, l'épicier de Villegly, apporte, aidé de ses filles, la commande du mardi (resp. du jeudi, du samedi), lue antérieurement par mon père au téléphone, selon une improvisation dont le canevas est fourni par une liste tapée à la machine par ma mère (il y ajoute parfois (M. Sanchez) des produits tout nouveaux, afin de les roder sur mon père, avant de les risquer sur sa clientèle du Minervois profond).

Le jeudi matin, très tôt, Mme Imbert, la poissonnière, apporte des huîtres de Bouzigue, vastes et dodues et grasses, occasion de rieslings, de traminers, d'émerveillement. L'huître est pour mon père la perfection de la mer, de la mer poissonneuse, la mer des coquillages, des crustacés, des poulpes, des rochers, des crabes, des criques, des oursins, des violets, la mer provençale d'avant, quoi; pas celle des plages et des huiles solaires, des topless. La mer qu'il a quittée en 1926 pour ne plus la revoir que rarement. La question des nourritures (leur

119

passé, leur présent, leur futur) était ainsi une base obligée de toute conversation; la mélodie en était la famille, le commentaire des nouvelles (recueillies au téléphone par ma mère); puis c'était l'heure de la télévision et de la radio.

41 *Je suis reparti avec mes livres*

Je suis reparti avec mes livres, quelques pots de gelée d'azerole à offrir en cadeau : pour Laurence, pour Florence, pour les Getzler, pour la famille Lusson; un litre d'huile verte de Bize, une poignée de figues, des noix encore vertes, des jujubes : un bouquet pour Alix.

Le taxi de M. Raynaud est venu me chercher comme prévu à sept heures et quart pour le train qui, venant de Nîmes, passe à 7 h 44 à Carcassonne.

Selon mon habitude, j'ai attendu une heure et demie à Toulouse, montant, à sa formation, dans le train rapide de 10 h 21 qui, selon l'horaire d'hiver récemment installé, arrivait alors à la gare d'Austerlitz à 18 heures; je m'étais réveillé bien avant six heures, dans le lit de cuivre, sous la photographie du miroir, de la fenêtre entrant dans le miroir, l'été heureux.

Il faisait nuit encore dans les cèdres, sur la colline nuageuse, et froide; mes parents s'étaient réveillés.

J'ai apporté ma valise dans la grande pièce, je me suis rasé. J'ai préparé le sac de mon déjeuner dans le train, entre l'arrêt à Cahors, et Brive : du jambon cru épais de Mme Icher, des tomates, des biscottes, des biscuits dans leur boîte rouge-orange, une boîte Fabis.

J'ai bu mon bol de café noir très dilué. Ma mère a bu du thé à la table, essayant de me dire ce qu'elle n'avait pas dit, ou avait déjà dit, pendant mon séjour. Mais que dire?

Le taxi est arrivé à l'heure exacte. Les vignes étaient brumeuses. On apercevait, parfois, des vendangeurs. M. Raynaud, dont le frère est garagiste à Conques (il a, depuis, pris sa retraite), n'était pas bavard. On n'est pas souvent bavard ici. Il conduisait lentement.

Nous sommes passés à Villalier au-dessus de l'Orbiel; à Villalier, où Joe Bousquet est enterré; au Pont-Rouge au-dessus du Fresquel, sur lequel passe aussi, en même temps que la route, le canal du Midi, celui du grand Riquet, « le liquide chemin de Bordeaux à Narbonne / qu'abreuvent tour à tour et l'Aude et la Garonne / », exploit qui m'impressionna énormément quand je le découvris en 1941 (de l'eau coulant par-dessus de l'eau, au-dessus d'une rivière, avec des péniches!). Et M. Raynaud a pris le raccourci de Grazailles qui rejoint directement la gare sur l'arrière, descendant de ce plateau où il n'y avait autrefois que villas et « campagnes » (comme on dit en audois), de plus en plus envahi maintenant par la ville, qui s'élance vers Villemoustaussou.

Mon père m'a accompagné sur le ponceau. Il a dit bonjour à M. Raynaud. Nous n'avons parlé ni de maladie ni de mort.

chapitre 4

Portrait de l'artiste absent

42 *Je suis de taille plutôt grande*

Je suis de taille plutôt grande, ayant culminé à cent quatre-vingt-quatre centimètres et demi autour de ma vingtième année. Je n'ai encore que légèrement diminué, par tassement inévitable et voussure; un peu plus cependant, dans l'apparence, si je tiens compte de la disparition de mes cheveux (au moins dans la hauteur).

A l'époque où j'ai commencé à approcher de ma taille maximale, sinon définitive, les dimensions moyennes du Français de sexe masculin étaient nettement plus limitées qu'aujourd'hui; ce qui fait que j'étais alors à la fois dans l'absolu (un peu) et relativement (beaucoup) plus grand qu'aujourd'hui.

J'ai de ce fait une impression très nette : dans les années cinquante, en entrant dans un wagon de métro parisien, et en me plaçant à un bout, je pouvais voir jusqu'à l'autre extrémité pour ainsi dire sans obstacles, même si le métro était bondé. Ce n'est plus du tout le cas aujourd'hui et c'est là, curieusement, pour moi, un des signes les plus indiscutables de mon vieillissement.

Dans ma première jeunesse, ma taille brusquement atteinte n'eut pas que des avantages : mes pieds se mirent à dépasser des lits, spécialement dans les hôtels, encore mal adaptés aux dimensions nouvelles de la population et à l'arrivée des touristes scandinaves. Je dus apprendre à utiliser à plein les qualités géométriques des diagonales. Le pire étaient les cinémas, que je fréquentais plus régulièrement que les amphithéâtres de la vieillissante Sorbonne, puis de l'institut Henri-Poincaré, qui abritait alors les mathématiciens. Au cinéma Champollion, en particulier, une seule place m'était possible : en bout de rangée, au bord de l'allée centrale, où sans cesse les ouvreuses et les spectateurs tardifs butaient dans le noir sur mes orteils exagérés.

D'être ainsi, presque partout, presque toujours, parmi les plus grands (le plus grand) m'a donné cette sensation de gêne que je ressens en présence des quelques personnes de ma connaissance dont la taille est nettement supérieure à la mienne : mon neveu François, par exemple ou, à l'Oulipo, Harry Mathews. Comme si m'était alors ôté momentanément l'unique avantage physique que je me sois jamais reconnu. (La taille de mon neveu François, presque deux mètres, et plus encore les cent quatre-vingts centimètres et plus de ses deux sœurs, Marianne et Claire, créent chez ma mère, quand elle y pense, bien plus que de la gêne : de l'inquiétude et presque de l'horreur; comme si elle voyait surgir dans sa famille la tendance au gigantisme dinosaurien qui menace, elle en est certaine, l'humanité.)

Cette sensation est apparentée dans mon esprit à un sentiment d'échec de mon adolescence, qui a contribué à mon abandon de tout effort en vue de satisfaire des ambitions athlétiques que mon père nourrissait pour moi (comme pour tous ses enfants et ensuite petit-enfants), particulièrement au décathlon. Je me souviens clairement de l'expérience du saut en hauteur, que j'ai commencé à pratiquer en arrivant au lycée de Carcassonne : j'avais donc un peu moins de neuf ans. J'y réussissais assez bien. La technique de l'époque (dans l'enseignement d' « éducation physique » des années de guerre) était plutôt rudimentaire : le « ciseau » presque exclusivement, et beaucoup plus rarement le « rouleau californien ». Mais je parvenais sans peine à franchir des hauteurs telles que l'élastique, qui désignait l'obstacle, était placé à l'horizontale de mon regard.

Quand j'ai commencé à grandir rapidement, mes capacités athlétiques ont tout d'abord fléchi, et je me suis senti assez vite humilié de ne pouvoir franchir que des hauteurs subjectivement de plus en plus basses, mêmes si elles continuaient à augmenter petit à petit en valeur absolue.

Sans doute aurais-je du attendre que mes muscles rejoignent mon squelette. Mais je crois que de toute façon la « barre » idéale située à l'horizontale de mon regard s'était fixée en moi comme une limite imaginairement infranchissable, et je sens que je n'aurais jamais pu m'élever plus haut.

Aujourd'hui, la vue de ces lignes iréelles traversant l'écran de télévision à deux mètres trente ou même quarante au-dessus du sol, lors de la retransmission des grandes compétitions inter-nationales, c'est-à-dire nettement plus haut que le sommet de la tête des champions russes, américains ou chinois (tous plus grands que mon neveu François) qui se disputent la progres-sion du record du monde, me donne la même impression de vertige et de malaise léger que celle des personnes qui sont d'une taille plus grande que la mienne. Et c'est sans doute pourquoi je n'ai jamais sauté plus d'un mètre soixante. Aujourd'hui, j'en suis sûr, quatre-vingt-dix centimètres me feraient peur, mais pour une tout autre raison : j'ai cinquante-deux ans.

43 *Je n'ai pas profité longtemps de ma taille maximale*

Je n'ai pas, à vrai dire, profité longtemps de ma taille maximale (dans les deux sens, absolu et relatif) car j'ai com-mencé très tôt à perdre mes cheveux, suivant une tradition familiale malheureusement bien établie des deux côtés : je ne suis pas certain d'avoir un souvenir réel de mon père quand il était abondamment chevelu, tel qu'il apparaît sur les photogra-phies des années trente. En tout cas, à la Libération, époque pour laquelle les images sont assez nombreuses et mes souve-nirs plus fiables, la situation, en ce qui le concerne, était déjà réglée.

Mon frère m'a suivi sur le sentier capillaire familial, et on m'a dit récemment que mon neveu François est préoccupé de la chute de ses cheveux, ce qui m'a paru une réaction exagérée, puisque la perte de ce matelas incommode le fera peut-être repasser au-dessous de la limite des deux mètres d'encombrement réel de l'espace, ce que je ne trouverais pas à regretter.

J'ai toujours connu mon grand-père chauve, comme je suis loin encore de l'être et comme, je crois, mon père ne l'est pas aussi parfaitement. Lors d'un de ses très rares conflits avec un artisan (il était généralement affable, et c'était une catégorie sociale pour laquelle il avait une vive sympathie, étant lui-même un excellent menuisier amateur), mon grand-père s'était fâché pendant un moment avec son coiffeur parce qu'il avait brusquement réclamé de celui-ci une réduction sur le prix de la coupe, trouvant que le travail que donnait son crâne à des ciseaux était largement surpayé par l'application du tarif ordinaire et plein. L'honorable commerçant du Clos Bissardon, le quartier de Caluire qu'habitaient mes grands-parents, en avait, dit-on, été indigné, et ils avaient « eu des mots ».

Mon grand-père était le plus souvent coiffé d'un chapeau (il n'avait pas, en son temps, dédaigné le canotier), (mon père, lui, a toujours favorisé le béret basque des supporters de l'équipe de Toulon (rugby) et je me suis moi-même mis il y a plusieurs années à la casquette, anglaise de préférence (car il faut se rendre à l'évidence : après quarante ans le vent, le froid, la pluie sont des désagréments certains pour un crâne non revêtu)). Mon grand-père portait son chapeau même à l'intérieur des maisons. Quand il croisait quelqu'un de sa connaissance, ou quand il entrait dans un magasin, il le soulevait poliment, et la perfection absolue de sa calvitie apparaissait alors en pleine lumière.

Une photographie de 1933 me représente, si on peut dire, âgé alors de quelques mois seulement, dans ses bras de grand-père débutant (seul mon cousin Jean Molino m'avait alors précédé); mon grand-père, exceptionnellement (à l'occasion de la ' prise de portrait ' ?), ne porte pas de chapeau et je suis, moi, un bébé complètement chauve, ce qui accentue encore notre indéniable parenté.

Mon père a souvent raconté en famille que son beau-père, inquiet de mon absence prolongée de chevelure, qu'il trouvait excessive, et craignant peut-être que je ne décide de sauter toutes ces années intermédiaires de la vie humaine, celle des chevelures violentes et désordonnées, pour en venir tout de suite à l'état ultérieur fixé par la longue tradition familiale et représenté, exemplairement, par lui

(la seule photographie de son père à lui, mon arrière-grand-père Molino, le chef de gare de Poliéna, dont je garde le souvenir, le montre également nu-tête, au sens strict (mais avec une barbe blanche : les chauves de cette époque avaient d'imposantes compensations)),

avait un jour, un peu en cachette, offert à sa fille aînée (ma mère) un flacon d'un de ces produits destinés à favoriser la pousse des cheveux et lui avait recommandé de l'appliquer vigoureusement sur mon crâne encore vierge de ces fils qui avaient déserté le sien. Mes cheveux poussèrent enfin, et furent blonds; puis ils se banalisèrent avant de se mettre à tomber, comme il était héréditairement écrit qu'ils devaient le faire. Mon grand-père était encore vivant quand je ressentis les premières atteintes du mal des chauves. Je n'ai pas souvenir (mais peut-être ai-je simplement oublié) d'avoir particulièrement souffert de la calvitie dans sa phase naissante, quand les cheveux, assez brusquement, se mettent à rester entre les dents des peignes (il me semble que mon père en souffrait pour moi). Beaucoup moins en fait que de l'impossibilité où j'étais, antérieurement à la chute, de me coiffer (elle m'a ' poursuivi ' toute mon enfance).

J'avais sur le sommet du crâne un « épi », comme disaient les coiffeurs avec résignation, mépris ou parfois admiration secrète, un « épi » totalement indiscipliné et inordonnable, que ce soit avec le peigne, ou à la brosse, ou sous l'action d'un quelconque « produit » (comme la belle et rouge « gomina argentine »). Il a lutté jusqu'au bout et n'a été vaincu, telle la garde impériale à Waterloo, que par la disparition à peu près totale de ses effectifs. De ce point de vue, la calvitie a été pour moi un grand soulagement. Mon père a eu, je crois, une chevelure encore plus résolue et sans concessions; mais le problème de son absence semble avoir été ressenti par lui, comme par mon grand-père, avec plus d'acuité que par moi. J'ai l'impression, peut-être erronée et due à mon isolement, que l'imaginaire populaire était autrefois plus attentif à ces questions de pilosité. Il me semble ne pas avoir entendu depuis fort longtemps de plaisanteries sur les chauves (accompagnées de commentaires sur l'hypertrophie supposée de leurs prouesses sexuelles : c'est ainsi du moins que la calvitie apparaissait comme thème majeur dans les recueils dits de *cent blagues* qui constituaient la lecture presque exclusive de mes camarades de régiment, à Montluçon ou à la Ferté-Hauterive (il est vrai qu'il s'agissait de simples soldats, pas de futurs officiers)).

44 *Mon nez est long*

Mon nez est long, terminé par ce que Alix, d'une expression conservée depuis ses années d'enfance au Portugal, appelait une ' *patata do nariz* '.

En traitant de mon nez après mes cheveux, je vous fais donc un début de portrait descendant, conforme à la tradition rhétorique en langue française depuis Brunet Latin et son célèbre portrait d'Iseut dans le *Livres dou Tresor* :

> Ses cheviaus... resplendissent plus que fils d'or, son front sormonte la flour de list, ses noirs sourcis sont ploié comme de petis arconciaus, et une petite voie de let les desoive parmi la ligne du nés et si par mesure k'il n'i a ne plus ne moins, ses oils ki sormontent toutes esmeraudes reluisent en son front comme .ii. estoiles; sa face ensuit la biauté dou matinet...

Un problème apparaît cependant, j'y pense au moment de poser cette comparaison : le portrait d'Iseut, qu'il soit de Brunet Latin lui-même ou de Tristan (« autresi fist Tristans quand il devisa la biauté dame Yseude »), est une « demons-

127

trance », un exemple de la « septime coulor... de rectorique », une description d'une « monstration » : voilà ce que vous (Tristan, Brunet Latin, vous, mon lecteur) voyez quand vous regardez Iseut. Mais le regard qui conduit à la description descendante est extérieur à son modèle, ce qui ne peut être le cas s'il s'agit d'un autoportrait, du moins pas directement

Cela m'amène à me demander *qui* ou *quoi* je suis en train de décrire et ' démonstrer ' en ce moment pour mon lecteur. Il y avait deux possibilités : ou bien prendre une photographie de moi-même, et j'en possède plusieurs, prises par Alix, ou bien décrire l'image, la seule à laquelle je sois réellement et depuis longtemps habitué, celle de celui que j'apparais dans un miroir, et que je vois à peu près tous les jours, chaque fois que je me rase (c'est d'ailleurs, et j'y reviendrai, l'occasion presque unique d'une telle rencontre entre mon reflet et moi). Cette image-là, on en conviendra, est fort différente de la première, beaucoup plus même qu'il n'y paraît à première vue.

Je n'y avais pas pensé en commençant cet *autoportrait* un peu paresseux, mais il m'apparaît maintenant hors de doute que l'image que j'ai de moi-même quand j'y pense, comme je le fais en ce moment pour les besoins de la prose, n'est en aucun cas la première, celle de la photographie, dont je peux suppo-ser cependant que ceux qui me connaissent, autant que mon lecteur (mon lecteur ' générique ') si je venais à le rencontrer, pourraient trouver ressemblante; mais la seconde, celle du miroir, qui ne peut être reconnue par quelqu'un d'autre que de manière non naturelle, par déduction à partir de la symétrie.

Mon image photographique, même après des années de photographies d'identité nécessaires à mon existence adminis-trative, me reste, aujourd'hui encore, bizarre. Cet effet de bizarrerie aurait été plus aigu encore avant l'invention de la photographie, quand la seule image de soi que l'on pouvait posséder (si l'on n'était pas peintre de soi-même) était le portrait, soumis lui aussi à la singularité irréductible d'un regard commandant une main (on imagine volontiers, mais à tort, que l'appareil photographique échappe à cette singula-rité).

Pendant un court moment seulement, au dix-neuvième siècle, avant l'invention du « positif » par Talbot, au temps du *daguerréotype*, le monde a pu apparaître tel qu'il se serait vu lui-même s'il avait pu se voir; mais, par une ironie étrange, le daguerréotype était désarmé devant les objets en mouvement, et le seul *portrait naturel* d'un homme dans ce monde curieux d'au-delà du miroir que je connaisse est ce daguerréotype du boulevard parisien, dans une lumière d'après-midi, vide de chiens, de chevaux, de voitures, de promeneurs, où seule s'est fixée une silhouette parce que assez longtemps immobile, puisque c'est celle de quelqu'un en train de se faire cirer les souliers (on ne voit presque rien du cireur, parce qu'il bougeait, lui) : Paris, après une bombe à neutrons.

Dans de semblables images, les arbres, les rivières sont des reflets, et toutes les enseignes semblent écrites par Léonard de Vinci. Je n'ai, certes, rien dit de mon apparence qui ne soit vrai également de mon image « réelle » autant que de mon image « en miroir » (que mon nez est long, que mes cheveux sont rares, que ma taille est grande, tout cela est indifférent à une transformation par symétrie), mais il n'en est pas moins certain que mon autoportrait (en tant qu'image) décrit quelque chose qui n'est pas de ce monde; et cela ne se limite peut-être pas au seul sens de la vue.

45 *Le seul moment où je me vois*

Le seul moment où je me vois, de façon très régulière, est en fait celui où je me rase. Ce n'est donc pas vraiment un moment où je me regarde, les deux opérations n'étant pas possibles simultanément sans risques. Je vois cette partie nécessaire de mon visage, je ne regarde pas un moi, ni Jacques Roubaud (c'est mon nom). J'aperçois la différence entre ces deux états comme proche d'une scène de film, parmi celles que je préfère : c'est dans un Laurel et Hardy dont j'ai oublié le titre : Oliver Hardy est en train de peindre le mur de leur appartement, il est sur une échelle. Le facteur sonne, il apporte une lettre, urgente, pour Hardy. Hardy demande à Laurel de lui lire la lettre : elle annonce une série de catastrophes, incendie ou inondation dans la maison des parents, maladie grave, désastres financiers ou affectifs; à mesure que Laurel lit, Hardy est de plus en plus catastrophé. « Qu'est-ce que tu as? », demande Laurel. Hardy s'étrangle. « Je ne savais pas, dit Laurel. *Je n'ai pas écouté.* »

J'utilise présentement une crème à raser en « bombe », sans blaireau, de la marque Williams, et je me suis converti récemment et en désespoir de cause aux rasoirs jetables, mono- ou bi-lames, qui progressivement et radicalement éliminent des supermarchés comme des pharmacies les Gillette Stainless Steel longue durée blanches en « conteneurs » de cinq ou dix lames, qui elles-mêmes avaient supplanté les Gillette bleues à emballage individuel de papier de ma jeunesse, qu'on ne trouve plus que par hasard ou chez les antiquaires, parmi les disques 78 tours ou les appareils de radio Pathé-Marconi.

Je me trouve ainsi séparé par plusieurs révolutions technologiques (en fait plusieurs phases, mineures, d'une même révolution) de l'art de raser de mon inaccessible modèle, mon grand-père : il se rasait volontiers dans la cuisine (même chez lui), avec un « sabre » qu'il aiguisait longuement le matin (tôt) sur du cuir noir; préparant ensuite, encore plus longuement, une mousse épaisse, onctueuse, crémeuse, dense, dont les petits tas piqués de poils s'alignaient ensuite (tout au long de l'opération) sur le pourtour d'une soucoupe. Je les revois avec fascination, après trente, quarante ans. Un pot d'eau très chaude, un miroir ovale à pied, une chaise, une serviette, un peu d'alcool pour les coupures (plus nombreuses les dernières années de sa vie : sa main tremblait). Mon souvenir en conserve l'image, comme une sorte de scène continue, indépendante des lieux et des années.

Il m'est arrivé ici, pendant les vingt et un mois où j'y ai vécu avec Alix vivante, de me retrouver un peu semblable à lui (et, j'y pense, pour des raisons grossièrement analogues, ma grand-mère était presque continuellement malade), dans la cuisine, avec un couvercle de casserole pour miroir, en équilibre au-dessus du robinet d'eau chaude, me rasant dans le silence de la nuit.

Je fais couler l'eau chaude. Je me savonne le visage, les mains, le cou. Je me sèche. Je mouille de nouveau les parties rasables. Je prends un peu de mousse dans la paume de ma main droite; je l'applique. Puis je me rase, de la main gauche (un des restes les plus évidents de mon « gauchisme »), selon un ordre immuable :

a) la lèvre supérieure;
b) la lèvre inférieure;
c) le menton;
d) la joue droite;
e) la joue gauche;
f) le cou.

Écrivant ceci, simple description de mon rasage de la veille, j'ai l'impression en effet qu'il s'agit d'un rituel immuable, d'une répétition indéfinie des mêmes gestes, indépendants des lieux, des circonstances, où seuls varient de manière significative les supports techniques (mousses, lames) alors que l'essence même de l'opération, son squelette rythmique, l'ordre de mes mouvements, se conserve invariant dans toutes les transformations annexes de mon existence. J'ai l'impression qu'il s'agit là, comme la poésie, d'un point fixe de ma vie, qui assure ma continuité, et je suis heureux de l'identifier.

Mais après avoir écrit ce passage, j'ai un doute : je me souviens d'avoir déjà décrit mon rasage, il y a neuf ans, comme « moment de repos en prose » dans un livre de poèmes *Autobiographie, chapitre dix*. Dans ce livre, l'ordre est le suivant :

« *a*) le menton; *b*) la lèvre inférieure; *c*) la joue droite; *d*) la joue gauche; *e*) la lèvre supérieure; *f*) le cou. »

J'ai changé.

J'ai changé, mais quand? J'ai passé une heure vaine à tenter d'évoquer à nouveau ces scènes : chaque fois que je me vois me rasant, je retrouve le mouvement que j'ai dit plus haut, celui qui est le mien en ce moment.

46 *Avec l'opération rythmique du rasage*

Avec l'opération rythmique du rasage (et l'importance qui lui est donnée dans ce portrait témoigne d'une variante paradoxale du ' stade du miroir '), je me suis au fond déjà détourné de la dépiction de soi traditionnelle, avec sa route toute tracée de haut en bas et du « physique » au « moral », non pour la supprimer à jamais de mon récit, mais pour l'exclure presque entièrement d'une position primordiale, initiale, dans ces « commencements ». Faisant donc nettement l'impasse sur les régions intermédiaires de mon corps (au-dessous du cou parcouru par le rasoir), je continuerai mon portrait par mes jambes, d'ailleurs non pour les décrire, ne retenant que leurs dimensions (en fait leur hauteur : grandes, à la fois relativement au reste, et relativement au reste des jambes, celles des autres), mais pour l'usage essentiel que j'en fais, la *marche*.

Je suis un *marcheur*. Je marche tout le temps, longtemps, loin, par plaisir, par choix, par compulsion. Ce n'est pas ma seule activité physique, mais c'est la seule constante, qui n'a pas cessé (comme la course) avec l'âge, la seule dont je ressente le besoin quotidien absolu. Je n'entretiens pas mon corps par la gymnastique, je ne le discipline pas mystiquement par le yoga, je ne le confronte pas à la bicyclette, à la rame, je ne « jogge » pas. Je marche. Je mâche l'air avec mes pieds, je médite l'espace en arpentant la terre, ses routes, ses rues, ses sentiers, ses chemins. Je ne suis pas non plus un athlète de la marche, ce sport bizarre où l'on va presque plus vite qu'un coureur, en oscillant sur ses talons.

Mon adoption du personnage du marcheur, qui est plus qu'une simple pratique poursuivie avec persévérance, qui s'apparente presque à une vocation, s'accompagne à la fois du refus de l'effort de nature sportive, compétitif (même par rapport à soi-même), mais d'une revendication qui pourra paraître passéiste : je suis non seulement marcheur, mais piéton. Ce qui veut dire que non seulement je ne possède pas d'automobile, mais que je serais incapable d'en conduire une, n'étant pas possesseur d'un permis. J'ai même vécu six mois aux USA comme piéton, ce dont je ne suis pas peu fier.

J'atteins par la marche à quelque chose comme une possession du temps; la déambulation le convertit en espace, par l'intermédiaire des pas, d'une manière plus directe, plus sensible que par les instruments ordinaires de la mesure du temps, montres, réveils, horloges des bâtiments publics, des gares, des églises. Par elle je peux ressentir parfois une satisfaction de la durée; parfois encore, intensément autrefois, dans ma jeunesse. Plus prosaïquement, comme j'ai une véritable détestation d'être en retard à un rendez-vous, à un cours (j'enseigne), à un départ de train ou d'avion, chaque fois qu'il est possible je m'approche de mes destinations par les pieds, éliminant ainsi les incertitudes mécaniques dans l'évaluation des trajets de métro ou d'autobus, avec toutes leurs causes de retard (ce qui fait que, si je ne marche pas, je risque d'être considérablement en avance, tant je prends de marges pour chaque section du trajet). En marchant, je peux régler mon allure, ralentir ou accélérer à peu près à volonté, m'arrêter sous un porche, dans un café, rêver un moment, si le temps le permet, sur un banc de jardin public. Autant dire que les déplacements prennent, dans une grande ville comme Paris, une partie considérable de mes journées.

J'aime les itinéraires familiers, les parcours accomplis une infinité de fois, vers des points invariables, les bibliothèques par exemple, les endroits où habite celle que j'aime et avec laquelle je ne vis pas. La familiarité réduit le temps, permet la contemplation oisive et rêveuse de ce qui se passe, comme la contemplation intérieure (je travaille beaucoup ainsi); la durée s'allège, la fatigue (plus menaçante pour moi quand j'avance en années) s'éloigne, du plaisir de la reconnaissance, moins épuisant si moins exaltant que celui de la surprise, que peut donner un chemin inconnu.

Quand je pars sans but, comme cela, pour marcher, je ne vais pas, je ne vais presque jamais, au hasard. Le hasard dans la marche m'est peu attirant, comme il ne l'était guère en littérature pour mon maître Raymond Queneau. Même si je ne sais pas où je vais, parce que c'est un endroit de la ville, ou de la garrigue, ou d'un pays étranger où je ne suis jamais venu, je ne pars pas sans une appréhension mentale minimale des lieux que je vais parcourir au moyen de la carte, du plan, des photographies même parfois; je ne m'intérresse pas aux terres vierges. Quelque chose, de préférence imagination abstraite du territoire à explorer (et je préfère donc les cartes, les plans, aux images), m'est indispensable pour que je m'aventure dans une région nouvelle avec quelque tranquillité.

C'est pourquoi j'ai un goût très vif pour les *parcours obligés*, où l'itinéraire, non prévisible à l'avance au sens où je ne le connaîtrais, est néanmoins nécessaire, dès lors que la ou les règles qui guideront mes pas auront été par moi choisies. Ces règles peuvent être très contraignantes, absurdes, bizarres; pour m'en tenir ici à la ville, je peux décider de n'avancer qu'en empruntant des rues à nom de lieu, par exemple (c'est particulièrement facile dans le quartier de Saint-Lazare, le mien autrefois, où elles abondent), ce qui m'amène parfois à des culs-de-sac (en ce sens) d'où je ne peux me sortir que par un coup de force, un ' clinamen '. Une autre famille d'exigences m'oblige, par exemple, étant parti immédiatement à droite au bas de ma maison, à traverser chaque fois que je rencontre un feu rouge favorable. Je peux enfin (règles du troisième type) décider de suivre la première femme séduisante que je rencontre (je ne les aborde jamais) pendant un nombre de pas fixe, puis d'attendre la suivante qui se présentera (les villes sont pleines de jeunes femmes séduisantes, particulièrement aux approches du printemps), (cette règle, un peu différente, m'a été inspirée par la lecture d'*Aurélien*, d'Aragon). Certains jours de pluie, quand j'habitais rue Notre-Dame-de-Lorette, j'ai inventé un parcours (en direction de l'institut Henri-Poincaré (lieu de mathématiques)) qui me faisait emprunter le plus de passages abrités : outre les passages parisiens proprement dits, comme les passages Jouffroy, Verot-Dodat ou Choiseul, il comportait la traversée des magasins du Louvre (encore ouverts) et de la Samaritaine, et l'utilisation des semi-toitures momentanées qu'offrent les boutiques, dans certaines rues (rue de Rivoli).

Cet itinéraire m'a plu, et il m'est devenu un temps familier, même par temps de non-pluie.

Bien que (et j'y insiste à nouveau) mon lien à la marche ne soit pas de nature sportive (ni d'ailleurs non plus de nature hygiénique), je ne peux cacher que j'ai été tenté par les grandes marches, dont l'accomplissement même tient sinon du record, du moins de la ' performance '. Faire trente, quarante kilomètres sur les routes de l'Aude, par exemple, rejoindre certains des lieux (châteaux) hantés par le souvenir des troubadours, je l'ai fait. Mais j'ai toujours reculé devant le voyage proprement dit qui demande un harnachement, des dispositions hôtelières, ou pire le camping, que je déteste. En outre, en France par exemple, il faut ou bien prendre les « chemins de grande randonnée », et je n'aime pas qu'on choisisse à ma place, ou bien suivre les routes, et avec la multiplication effrénée des automobiles et l'instinct de chasseurs des automobilistes français, les marches sont devenues de plus en plus désagréables sur le réseau routier.

J'ai pourtant, une fois, fait une très longue marche, de deux mois, qui constitue sans aucun doute une sorte d'exploit bizarre : en 1976 j'ai descendu le Mississippi à pied. Plus exactement j'ai marché, en hommage à Mark Twain et aux États-Unis d'Amérique pour leurs deux cents ans d'existence, mille miles le long de ce fleuve rêvé depuis mes dix ans et la lecture des *Aventures de Tom Sawyer* et *de Huckleberry Finn*. Mais de ce voyage initiatique je parlerai en son temps.

47 *« Horizontal Man »*

Sous ce titre, emprunté à un classique un peu rare du roman policier, un roman de Helen Eustis, j'envisage une deuxième position favorite du sujet de cet autoportrait, qui n'est ni celle du tireur couché ni celle de l' « homme qui dort », mais celle du *nageur*. Nageur je suis, comme je suis marcheur. Je passe mentalement de l'une à l'autre activité par une simple rotation de pi/2 dans le sens direct ou rétrograde, c'est-à-dire que la transformation est réversible, au moins dans son essence mentale (bien sûr pas physiquement); je peux aussi bien m'imaginer marcheur en mer que nageur vertical. Nageant, je vois, comme Dryden dans son poème sur le Jugement dernier, « *the Ocean leaning on the sky* », l'océan s'appuyer sur le ciel; je vois le ciel mur et je « marche » l'eau, parallèle à lui. Le docteur Johnson, dans sa *Vie des poètes anglais*, trouvait cette image de Dryden (et d'autres) dépourvue de sens, mais il convenait aussitôt, avec l'honnêteté bourrue qui le caractérise, qu'elle « faisait presque sens »; allongé dans la mer, à l'horizon le ciel s'incline et les vagues viennent s'y appuyer.

Je dis la mer, pas l'océan. Pour nager, il me faut la mer; et d'ailleurs pas n'importe quelle mer, la Méditerranée. C'est d'abord évidemment, pragmatiquement, que, nageur long comme je suis long marcheur, j'ai besoin, pour le confort de la nage (je ne suis pas plus sportif dans l'eau qu'à terre), de ce que peut seulement donner une mer chaude, tranquille, sans marées, assez souvent et longtemps sans courants, sans grandes vagues, porteuse par assez de sel. Mais c'est peut-être plus profondément encore que, la mer pour le nageur étant aussi la terre, je suis, nageant, dans le paysage terrestre qui est spontanément mien, et c'est le paysage méditerranéen. J'ai besoin de sa couleur, tout ce territoire du bleu, du pâle au vin, comme la couleur terrestre a pour moi son centre en l'olivier, s'oriente autour de la feuille d'olivier, avec les amandes, les vignes, les pins, les poussières, les oreilles d'âne, le thym et la lavande délavés par l'été. Nager, comme marcher, c'est osciller dans cette double famille de couleurs.

Toujours, depuis toujours j'ai, comme dit le troubadour Giraut de Bornelh, « les yeux où bat la mer ». Cependant je n'ai nagé en mer qu'assez tard, ayant appris en rivière, dans l'Aude qui passe à Carcassonne. Mais aussitôt la conquête faite de ce mode de locomotion, je n'ai plus pensé que la mer, son horizontalité fiable, sa transparence. D'avance je l'ai reconnue comme mon élément. Et, d'ailleurs, la mer m'est « paternelle » puisque mon père est de Toulon.

Je précise que la mer n'est pas la plage, n'est pas le sable, dont je n'ai aucun besoin, n'ai jamais eu besoin, avant même qu'il soit envahi d'ambre solaire, de bouteilles vides et de corps nus (cet envahissement, malheureusement, au moins en la Méditerranée française, s'est déplacé vers l'eau elle-même, avec les bateaux innombrables, et j'ai pratiquement renoncé à nager depuis douze ans). Seulement l'eau, où entrer, à partir de rochers pas trop abrupts (je déteste plonger). L'arrière-eau n'est pas plat, plus haut il s'élève, mieux je me sens. J'entre dans l'eau lentement, difficilement, j'apprivoise sa fraîcheur, toujours rude au début. Le soleil, c'est vrai, est nécessaire, pour que l'eau soit chaude, et tranquille, et de toute façon il est pratiquement toujours là. Mais je n'ai aucun goût particulier pour lui, ni pour son regard, qui m'indiffère, ni pour sa lumière, qui m'éblouit, ni pour sa chaleur rayonnante, qui me brûle (je brûle facilement). Le culte du soleil est une religion de Parisien, ou de Suédois.

Ma seule nage est la brasse; je peux crawler, quelques mètres, ou dos-crawler, mais je n'ai aucun plaisir à le faire. Je nage une brasse de promenade, la tête hors de l'eau, une brasse calme, longue (je parcours à peu près ma longueur), pas rapide, pratiquement sans fatigue. Nageant, je peux voir devant moi, sous moi, les environs de la surface, comme dans une marche face à un vent tiède, sans violence.

Je pars vers l'horizon, vers sa distance, tout droit, loin du bord, vers l'angle de mer et de ciel, étroit, qui marque le bout de la vue. Je ne traverse pas d'un rocher à un autre dans une crique, je ne clapote pas parallèlement au rivage. Je vais vers le loin (parfois très loin), ensuite je me retourne, pour revenir.

Pendant que je nage, je compte; je compte les brasses effectuées, par centaines, je dépasse souvent le millier. Le sens de ce dénombrement, si je suis amené, cela m'arrive, à le justifier (quand je dis, par exemple, que j'ai nagé à peu près telle distance), est le suivant : j'aime savoir où je suis (c'est vrai aussi pour la marche). De plus, dans les cas où il y a mouvement dans la mer, de surface ou de dessous, mouvement qui m'entraîne ou me repousse, j'aime savoir son intensité et sa direction (c'est pourquoi aussi je préfère les côtes en relief, avec des sommets, qui me servent de repère). Je me sens armé ainsi contre des dérives intempestives, je peux évaluer avec suffisamment de précision ce que sera l'effort total de ma nage (je dois prévoir mon retour) et sa durée.

Au plus loin de mon parcours, je m'arrête. Je m'arrête un long moment, pas allongé dans l'eau (je ne m'intéresse pas au ciel) mais debout en elle, tourné vers le rivage, vers la terre assez lointaine, puisque je nage volontiers à un, deux, trois kilomètres même du bord; je la regarde, avec ses rochers, ses collines, ses arbres, ses maisons; j'entends la rumeur de la terre, comme jamais on ne peut l'entendre ailleurs qu'en la mer, à de telles distances, dans le murmure proche et distinct de la mer paisible, debout en elle, la tête seule hors de l'eau. Il n'y a personne; l'air lumineux chuchote, à *double* voix, de terre et eau. De tels moments, peut-être, donnent le sens de ma nage.

Il y a risque, je le sais. Je ne suis pas imprudent (je ne nage pas trop longtemps, ni par mauvais temps, ni dans des endroits remuants, comme entre les îles d'Hyères), mais bien sûr quand on est loin, et seul, à de telles distances, il y a risque. Cependant le risque (peut-être seulement imaginaire) majeur est autre : de partir trop loin, délibérément, de céder à la tentation de ne pas revenir. Sous mes pieds, je regarde l'épaisseur longtemps transparente, la masse familière de la Méditerranée qui me porte, m'accueille, me reçoit. Je pense à la scène finale de *Martin Eden*, la seule vision de suicide qui m'ait jamais troublé, attiré, séduit.

48 *Compteur*

Que je nage, que je marche, donc, je compte : je suis un compteur. Être compteur fait partie de mon autoportrait, dans sa partie *physique* (« au physique » par opposition à « au moral »). Compter est le mètre de ma vie, comme l'alexandrin compte la poésie traditionnelle. C'est ma vérité métronomique. La manie du comptage s'apparente à d'autres : se ronger les ongles, boire (ce n'est pas mon cas), fumer (ce n'est pas mon cas non plus). Si je suis seul, je compte bien volontiers vocalement, ce qui justifie encore plus la classification de ce trait parmi les « physiques ».

Plus généralement, je passe une grande partie de mon temps éveillé à compter (je suppose, sans preuve, que je dois compter aussi en dormant; mais je ne compte pas du tout pour m'endormir; compter ne m'endort pas, au contraire). Un peu plus développé que l'ex-président Ford, je peux faire deux choses en même temps, pourvu que l'une des deux soit compter : non seulement marcher, ou nager, mais même lire, ou soutenir une conversation. Je compte toutes sortes d'objets : les fruits que je cueille, les poissons que je pêche (à la main; mais je devrais plutôt dire : pêchais), les livres dans une bibliothèque quand je suis en visite. Compter peut être un dispositif de protection : contre l'ennui, contre l'angoisse, contre l'attente.

Le souvenir du nombre est un de mes plus anciens; je me vois comptant des mouches, couché, sans doute malade. C'est un souvenir qui me paraît possible, dans la mesure précisément où l'action de comptage est pour moi physique (il me semble, au contraire, qu'on ne peut pas se souvenir avoir pensé). Quoi qu'il en soit, je sais que j'ai toujours compté.

Je sais (de profession) qu'il y a bien autre chose dans la notion de nombre que ce qui est mis en jeu dans l'action du compteur, je sais qu'il y a d'autres notions de nombre que celle de nombres entiers, qui interviennent pratiquement seuls dans mes expériences. Toutes ces choses nombres m'intéressent, mais le nombre entier dans son rôle de dénombrement reste ma passion première. (Je n'échappe pas à sa cousine, la passion numérologique.)

C'est pourquoi, sans doute, quand j'ai été saisi, beaucoup plus tard, d'une passion secondaire et volontaire pour les mathématiques, mon goût des nombres entiers dans leur pureté naïve a fortement influencé mes choix : à la fois en ce que j'ai ressenti toujours une grande colère et méfiance devant l'approche « externe » de l'arithmétique, devant toutes ces méthodes modernes irrévérencieuses qui prétendent déduire des propriétés des nombres de secteurs fort différents de la discipline comme l'analyse complexe ou les probabilités (et le scandale le plus grand est qu'elles y arrivent), et en ce que je n'ai pas cherché à faire de l'arithmétique mon terrain de (modestes) recherches, me réfugiant dans l'algèbre, afin de ne pas brouiller un fort ancien sentiment du nombre, qui excède largement les mathématiques.

Sans doute la pratique des mathématiques a, en retour, beaucoup influencé mon activité de compteur ; j'y ai incorporé bien des aspects enchanteurs de la notion d'entier, tels que ceux qui s'associent aux nombres premiers, ou parfaits, à leurs combinaisons, à leurs séquences, et qui sont sources de grands mystères ; j'en ai déduit des variations fort efficaces. Il est bon, quand on compte, que le plus grand nombre possible de nombres ait un visage propre, aux traits bien accusés, que l'on a alors le plaisir de reconnaître quand ils se rencontrent sur votre route. Une anecdote de l'histoire des mathématiques, que j'ai lue autrefois dans un livre de Polya et retrouvée il y a peu dans les souvenirs de Hardy, m'a beaucoup impressionné : il s'agit du mathématicien indien Ramanujan qui, mourant (jeune) et recevant sur son lit d'hôpital la visite de son ami Hardy (un éminent arithméticien comme lui), lui dit, quand celui-ci lui donna le numéro du taxi qui l'avait amené, ajoutant, un peu en excuse : « ce n'est pas un nombre bien intéressant ! » : « mais non ! c'est le plus petit nombre qui peut s'écrire de deux manières différentes comme somme de deux cubes ! » Et Hardy montrait ainsi ce que Ramanujan voulait dire quand il déclarait : « tout nombre (entier) est mon ami personnel ». Plus humblement, car il ne s'agit nullement de pénétration arithmétique, je fais mienne la parole de Ramanujan, avec cette différence que je n'aime pas tous les nombres, il y en a même que je déteste franchement.

Si les nombres m'occupent et me préoccupent, intervenant non seulement dans mes comptages mais par le biais d'innombrables « raisonnements » numérologiques dans les événements de ma vie (et donc en particulier dans la poésie ; et ici, dans ce livre), si je me soumets à ma passion du nombre, il s'agit toutefois d'une soumission sans croyance; je n'en ai aucune mystique, je suis agnostique des nombres malgré tout. Cela n'enlève rien à leur importance. Je pourrais dire : l'accumulation des nombres est ma vie. Et les nombres ne cessent pas de pénétrer cette prose.

49 *Liseur*

Quatrième terme de cette séquence autodescriptive, après marcheur, nageur, compteur : liseur. J'ai la passion de la lecture.

Je suis un liseur; un liseur de livres surtout, d'ailleurs. Ni les lettres (et je n'ai pas de correspondance qui puisse justifier la lecture des lettres que je reçois comme une vraie lecture), ni les revues, ni les journaux n'entrent en compte dans l'économie de ma passion : leur lecture est utilitaire, ou distrayante, ou pesante, ce que l'immersion dans un livre n'est jamais, jamais quelque chose d'aussi tiède que l'utilité, la distraction ou l'ennui. Il y a une exception : le TLS *(Times Literary Supplement)*, que j'achète le samedi dans un kiosque ou une des trois librairies de langue anglaise des environs des Tuileries (Smith and Sons, Galignani, Brentano's), (les semaines où il est retardé inexplicablement jusqu'au lundi, mon dimanche est difficile) et que je lis, lentement, de la première à la dernière ligne (jusqu'à la liste des signataires des articles). La raison en est claire : c'est un journal sur les livres, le seul journal sérieux du monde à s'occuper de livres, et, comme tel, il est pour moi propédeutique à la lecture, m'introduit à de nouveaux livres, me rappelle ceux, déjà anciens, que je ne connaissais pas, me donne le regret de ceux que je ne lirai sans doute pas (ceux qui sont trop chers, absents des bibliothèques, ou non traduits). Je suis un liseur, mais un *liseur de livres*, comme je suis nageur de Méditerranée.

Ma passion est aussi ancienne que moi : c'est-à-dire que moi comptant, marchant, me souvenant. Toutes ces choses sont à peu près contemporaines dans mon existence (à la distance de temps où je suis aujourd'hui). A tout moment du passé je vois des livres : des livres retournés ouverts dans l'herbe, des livres en tas près d'un lit; des livres sur une table, sur des étagères, dans des cartables, des sacs plastique, des valises; livres dans l'autobus, le train, le métro, l'avion. Toute image du monde autour de moi contient au moins un livre. Le monde est peuplé d'une pluralité de livres, de livres en train d'être lus.

Je lis chaque jour; je lis le jour, je lis la nuit; je lis plus que je ne devrais, j'y passe plus de mon temps peut-être qu'à toute autre activité. Si très rares sont les jours de ma vie où j'ai été sans lire (et ils comptent certainement parmi les plus sinistres), pas rares sont ceux où je n'ai fait que cela. Je peux lire n'importe quand, n'importe où. Mais (et c'est pour cela que j'ai la passion de la lecture, pas de la vue prolongée et séquentielle de lignes imprimées) je ne peux pas lire n'importe quoi.

Aux définitions, nombreuses, de l'homme, en tant qu'espèce, qui ont été proposées, et qui se résument généralement en une formule condensée de deux mots dont le premier est *Homo*, comme *Homo faber*, *Homo sapiens* (définition d'anthropologues-biologistes : l'homme-outil, l'homme-pensée) ou encore *Homo ludens* (la définition de Huizinga), j'ajouterais volontiers celle de la sous-variété à laquelle j'ai le sentiment d'appartenir, *Homo lisens* (si j'ose ce barbarisme franco-latin). En découvrant le *lire*, et son incarnation dans cette forme privilégiée qu'est le *livre*, je suis entré (sans doute vers l'âge de six ou sept ans) dans les rangs de cette humanité-là. C'est de l'intensité de ce sentiment d'appartenance que m'est venue autrefois l'émotion ressentie à la lecture d'un fragment de prose médiévale japonaise (d'un de ces ermites-poètes comme Kamo no Chomei ou Urabe Kenko). Je pourrais le retrouver dans ma bibliothèque mais je préfère le dire tel qu'il est resté dans mon souvenir : il s'agit d'une vision. Se promenant dans une avenue de la capitale (Kyoto, Kyoto l'impériale, celle du Genji, celle de Sei Shonagon), celui qui parle dans le récit (Chomei, donc, ou Kenko) aperçoit, dans les interstices d'une palissade, entourant une demeure privée, sur une pelouse (je britannise, dans mon souvenir), un jeune homme, seul, tranquille (c'est le printemps, une matinée ensoleillée), en train de lire ; et il ressent aussitôt une envie immense de savoir quel est ce livre, et de connaître qui le lit.

La distance dans le temps, la distance kilométrique ajoutent pour moi une intensité particulière à la reconnaissance d'une parenté : je comprends ce regard ; je comprends cette curiosité, cette nostalgie. Avec l'être humain je peux partager les livres. Je peux m'imaginer aussi lisant, dans le soleil, sur une pelouse printanière, seul, dans l'absorption de la lecture, vivant. (Mais l'herbe serait plutôt anglaise, comme le livre.)

De tant d'heures, jour sur jour, passées en livres, en tant d'années, il résulte que j'ai lu énormément, mais, contrairement à l'adage lafontainien, je ne suis pas sûr d'avoir beaucoup retenu. Très longtemps mes lectures furent de la dévoration. Qui dit dévoration dit voracité, donc vitesse. Je lis vite. Et je m'aperçois que, pensant à la lecture, je pense, avant tout, à la lecture des romans. Je suis, depuis mes débuts, un lecteur de romans. Comme je lis aussi de la poésie, parfois des mathématiques (il y eut même des années où j'en lisais beaucoup) et accessoirement de l'histoire et autres choses qui sont objets de livres, la différence tient à ceci : la lecture de ce qui n'est pas roman est une lecture de travail, inséparable d'une activité d'écriture, et seul le livre de fiction (roman ou nouvelle, sous toutes ses formes : policier comme science-fiction ne sont pas exclus) est ce que je peux lire d'une manière entièrement désintéressée, ne m'impliquant que comme *liseur*.

La comparaison, extrêmement décourageante, entre le temps d'écriture d'un livre qui serait un roman (avec tout ce que cela suppose de concentration, d'obstination et de continuité) et le temps de lecture me semble un obstacle, difficilement franchissable, à toute vocation de romancier, du moins de romancier-lecteur. Il y a beaucoup moins de distance entre dire et lire, entre faire et recevoir dans le cas de la poésie ; parce que dans cette discipline la lecture peut être longue, reprise, méditée ; ou bien dans le cas de la musique, où l'on peut fort bien concevoir une œuvre composée dans la durée même, ou presque, de son audition, comme le montre l'exemple de Mozart ou de Purcell.

J'ai lu d'innombrables livres, mais je n'en possède pas beaucoup. La lecture ne suppose pas nécessairement la possession. Il y a l'achat, l'emprunt, la possession momentanée, la lecture en bibliothèque. Je pratique tous ces modes; et j'ignore l'envers de la lecture, la bibliophilie. Il me semble même qu'un véritable amateur de livres, en ce dernier sens, *ne doit jamais les lire.* La plus grande partie des livres de ma bibliothèque sont des livres qui ne sont pas dans l'univers de la lecture uniquement pour cela : être lus. Ce n'est pas l'objet-livre qui m'intéresse, c'est ce que je peux voir en lui, en saisir mentalement. En même temps j'ai besoin aussi de la forme-livre, de la typographie, des pages, des lignes, du poids de papier qui le fait tenir et reposer en la main. De tout livre nouveau que j'aborde j'évalue d'abord la quantité de lecture qu'il représente, le nombre de pages, de signes, le trésor de temps qu'il me promet. J'ai sans cesse devant moi des « provisions » de livres, je ne pars pas en voyage sans m'assurer d'une réserve suffisante de pages de lecture, j'ai peur d'en manquer, comme l'ivrogne d'alcool, l'insomniaque de somnifères, et l'amoureux de nouvelles. Régulièrement, un long périple dans Paris me fait faire le tour des librairies qui vendent des livres en anglais, langue de l'immense majorité de mes lectures. Je connais les rayons, je regarde les figures neuves des romans arrivés depuis mon dernier passage, je ressors ceux que j'ai hésité à prendre et qui, le temps aidant, ou quelque article dans le *TLS*, me sont devenus possibles, souhaitables même. La voracité de mes lectures m'oblige à d'incessantes et dangereuses explorations. Car les romanciers (les romancières anglaises surtout) que j'aime lire n'ont écrit qu'un nombre fini, limité, de romans (six, hélas, pour Jane Austen), et, même en économisant les pages, on en vient nécessairement à bout. Ce qui fait qu'il me faut sans cesse l'effort de pénétrer dans de nouvelles manières de raconter, qui trop souvent déçoivent. Sans oublier la recherche fébrile des livres indisponibles ou « épuisés ». Souvent, il me faut partir pour Londres.

50 *Mon portrait pourrait finir là*

Mon portrait, en un sens, pourrait finir là. Et il finira maintenant, au moins pour cette partie. Mais je n'ai pas justifié encore le titre sous lequel il est annoncé en ce chapitre : « Portrait de l'artiste absent ». Pourquoi « absent »? La réponse tient en un trait unificateur des quatre passions auxquelles je viens de consacrer, respectivement, les quatre derniers paragraphes; et c'est une cinquième passion, située comme en arrière des quatre autres, comme le signe, la figure de leur parenté : *la passion de la solitude.*

Il est vrai que la marche, la nage, la lecture, les dénombrements sont des choses que je peux faire seul. Mais je vais bien au-delà du simple usage de cette possibilité : c'est par leur exercice solitaire qu'ils deviennent, véritablement, des passions. La solitude, toujours, accompagne mon immersion dans un immense roman de Christina Stead ou P.D. James, seul je me hâte pour la cueillette de 1 178 mûres rouges de mûrier.

L'effort vers la solitude (comme toute passion, la solitude aussi me repousse, présente sa face angoissée, et mortelle) est aussi ancien en moi que les quatre autres points cardinaux de mon univers physique et mental; peut-être même est-il leur axiome, leur centre invisible. Je me souviens d'avoir toujours ressenti son attraction (la répulsion est venue bien plus tard, avec ses terreurs).

Deux images de mes premières années (années d'école certainement) éclairent pour moi la nature de mon goût de solitude : je vois la couverture cartonnée verte de l'édition française des *Just-so Stories* de Rudyard Kipling, les *Histoires comme ça*, et je me répète l'une de ses phrases les plus fascinantes : « Je suis le chat qui s'en va tout seul, et tous les chemins se valent pour moi. » C'est dire que ma solitude est plus une autonomie, un désir d'indépendance, qu'une sauvagerie. Je ne me suis jamais interdit pour elle, alors, ce qui peut se

145

faire seul mais se fait mieux à plusieurs, c'est-à-dire le jeu. C'est pourquoi la deuxième image que j'ai retenue est une image qui m'apparaît comique, pas seulement parce qu'elle est, effectivement, ridicule, mais aussi parce qu'elle présente de l'isolement un visage que je n'ai jamais reconnu comme le mien. C'est dans un livre d'histoire pour classes élémentaires, composé d'images coloriées avec des légendes. La scène représente une cour d'école avec des enfants qui jouent à un jeu indéfini (dans mon souvenir), balle ou « barres ». Dans le coin bas à droite, un coin de la cour d'école donc, un enfant est seul. Il a le visage fort reconnaissable de celui qu'il sera plus tard. Et la légende dit : « Cet enfant ne joue pas avec ses camarades; il sera empereur. »

D'un goût très précoce je suis peu à peu passé à un idéal de solitude, qui a trouvé son expression interne dans la pensée que pour écrire je devais tendre à un isolement partiel certain. Plus tard encore, devant les difficultés que je rencontrais dans l'accomplissement de mes projets, j'ai eu la tentation, le désir, le vertige de la solitude absolue. J'en ai été proche, et alors je l'ai ressentie comme une malédiction. Mais ces oscillations m'égarent.

J'insisterai sur le fait que ma passion n'a pas eu pour cause une impossibilité d'être avec mes semblables (quoique je sois quand même mieux à l'aise avec ceux qui sont de la même espèce que moi, celle de l'*Homo lisens*, qu'avec les amateurs exclusifs d'images, télévisées ou autres). Je n'ai aucune détestation, aucun mépris pour l'homme (ni admiration générale et exagérée non plus), je ne suis pas misanthrope. La solitude n'est pas mon malheur, quelque chose qu'*on* m'a imposé. Le malheur qui est le mien aujourd'hui et depuis près de trois ans n'a pas pour cause la solitude, la solitude dure est son effet.

Comme une large dose de non-présence était une condition évidente du *Projet* autant que du *Grand Incendie de Londres*, ce récit qui parle d'eux devait inévitablement privilégier dans mon autoportrait les traits qui rendaient possible non seulement de les envisager mais encore de faire comprendre leur nature, leur particularité.

Il se passe seulement ceci, un renversement peut-être : ' le grand incendie de Londres ' devient indispensable à ma survie de solitaire.

chapitre 5

Rêve, décision, « Projet »

51 *Ce chapitre est un peu difficile*

Ce chapitre, autant prévenir tout de suite, est difficile ; d'une difficulté certainement moins de compréhension immédiate, phrase à phrase plutôt mince, qu'à cause de son ambition bizarre, qui est de parvenir à une espèce de déduction à ellipses, prenant pour point de départ le rêve qui marque les commencements de ma double tentative (*Roman et Projet*), cause lointaine de ce que vous lisez ici.

Dans les livres de mathématique de ma seconde jeunesse (entre ma vingtième et ma trentième année environ), celle où j'ai forgé mon rapport à cette discipline, comme outil futur de poésie, un avertissement initial disait quelque chose comme : « Ce chapitre peut être omis en première lecture. » On indiquait par là que certains développements étaient d'une difficulté supérieure aux autres, ou bien qu'il s'agissait de digressions, de résultats secondaires, et qu'un lecteur un peu pressé, ou insuffisamment sûr de lui, pouvait sans trop de dommages s'en tenir à ce qui lui était désigné comme essentiel. Mon idée de la prose a beaucoup été influencée par de tels ouvrages, dont le modèle est le célèbre traité de Bourbaki, sur lequel, en ces années dont je parle, j'ai passé d'innombrables heures. Dans ma représentation mentale du « Grand Incendie de Londres », la prose mathématique, et ses idiosyncrasies « modernistes » (Bourbaki, bien évidemment), constituait un des horizons de mes ambitions stylistiques (il en reste un écho, affaibli, ici, dans l'idée d'*insertion*). Mais je ne peux guère avoir recours, maintenant, à cette disposition de présentation car, en un sens, tout ce que j'écris peut être omis (presque paragraphe par paragraphe), le facile comme le difficile. Le chapitre devra donc demeurer sans excuse.

Avant de m'y engager toutefois, je voudrais donner une description préparatoire de son économie, afin d'atténuer quelque peu le caractère abrupt et opaque de son déroulement. Sa singularité, par rapport aux quatre chapitres qui le précèdent dans le *récit* de cette *branche*, par rapport aussi au chapitre 6, qui le suivra, et sera le dernier, est d'être le seul à être conçu à l'avance comme un tout réfléchi, ce qui impose à la prose progressant, toujours, de ligne en ligne noires sans retours ni réfractions, à la prose « présente », des points de passage obligés, comme des *stations* dans la marche d'une méditation.

Après ce paragraphe liminaire, ce *moment* liminaire (c'est ainsi que je désignerai désormais les fragments unitaires numérotés et titrés dont se compose ' le grand incendie de Londres '), viendra la présentation du rêve, qui sera le second *moment* (numéroté 52 dans le *récit*). La *déduction* proprement dite, le corps du chapitre, occupera les trente et un moments suivants. Elle sera suivie, en six derniers moments (le chapitre en dénombrant donc 39) d'une *élucidation* stratégique, commentaire de quelques termes utilisés sans excuse (ce sont des mots du langage courant) dans la déduction.

La déduction comporte (ce sont les « points de passage obligés » mentionnés plus haut) ce que j'appellerai des *maximes* (ce mot ne me satisfait pas tout à fait, mais je n'ai pas encore mieux). Les *maximes* sont pourvues d'une numérotation propre (de 1 à 99), d'une disposition propre dans la page (il s'agit de la version 1, lisible), traduisible numériquement au tapuscrit par un retrait de six caractères dans une ligne ordinaire de soixante ; et d'une couleur propre, du bleu au lieu du noir (la « traduction » tapuscrite étant cette fois un recours à l'espacement minimal, qui fait des lignes de cent signes au lieu de soixante, sur ma machine à écrire, *Miss Bosanquet III*).

Le texte de mes *maximes* ainsi que leur répartition entre les trente et un *moments* propres à la *déduction* font partie des éléments obligés de la rédaction. Ils représentent la partie préliminaire de la composition du chapitre (et ils lui sont bien antérieurs).

La prose avancera entre les maximes, les saisissant dans l'ordre de leur numérotation; s'interposant entre elles, pour les éclairer, les commenter, les dissoudre en elle.

Mais il pourrait y avoir, si nécessaire, des retours, des réitérations. Et comme le texte des maximes, et leur succession, présente à lui tout seul une certaine cohérence illuminative, je compte, à la fin, les redonner toutes, à la suite sans discontinuités, en une récapitulation qui, bien sûr, les éclairera d'une nouvelle manière, où entrera le temps (du temps s'est écoulé depuis que je les ai écrites).

C'est l'automne.

52 *Rêve*

Au début, qui m'apparaît maintenant si lointain, il y a un rêve :

> Dans ce rêve, je sortais du métro londonien. J'étais extrêmement pressé, dans la rue grise. Je me préparais à une vie nouvelle, à une liberté joyeuse. Et je devais élucider le mystère, après de longues recherches. Je me souviens d'un autobus à deux étages, et d'une demoiselle (rousse?) sous un parapluie.
> En m'éveillant, j'ai su que j'écrirais un roman, dont le titre serait *le Grand Incendie de Londres*, et que je conserverais ce rêve, le plus longtemps possible, intact. Je le note ici pour la première fois. C'était il y a dix-neuf ans.

Tel est le *texte* du rêve. Il comporte, en fait, deux parties. La première seule concerne le rêve proprement dit, sa description. Le reste du texte du rêve est lui-même en deux parties : l'effet du rêve (au réveil du rêve), d'une part; la durée du

150

maintien de l'ensemble (rêve et réveil, avec ses implications) dans l'implicite, non écrit, du souvenir, d'autre part. La seconde partie de la seconde partie (« Je le note ici pour la première fois. C'était il y a dix-neuf ans ») est, dans la version actuelle du ' grand incendie de Londres ', agrégée au reste. La raison en est que ce qu'elle dit est déjà ancien. Le *texte* du rêve a cinq ans. En 1980, à l'automne, j'ai écrit cela : le rêve, le réveil, l'annonce, et ce nombre : 19. *Alors*, il y avait dix-neuf ans que le rêve avait été rêvé. Je l'avais écrit pour une version du ' grand incendie de Londres ' qui est aujourd'hui détruite, rendue caduque par la mort. Le *moment* de la *mise en papier* du rêve a eu lieu. Je ne peux pas faire qu'il n'ait pas eu lieu. Je dois en tenir compte. Le texte du rêve a été figé. La *déduction* s'est faite sur ce texte. L'idée même de mon livre actuel impose de le prendre comme un tout. Dans ce chapitre, je vais poursuivre à partir de ce fragment-là.

Le début, qui m'apparaît maintenant si lointain, est donc à l'automne (décembre) de 1961. Autour du rêve il y a l'an 1961. Et quelque chose que je ne vais pas dire, que je n'en finirai peut-être pas de dire, de ne pas dire, je ne sais pas.

Mais ce que je *vois*, et peux dire, c'est un « pourtour » du rêve. C'est la nuit. Je m'éveille, donc, dans la nuit. Il est trois heures. Je suis couché, je suis seul. J'ouvre les yeux dans le noir. Je n'allume pas.

Il y a un peu de lumière, qui vient de la rue, par la porte ouverte, à ma gauche ; la porte du minuscule cabinet de toilette qui sépare, en ce lieu, la chambre de la grande pièce sur la rue, mon bureau, au deuxième étage du 56, rue Notre-Dame-de-Lorette, maison natale de Gauguin.

Je conserve ce « pourtour » du rêve, avec le rêve, dans ma tête. C'est presque le seul souvenir que j'ai non de cette chambre, mais d'*y être*, seul, seul présent dans le lieu entier.

Je n'ai rien gardé dans le texte du rêve de ce « pourtour ». J'ai besoin de l'indistinction. Peut-être aurait-il fallu au moins dire la nuit : « en m'éveillant, dans la nuit... ». Mais il est trop tard. Quand j'ai écrit le rêve, cette nuit était encore si présente au souvenir du rêve qu'elle s'est trouvé omise, comme par trop d'évidence. Je ne prends aujourd'hui le fragment du rêve que comme le *texte* de ce rêve, je ne peux plus rien y ajouter. Ce n'est pas tant par un scrupule d'exactitude que parce que la déduction initiale à partir du rêve, en « maximes » numérotées, s'est faite sur ce texte-là, et je ne veux pas faire un effort tout à fait artificiel de « mise à jour » des « maximes ». J'ai besoin de les utiliser dans ce chapitre, je les prends comme elles ont été écrites, comme elles sont. Mais il est vrai que le texte du rêve n'est pas tout ce dont je me souvenais à l'instant où j'ai écrit le rêve; et aujourd'hui, ne l'ayant pas écrite, je me souviens de cette nuit dont est venu le rêve, il y a vingt-quatre ans.

Rien, pour moi, n'est plus noir que la nuit du rêve. Cette nuit-là, je m'en souviens, était très noire; après de très longues et très noires autres nuits. Mais cette nuit appartient à l'an 1961 et à ce qui, en cette année, sera ou ne sera pas dit par le récit que je construis, ligne à ligne.

Au début, qui m'apparaît maintenant si lointain, il y a ce rêve. C'est l'automne.

53 *La première assertion*

Dans l'intervalle (trois jours) qui sépare ce moment du précédent, je me suis décidé à abandonner le mot « maxime » pour désigner les étapes de la « déduction » du rêve. Car la maxime a trop d'autonomie, d'indépendance même, et ne rentre pas volontiers dans une succession déductive, même aussi peu orthodoxe que celle que j'envisage. Le « background » moral m'en détourne aussi. Le déroulement du chapitre paraîtrait exagérément forcé, et ses intentions faussées. Je me tourne vers un autre mot : *assertion*. Sa neutralité éthique me plaît. Par ailleurs, par ce mot, je copie la logique, la mathématique, je soutiens le mimétisme déjà impliqué par l'idée de déduction, je reste fidèle à mon idée ancienne et première de la prose. Une *assertion* a un effet d'évidence, est une tentative d'imposer la nécessité de ce qui est dit par la forme de ce dire. *Assertions* par conséquent. Et de quatre-vingt-dix-neuf assertions, la première :

(1) Il y a trois choses claires : *un rêve; une décision;* et *un Projet.* Ces trois choses s'enchevêtrent : le rêve suppose que la décision est prise, car ce qu'il annonce est contradictoire avec son contraire. La décision implique le *Projet.* Car elle ne peut prendre effet que si le *Projet* est décidé.

La notation du rêve, même si on y joint ses prolongements (qui font le *texte* du rêve), ne justifie apparemment pas l'irruption des deux autres termes présents dans cette *assertion* initiale et déjà annoncés par le titre du chapitre : *décision, Projet.* Car du rêve, au moment du rêve, n'est venu, semble-t-il, que le roman : j'écrirais un roman.

Avant le rêve, dans les environs du rêve, que je ne vais pas éclairer, sinon minimalement, et pour les données seulement de cette élucidation, décision et projet sont déjà là.

La décision existe en creux, envers, antonyme, de l'imagination sans cesse agitée dans ces mois de l'automne 1961, de la contemplation comme possible, souhaitable, inévitable, de son contraire. Si le rêve tranche en sa faveur, c'est indirectement, par l'annonce du roman qui sera écrit. Un roman sera écrit; donc il y aura un futur, occupé par ce roman.

Mais du coup le *Projet* devient nécessaire, va devoir devenir un véritable projet (passer de la minuscule à la majuscule) : antérieurement au rêve, il y a une alternative : ou la marche vers l'antonyme de la décision, à partir d'un « à-quoi-bon? » (c'est une maxime), amplifié en « à-quoi-bon? » généralisé, ou bien l'idée de quelque chose qui serait un projet (un futur), un projet d'existence. Pour l'existence, une réponse à l' « à-quoi-bon? ». Ce n'est pas cela le *Projet.* Le *Projet* ne peut avoir qu'une *forme formelle,* seconde, impliquée (dans sa nécessité) par la décision (et mise en « bonne et due forme »!). La décision, en retour, n'est vraiment *décision* qu'une fois le *Projet* conçu.

Il y a dans tout cela une certaine indirection, à première vue; un enchevêtrement. Je vois aussi un certain carambolage de billard : du rêve, en apparence, ne surgit que le roman ; mais en même temps, *ipso facto*, le couple, le double *décision-Projet*.

En posant le rêve sur le papier, une aveuglante clarté rétrospective se fait. Cette clarté est projetée sur le passé, sur le moment du rêve, quoique la formulation demeure ambiguë : un présent impersonnel.

En posant le rêve, je le fais s'évanouir, comme tout rêve : mais d'un évanouissement particulier, puisque le rêve est déjà évanoui, comme tout rêve, et depuis longtemps (dix-neuf ans). Ce qui s'évanouit maintenant (je parle du « maintenant » qu'est la déposition du rêve sur le papier) n'est pas le rêve, mais son souvenir. Car le souvenir, lui aussi, une fois posé, s'évanouit. Il s'évanouit, sans doute, parce que souvenir du rêve. Mais il s'évanouit aussi parce que, je le crois, tout souvenir raconté ou écrit s'évanouit. Il ne peut plus demeurer que le souvenir de sa déposition, de sa trace devenue noire. (Mais peut-être n'est-ce là qu'une idée de sceptique sur la nature du souvenir, sur la *mémoire*.)

Au moment où j'écris le rêve, j'écris aussi, à la suite, les *assertions*. Je les écris toutes, en une seule fois, très vite.

Cela a lieu pendant que le rêve, qui s'évapore, rayonne encore en moi, comme foyer sombre.

54 *Supposition du « Projet »*

(2) Le rêve, enfin, suppose le *Projet* : pas seulement parce qu'il suppose la décision prise qu'implique le *Projet,* mais parce qu'il annonce quelque chose qui est au *Projet* comme l'ombre est au mur.
Je vois ces trois choses clairement. Presque tout le reste est obscur.

Il y a une double supposition : la *décision*, qui dépend du *rêve*, implique le *Projet*. Le projet permet alors à la décision de prendre effet. Mais ce que dit la deuxième assertion, c'est que le rêve suppose aussi le *Projet*, pour son propre compte.

Disons un peu plus : le rêve désire le *Projet*. Si on admet une telle articulation (elliptique) du rêve et du désir, on peut penser que le Projet a été suscité par le rêve. Le projet serait la beauté du désir effectué du rêve.

Cependant, dans le rêve, ce qui apparaît en premier n'est pas le projet, mais le roman.

Je ne m'étais emparé, au début de la séquence des assertions (en 1980, je les voyais comme des maximes; la coloration était autre; je n'avais pas, à ce début, la visée d'une séquence déductive, je voulais simplement faire une élucidation, pas nécessairement ordonnée selon une cohésion inférentielle) que de ce que le réveil faisait surgir du rêve (s'éveiller, c'est réveiller, après rêver), quelque chose que je m'étais mis, brusquement, à *savoir*.

C'est pourquoi le rêve lui-même, ses images, son creux du monde, n'apparaît pas vraiment, au début, dans la mise en marche de mon élucidation.

Le roman est là. Il n'est pas une des « trois choses » vues « clairement ». Il appartient au « tout le reste », au « presque tout le reste, obscur ».

Et la deuxième assertion, qui est aussi le deuxième moment, maintenant, de la déduction (le découpage en moments de la séquence de ce qui était maximes fait partie de sa transformation en une déduction), fait un pas supplémentaire : le roman est ombre; il est l'ombre du *Projet*. (Sous quelle lumière?)

Si, depuis le rêve, apparaît l'idée, immédiatement transformée en certitude, du roman, cela qui s'y affirme est aussi le *Projet* : le désir du projet, qui crée le rêve, déplace l'image du rêve vers une ombre.

J'ai su que j'écrirais un roman, mais ce savoir figure dans ce qui demeure, essentiellement, obscur à l'élucidation commençante (est destiné, d'ailleurs, en grande partie à le rester). Ce n'est pas cela seulement qui est obscur. (Par exemple : comment le roman pouvait-il naître du rêve?) Mais je voyais *clairement* le rêve, la décision, et le projet : il s'agissait de trois choses claires, distinctes quoique enchevêtrées.

La maxime de la supposition du projet obliquait vers une affirmation d'obscurité, par le détour de l'ombre, le roman déposé au pied du mur du projet. Peut-être parce que le rêve, alors s'évanouissant (la certitude de cet évanouissement donnait aux maximes un caractère d'urgence, justifiait à mes yeux toutes les brusqueries, tous les sauts), se devait, comme tout rêve, de dissimuler le réel de son désir sous quelque détournement, ici l'infléchissement de la révélation vers le roman. Le roman, dans ce cas, n'était ombre que parce que le projet était mis dans l'ombre par le réveil du rêve. La supposition du projet passait, en somme, par cette dépossession apparente du sens du rêve, comme désir. Il apparaîtra plus loin que ce n'est là qu'un des aspects du lien initial du roman au projet. Écrivant le rêve, je vis trois choses clairement ; le roman n'était pas l'une d'elles. Le roman était dans le « presque tout le reste », dans l'obscur. D'où il résultait que le roman était ombre. Ombre portée par l'objet du désir, tel que le rêve le signifiait. La maxime, ainsi, dit dans l'ordre inverse de la déduction. Pour la déduction, je dois remettre les assertions en ordre, je dois retrouver l'ordre déductif à l'intérieur même des assertions, quand je les fais être assertions depuis leur état premier, ancien, de maximes, logiquement irresponsables. L'irresponsabilité logique (en partie due à la vitesse) introduit une dose nouvelle, seconde, d'obscurité. Je ne suis pas certain que la déduction présente sera sérieusement en mesure de la diminuer. Mais je ferais au mieux. J'ai prévenu.

55 *Les assertions, qui autrefois étaient seules*

Les assertions, qui autrefois (dans la version détruite de 1980) étaient seules (et se nommaient maximes), avaient pour intention (en même temps qu'elles apparaissaient dans le rayonnement du rêve disparaissant) d'introduire, non ce qu'était effectivement le *Projet*, puisqu'il n'a jamais été effectif, ni le roman, qui ne l'a pas été non plus, mais ce qui, accompagnant de loin en loin mon ressassement du rêve en rêveries, en constituait la figuration imaginaire : ce que cela devrait être, ce que cela serait (conditionnel).

L'ambiguïté entre futur antérieur et conditionnel (et dans ces régions de l'esprit où passé et présent coïncident, ils s'efforcent de se confondre), l'impossibilité de restituer de manière satisfaisante des conditions initiales, autre chose que le rêve, dont j'étais et demeure à la fois intimement persuadé qu'il n'a pas été altéré en moi par le temps jusqu'à ce que je l'écrive et à peu près certain, dès que je raisonne, que cette conviction interne est fausse,

font que, s'il y a un parti pris d'évidence sensible au ton des propositions que j'énonçai et reprends, cela n'empêche nullement que certaines d'entre elles se soient présentées à moi, dans la succession, comme réitérations variées de propositions antérieures, parfois même comme énoncés comportant des contradictions avec quelque chose des énoncés antérieurs.

L'alignement des sorites dans l'espèce de déduction qui n'est que le reflet tardif de ma tentative de dire plus du rêve (plus que ce que le rêve, initialement, dit) se heurte à un adversaire autrement redoutable que la « Nature » qui s'oppose au logicien de Hintikka : l'oubli.

Mais j'ai préféré, conformément à l'unique règle de cohérence de mon livre, celle de la cohérence chronologique (j'entends, toujours, par chronologie, celle du dépôt des moments de prose sur le papier), les accueillir toutes, plutôt que d'essayer maintenant (automne 1985) de leur donner une rigueur qui ne pourrait être qu'illusoire.

(3) Il y a trois choses claires : *le rêve; la décision;* et *le Projet.* Ces trois choses s'entrelacent. Si le rêve ne ment pas, la décision sera prise, car si la décision contraire est encore possible, le rêve ne peut dire vrai. Si la décision est prise, il y aura le *Projet;* car une sorte de projet, dès avant le rêve, était une condition explicite de la décision. S'il y a eu le rêve, il y aura le *Projet* : le rêve annonce *le Grand Incendie de Londres,* qui ne sera pas sans le *Projet.*
Il y a trois choses claires; et tout le reste, obscur.

La troisième assertion constitue une réitération modifiée des deux premières. Selon la première, si je m'en tiens au squelette appauvri (de son vêtement de mots) de l'inférence, le rêve implique la décision; la décision implique le projet. Selon la deuxième, le rêve implique le Projet. Selon la deuxième encore, le rêve implique le projet parce qu'il annonce le roman. Dans la troisième, il est dit, et c'est nouveau (quoique implicite dans l'affirmation de la deuxième) que le projet implique le roman. (Plus exactement, le non-roman implique le non-Projet.) Ce ne sont pas des variations significatives.

S'il y a progression dans la séquence assertive, elle est ailleurs. Il y a deux modifications d'importance qui la marquent : dans la première assertion, trois choses claires sont annoncées : *un* rêve, *une* décision, *un* projet. Dans la troisième, selon la troisième, trois choses claires sont *le* rêve, *la* décision et *le* projet. Dans la première assertion, le rêve qui suppose que la décision est prise est un rêve, la décision qui implique le projet est une décision qui implique un projet. Pour la troisième assertion, et pour la suite, un rêve est le rêve, *ce* rêve (respectivement *cette* décision, *ce* projet).

La deuxième modification d'importance est la plus importante, et elle implique la première. Le rêve, la décision, le projet indéfinis ne s'assemblent que d'une manière non nécessaire, même s'il y a entre eux des liens d'implication. Dans la progression de l'élucidation, il devient clair que ces liens sont des liens d'implication *nécessaire*, le rêve *implique nécessairement* la décision, etc. Il s'ensuit que rêve, décision, projet sont *définis*, rigides pour le reste de la déduction. Mais cela tient à ce que l'*enchevêtrement* des trois termes indéfinis est remplacé par l'*entrelacement* des mêmes termes définis.

56 *Triple temps, obscur*

Triple temps, obscur, du rêve. Du rêve et de son effort d'élucidation : ce sont trois automnes obscurs. 1961 (le rêve);

1980 (l'écriture du rêve, les maximes de l'élucidation); 1985 (aujourd'hui, les assertions). Les heures épaisses de la fin de la nuit, l'effort de sortir de la nuit pour quelque chose, la prose maintenant : en octobre après les vendanges, la gelée d'azerole de la prose, l'angoisse de son échec, le ressassement.

Dans le noir, la lumière de ma lampe est seule posée, calme. C'est la même lampe qu'il y a cinq ans. L'obscur m'entoure. Au tout début, la première fois, ayant réveillé un roman à faire hors du rêve, j'ai pensé à la décision, au *Projet*. La deuxième fois, ayant écrit le rêve, je m'avançais en hâte dans l'élucidation. Cette hâte était plutôt joyeuse, malgré la difficulté. (J'étais heureux.) Aujourd'hui je réfléchis des illuminations antérieures, pour lesquelles ma vie ne joue pas, n'agit pas (du moins je n'ai rien à en dire); il n'y a aucune exaltation en moi, mais peut-être ai-je plus de chance d'aboutir, puisque mon ambition, cette fois, est minimale.

(4) le commencement est un rêve, qui implique une décision et un *Projet*. Dans le rêve s'annonce un roman, dont le titre sera *le Grand Incendie de Londres*. Comme je venais de rêver le rêve, m'en étant souvenu, au point qu'il restait sans cesse présent à ma mémoire; ayant rêvé ce rêve, je vis alors distinctement la décision, le roman et le projet.

(5) Il s'ensuivit une interruption dans la mémoire, et une séparation d'avec elle se fit, qui fut, longtemps, remplacée par l'algèbre, la combinatoire, les contraintes, les règles de vie, parenthèses ouvrantes. Sinon, rien n'aurait été possible.

Le rêve était demeuré présent. Après quelque temps (un, deux mois de 1961) était venue la reconnaissance, l'évidence de ce que le rêve impliquait.

Les années qui suivirent, le rêve demeurait en moi, immobile. Je ne l'évoquais jamais, mais je l'effleurais souvent par la pensée, vérifiant sa présence, comme une garantie de mes efforts, dans le lieu mystérieux de soi où sont les souvenirs (s'il est vrai qu'ils ont un lieu). Cependant, quelque chose s'était non pas perdu, mais atténué : le lien, le nœud, l'enchevêtrement puis enlacement du tout du rêve, de la décision et du projet, avec le roman, cela avait cessé d'être présent, était presque oublié, presque dissous.

Sans doute ce détachement des chaînons dans la chaîne du projet était une conséquence indirecte mais indispensable de la deuxième certitude acquise au réveil du rêve : « je le conserverais intact ». Pour cette conservation, puisque le rêve devait faire partie du roman et du Projet (je ne savais pas vraiment comment mais je savais que), puisque ni le roman ni le projet n'étaient vraiment commencés, je devais garder le silence intérieur sur le rêve, un silence *conservatoire*.

Je devais poursuivre ailleurs ma préparation au projet : dans la mathématique, dans la poésie, dans une grande sévérité d'existence. L'austérité parfois érémitique qui se montrait nécessaire était comme fonctionnellement imposée par une recherche simultanée de voies dans les deux directions, duales et antagonistes en apparence, de la mathématique et de la poésie. En ces années, je vivais sous la *contrainte* : contrainte d'apprentissage du calcul, des formes poétiques, de leur mise en pratique simultanée. Mais aussi contraintes de la vie même : la règle de Paul Klee, « *nulla dies sine linea* », pas de jour sans avancer d'une ligne, suscitait simultanément de sévères exigences d'horaires, où se jouait sans cesse ma passion du dénombrement. La souplesse mentale indispensable pour les sauts perpétuels de la lecture à l'absorption des concepts de la théorie des catégories ou de l'algèbre commutative, l'effort d'immersion dans les langues lointaines des traditions poétiques *voulues* par le projet, n'étaient pas imaginables sans une rigidité concomitante de l'emploi de mon temps. Je me suis fait un devoir de solitude. De loin en loin je revenais à l'imagination du projet.

Je vivais dans un système de règles. Les règles de l'écriture poétique, les règles de la démonstration mathématique, les règles de vie constituaient trois systèmes qui se ressemblaient pour moi, qui avaient des chemins parallèles. Chaque règle, chaque acte selon les règles, était pensé comme préparatoire.

57 *Or, pendant ces années*

(6) Or, pendant ces années, je n'ai pas remis en cause ma décision. Et j'ai vécu comme si ce quelque chose qu'avait annoncé le rêve, *le Grand Incendie de Londres*, allait être écrit réellement, comme si le *Projet* allait être mené jusqu'à son terme.

Une certitude à la fois distante, vague, mais intime et forte, donne une unité à un labeur continu, s'oublie dans l'enthousiasme local des découvertes, mais revient à point nommé dès que les obstacles, les échecs, les découragements s'accumulent.

Il était entendu, c'est-à-dire que je m'étais entendu avec moi-même pour reconnaître que rien ne pouvait être prétexte à cesser. « A quoi bon? », me disait le démon nocturne, ou son double fraternel et sournois, le démon méridien : « *A cela* », répondais-je ; *cela*, le *double futur* du roman et du projet, qui est beaucoup plus que la thèse de mathématique (quand elle n'avance pas), (et plus tard quand elle est achevée, ce qui n'est pas mieux), beaucoup plus que le livre de poèmes (un échafaudage de sonnets).

Car *cela*, ma réponse aux démons, mon *style pour les dompter* (le « style », dit rakki tai), est plus, plus ambitieux, plus immense ; et surtout, toujours futur, toujours à faire. De la même étoffe (c'est le même tour de passe-passe) est ce qui est nommé « instinct de vie ».

Pendant les neuf premières années (comme il est dit au chapitre 2, « La chaîne »), je n'ai pas remis en cause la décision. Je n'étais pas oublieux de son contraire (car le démon nocturne et son frère de midi, le soleil double et noir au méridien de midi, emplissant le ciel vide de la perte de temps, me le présentaient à l'occasion), mais j'avais ma réponse toute prête : j'ai cela à faire, qui conduira au roman, au projet, qui en fera plus tard partie. J'en étais sûr.

De quoi pouvait bien me venir une telle certitude, qui n'était

guère appuyée sur un avancement effectif de l'un ou de l'autre?
(Et il a suffi de regarder enfin cette vérité en face pour que tout
s'écroule, un instant, avant de se rebâtir encore, mais autre,
pour encore neuf années.)
Du rêve. Il n'y a pas d'autre possibilité.

La présence du rêve, en arrière-plan de ma vie, s'apparentait
à une sorte d'édredon, ou d'oreiller de plume (un entassement
d'oreillers plutôt, car il y avait plusieurs couches superposées
de certitudes apaisantes), sur, ou sous lequel (lesquels) on voit,
s'éveillant avec un inattendu sentiment de vacance, s'étendre
devant soi une interminable journée lumineuse, faite de jardins, de promenade, d'amour, de lecture, de découverte. Sans
bouger encore, on s'imagine. Il y aura du ciel, un ciel de bleu
léger, des nuages tendres, une lune de jour peut-être, petite,
prête à fondre, nuage elle-même. Il y aura une eau bougeante,
entre des herbes.

De loin en loin, pourtant, j'entrevoyais un fond noir.

Comme parfois on s'imagine, en telle rêverie oiseuse, l'au-
delà du visible du ciel, le fond de ciel comme on dit un « fond
d'œil », le dessus-dessous de ce bleu qui vous trouble quand on
y laisse s'immobiliser son regard; plus loin que le ciel, on voit
noir. L'entre-les-étoiles, le vide interstellaire des « space-
operas », on le sent noir. Peut-être faut-il regretter l'imagerie
encore si vivace à la Renaissance, l'emboîtement de sphères
jusqu'à l'ultime, l'englobante du tout, la Sphère Céleste, ce
grand et scintillant compotier d'astres, sans au-delà, ou un
au-delà qui n'était que l'habitacle vaporeux, un rien-tout,
demeure d'une pas trop pensable divinité (je parle d'une vision
naïve, semi-cultivée, comme aurait pu être la mienne, disons,
vers 1600).

Poursuivant cette comparaison (« j'aime cette comparaison »), je dirais que ces premières années après le rêve était
dans ma vie une Renaissance sous le signe d'une cosmologie
lumineuse et peuplée d'innombrables correspondances entre
macrocosme et microcosme. Quelque effervescence de « poursuites » intellectuelles se manifestait sous la couverture des
astres : la mathématique, la poésie, le sol solide, solidaires. Ce
qui veut dire que tout cela était d'une fragilité absolue. J'étais

porteur d'une certitude à l'avance ruinée, mais je ne le savais pas. Je ne le savais pas et de ne pas le savoir je pouvais avancer vers la révélation de la ruine en m'imaginant me rapprocher du commencement de la connaissance, inséparable du début de l'accomplissement. On a dit que toute vie bonne est une préparation à mourir. Cette partie de ma vie, ces neuf années, était plutôt une préparation à vivre : vivre serait le *Projet*.

58 *Effacement du rêve*

(7) C'est pourquoi et après coup, après le renoncement au *Projet*, après l'abandon du *Grand Incendie de Londres*, l'effacement du rêve me les montre solidaires, et m'affirme leur entrelacement.

L'effacement du rêve était inévitable, dès l'instant où il était posé, écrit, décrit.

Mais en fait l'action de le noter peut être considérée non comme la cause mais comme la conséquence ou mieux la confirmation de son effacement. Quelle est dans ce cas la cause?

Le renoncement. La mise en mots, ou l'effacement devient effectif, en prend acte.

Pourquoi, en effet, noter le rêve? Parce que cela est indispensable au bon déroulement du ' grand incendie de Londres ', autant dans sa première version, celle de 1980, que dans celle qui s'avance aujourd'hui. ' Le grand incendie de Londres ' lui-même n'existe que parce que *le Grand Incendie de Londres* n'a jamais été réellement, n'est pas et ne sera pas écrit. Ensuite parce que le *Projet* a échoué. Poser le rêve sur le papier, c'était l'effacer (c'est fait). Mais il n'a été posé que parce que l'échec était reconnu, parce que le renoncement avait eu lieu.

Au moment de poser le rêve, où s'engage, rapide (une lutte

163

de vitesse avec la disparition), l'*élucidation en maximes* (transformée maintenant en *déduction par assertions*), le renoncement vient de se produire. Le Tout du roman, et du projet, n'agit plus. D'ailleurs la décision de 1961, elle-même, est caduque (sa chute, cependant, n'implique pas son contraire). L'*entrelacement* du Tout, qui était la forme prise, au-delà de l'enchevêtrement de début, par leur solidarité, peut apparaître. Il apparaît.

> (8) Il y a trois choses claires, mais je ne peux pas en parler clairement.

> (9) Peut-être ne pourrai-je même pas les dire? Le rêve, pourtant, est clair.

La parole claire, si elle n'est pas toujours « aristocratique », est en tout cas une parole de maîtrise, parfois même d'indifférence, ou de dédain.

Mais une fois privé de sa réalité, de sa luminosité secrètement agissante, le rêve laisse de l'obscur. J'avançais, je m'en souviens, dans l'*élucidation* avec le sentiment d'une « obscurisation » rapide, une « lunarisation » saturnienne, contraire d'une solarisation photographique. D'où la sensation contradictoire de voir tout d'un coup des choses claires (qui ne l'avaient pas été antérieurement à la clarté bienveillante mais aveuglante ensemble du rêve) et de les voir perdant de plus en plus vite leur éclat. Cela fait que je comprenais qu'il m'était déjà impossible de parler clairement de leur nature, autant que de leurs liens. Je ne les maîtrisais pas du tout.

D'où encore, je percevais que peut-être je n'arriverais jamais à les dire, mais seulement à les nommer, comme on nomme des étoiles dont on ne sait rien, que leur nom, et leur place, sur une carte du ciel. J'enregistrerais leurs disjonctions, leurs disparitions, mais je n'atteindrais pas à leur nature, ni même au spectre de leur composition.

Des trois, le rêve, une fois posé, semblait le plus spécialement quelque chose de clair, à la différence des deux autres. Car je n'en avais plus que cela, les lignes de la description du rêve. Je n'avais qu'à les affronter pour en dire. Le rêve posé dans ses quelques lignes avait l'immobilité d'une lumière écrite, qui fait perpétuellement le même trajet d'une image à un œil, sans changer, sans ajouter quoi que ce soit à ce qu'elle a déjà montré. La clarté, là, était parfaite, et partant l'obscurité de ma parole à ce sujet, parfaitement absolue.

Ce n'était le cas ni de la décision ni du projet. C'est pourquoi je pouvais conserver l'illusion d'arriver à les dire. D'une clarté moins absolue, une clarté de parole, un début de clarté de parole semblait possible. L'intention de dire, qui avait été l'origine et l'amorce de l'élucidation, demeurait en suspension, demeurait interrogative. Mais il est toujours difficile (je parle pour moi, formé ou contraint par la mathématique) de se résigner d'avance, tel Merlin, à parler obscurément.

59 *S'il y a trois choses claires, elles sont quatre*

(10) Le rêve a précédé la décision. Après la décision, le *Projet* a été conçu. *Alors, le Grand Incendie de Londres*, annoncé par le rêve, est apparu comme devant être le roman dont le mystère serait le *Projet*.

(11) Car il est clair que, s'il y a trois choses claires, elles sont quatre. Mais que celle-là (qu'il y a trois choses claires) reste obscure.

Je m'étais placé, pour réfléchir sur le rêve, après coup, dans le mois qui l'a suivi. Et si on se place après coup, il apparaît qu'il y a non seulement corrélation, mais consécution, et la séquence de quatre termes se dispose comme il est dit.

Mais en réalité (je le vois maintenant) la consécution est circulaire; elle se referme à nouveau sur le rêve, qui devait apparaître dans *le Grand Incendie de Londres*, constituer son début.

Le Grand Incendie de Londres devait commencer par le récit du rêve; le récit seul. C'est à peu près tout ce qu'il y avait de sûr dans le roman. Et cela seul est resté sûr pendant toute son existence (programmatique) : dix-neuf ans. Pendant dix-neuf ans, *le Grand Incendie de Londres* a appartenu à une espèce fort intéressante de romans, les romans futurs. Il commencerait par un rêve, qui n'était pas encore écrit.

Mais en réalité (je le vois mieux encore) la séquence des quatre termes : Rêve (1)... Décision (2)... *Projet* (3)... Roman (4)... est un début (une vrille) de spirale (comme la séquence des quatre saisons), car ce qui devait figurer dans *le Grand Incendie de Londres* n'était pas *le Rêve* (1) mais le *récit du rêve* (1′) et la spirale se poursuivrait dans le roman lui-même (Récit de la décision, récit du Projet...), (je peux au moins dire cela).

C'est pourquoi le rêve devait rester non écrit tant que le roman ne commencerait pas. (Cela implique d'ailleurs que dans le récit du rêve la phrase « je conserverais ce rêve, le plus longtemps possible » indiquait que le roman ne commencerait pas de sitôt. La fuite devant la mise en route du roman y est virtuellement prédite au moment même où il s'annonce.)

Quand j'ai écrit, enfin, le rêve, le roman n'existait plus et seuls apparurent le rêve et le roman (qui s'était trouvé, déjà, annoncé au réveil du rêve).

Si le rêve n'annonçait que le roman, c'est que la décision et le projet lui étaient, si j'ose dire, contemporains. Ils étaient coprésents en lui.

Ce fait donnait sa place, dans la séquence, au roman.

Dans une certaine mesure, cela décidait de ce qu'il serait.

A la réflexion il semble bien que c'est la clarté du rêve qui faisait, de la décision et du projet, coprésents en lui, des « choses claires ». Ce n'est aucune clarté intrinsèque de ces deux « choses ».

Par conséquent, si l'on veut, cela décide de la clarté du roman, quatrième mousquetaire.

L'obscurité se trouvait déplacée vers le mystère de l'illumination.

Cette obscurité est celle des origines et du comment de l'illumination. L'illumination elle-même, « il y a trois choses claires », est claire. Il est clair, en ce sens, qu'il y a trois choses claires. « Qu'il y a trois choses claires » n'est obscur, ne « reste » obscur que si je demande d'où vient qu'il y ait ces choses claires. D'où vient que ces choses claires sont celles-là, simultanément, indissolublement non seulement mélangées, enchevêtrées, mais entrelacées. D'où vient que la clarté naît de l'écriture du rêve, qui le fait, à cet instant, disparaître. Tout cela, en avançant dans l'élucidation, reste obscur. En avançant dans la déduction (aujourd'hui, je mélange deux présents), cela ne l'est pas moins. Tout au plus puis-je voir plus clairement ce qui « reste obscur ».

L'élucidation, pourtant, découvre clair le fait que l'existence de trois choses claires implique la quatrième, l'existence du roman. Le saut en apparence radical du rêve au roman se révèle une conséquence de ce que le rêve amène avec lui au jour. Même si l'obscur entoure le rêve et l'avant du rêve, il y a dans cet avant assez de clarté pour que la présence en le rêve, implicite, de la décision et du projet permette la certitude de la spirale infinie qui commence.

60 *Clair*

(12) Dans le rêve clair, obscurément, est né le projet de ce roman, « Le Grand Incendie de Londres ». J'ai su que je l'écrirais.

(13) Que le rêve soit ' clair ' ne désigne ni sa couleur ni son sens, mais son style.

(14) Il y a, dans le rêve, du ' style clair '.

Si du rêve est née l'idée du roman, ce ne peut être que dans le travail, obscur, du rêve. Dans la « boutique obscure » du rêve a eu lieu une transaction sans mémoire, dont la promesse s'est inscrite sous ce terme : roman. Mais il n' y a aucune consécution immédiate, vraisemblable, entre la clarté affichée et la conclusion.

Je savais que je l'écrirais, et ce savoir faisait partie des choses tenues obscures par le sommeil, enfouies dans l'eau boueuse sous le rêve (c'est ainsi que je me l'imaginais). A la clarté évanouissante du rêve, *cela* apparaissait. L'apparition de ce quelque chose d'obscur n'était possible que parce que, précisément, la clarté du rêve était en train de s'évanouir. Le savoir du rêve était comme eau et savon dans le lavoir bleuissant.

Le rêve, son image cinématique, chargée d'une brillance mentale, morale aussi : il contenait une hâte, une idée de futur, la joie, joie d'une autre vie, d'une ' *vita nova* '. Il y avait, déjà, de la clarté, ' dans la rue grise '. Et cette clarté transportait, informant l'image, un monde tranquille, en arrière-plan, énigmatique, s'emplissant lentement de lumière. Le rêve me révélait à moi-même clairvoyant.

La clarté dont il est question depuis le début de cette déduction ne peut donc pas être seulement une qualité physique des images qui composaient le rêve. Ce n'était pas une couleur, et de toute façon le rêve était sans couleur ou, si l'on veut, uniquement en « couleurs noir et blanc » (que la demoiselle fut rousse, ce dont je n'avais jamais été certain, était plus une hypothèse mentale qu'une image colorée) : pas de couleur claire, même restituée dans la luminosité par les sels photographiques, les buées de la vision. La clarté était avant tout l'idiome du rêve, un ingrédient majeur de sa diction.

Ainsi le ' style clair ' de l'image du rêve gouvernait à la fois la disposition de pensée selon laquelle, à l'éveil, le rêve s'était révélé, mais aussi, beaucoup plus tard, maintenue à travers dix-neuf années, la tonalité de sa restitution. Il régnait à la fois sur le voir et sur le dire du rêve. Il était le voir-dit du rêve.

Le rêve montre, montre ce qui est montré comme clair, et avant tout parce qu'il le montre clairement. C'est l'affaire d'un ' style ' que de montrer le clair.

61 *Au début*

(15) Au début, je sors de ce rêve, m'annonçant une double langue, comme dans un palindrome où l'envers dit pareil que l'endroit mais dans un idiome différent.

(16) Cependant, dans un palindrome, aucune ligne n'est le vrai miroir d'une autre; les lettres dans le miroir sont des signes qui n'existent pas en dehors.

(17) De ces deux langues, chacune est établie à partir de l'autre, c'est-à-dire à partir de son image palindromique, illisible sauf en retraversant la vitre par la pensée; et c'est pourquoi, en fait, je ne suis dans aucune langue, toujours traduisant.

(18) Cela, certainement, intervient dans le nom de cette chose de prose dont le rêve m'a donné l'image, *le Grand Incendie de Londres*.

J'étais sorti du rêve, au début, cela veut dire la première fois, quand je venais de le rêver, et quelle annonce était-ce là?

La langue du rêve est solipsiste. Si de ce rêve il venait, comme il était annoncé, bien autre chose, et si cet 'autre chose' était un roman, il s'agissait du passage à une autre langue (je prends 'langue' en un sens purement métaphorique).

Les deux langues qu'annonce le rêve ne sont pas la langue de la prose et la langue du rêve, mais la langue de la prose et la langue du *Projet*.

Ou plutôt, comme la langue effective de la prose aussi bien que la langue effective du projet sont une seule langue, la langue de tous les jours, mais employée différemment (je ne veux donc aucunement affirmer l'existence d'autres langues ineffables et réelles que celle dont je fais usage), s'il y a langue du *Grand Incendie de Londres* et langue du *Projet*, distinctes et distinctes de la langue du rêve, c'est qu'il s'agit de langues imaginaires, supposées situées « derrière » la langue, la suivant invisiblement.

Et il s'agissait de dire le rêve, dans ces deux langues : l'obscur du rêve sous le rêve clair (en son style), dans deux idiomes différents, dont l'un serait réservé au projet, l'autre au roman.

A ce moment il m'apparut non seulement que le roman (seul annoncé explicitement) et le projet (annoncé aussi, j'en avais fait l'" élucidation ') devaient dire une *même* chose (qui sans aucun doute avait à voir avec la *décision*), mais que le tout surgirait d'un imaginaire palindrome bilingue, pourvu d'un seul sens (une impossibilité physique).

Cette vérité de l'assertion (15) est claire (et demeure claire dans mon souvenir), mais elle l'excède en un sens ; et cela tient à une accélération de la pensée du rêve et de ses conséquences, dans ces heures rapides de la nuit où m'apparaissait l'urgence de la transcription, puisque je commençais déjà à perdre ma possession du rêve (elle-même peut-être ayant toujours été imaginaire, mais dont j'avais senti la vérité avec une absolue conviction).

Il y avait (16) une dissymétrie entre les deux idiomes : je voyais l'un (l'idiome du récit) miroir de l'autre, avec un ' moins de réalité ' donc, mais ce n'était pas une vraie image en miroir non plus : le palindrome n'est pas cela.

Le palindrome ' classique ' ne l'est pas beaucoup, puisque dans chaque sens les lettres, les signes composants sont identiques, alors qu'ils ne sont pas naturellement invariants (tous) par une telle symétrie. Il n'y a symétrie réelle que de la séquence ; les éléments de la séquence, eux, ne sont pas pénétrés par la transformation du miroir.

On pouvait alors penser à un palindrome de langue plus proche d'une symétrie totale, visuelle, les lettres réfléchies par rapport à des surfaces planes horizontales ou verticales jouant leur rôle, différent, dans chaque lecture (quelque miroir horizontal de ce genre est à supposer, centralement, dans le passage, vital, chez Georges Perec, du « W » au « M » de *la Vie mode d'emploi*). Les langues imaginaires surgies du rêve et se parlant dans le *double*, dissymétrique, du *Projet* (' réel ') et du roman (' en miroir ') pouvaient se permettre cette propriété contraignante.

170

Je supposais plus encore (17) : que la relation d'image palindromique est réversible est une évidence; mais que chaque langue puisse être créée comme image de l'autre ne l'est pas. Je me voyais ' dans ' le projet, par exemple, regardant le roman écrit, dans la langue miroir, dans sa langue comme image miroir; et réciproquement. Je voyais la ' parlance ' de chacun comme une traduction venue de l'autre langue; et donc ne parlant jamais aucune de ces deux langues comme une langue naturelle, mais comme toujours vue d'ailleurs, dans le miroir, obscurément.

Je serais un traducteur, doublement. J'irais, comme tout traducteur, dans l'au-delà du miroir de ma propre langue, vers l'autre, qui n'en est que l'image.

Les deux langues supposées avaient une même source, une même origine; elles provenaient d'une même langue ' adamique ', celle du rêve, située par rapport à chacune identiquement. Cette hypothèse impliquait ceci : la langue du rêve était l'argent, le tain du miroir. Le Miroir était à double face, et la surface réfléchissante une, d'une seule orientation.

Le monde d'au-delà du miroir, d'à travers le miroir, n'est que pour la commodité de l'expression dit « au-delà », ou « à travers », « derrière ». N'est-il pas aussi, bien mieux peut-être, « au-devant » du miroir, à la place du monde, tenant lieu de monde.

Et si l'image, à son tour, s'y regarde, que voit-elle?

62 *Rêve*

Réfléchissant sur les premiers « moments » du ' grand incendie de Londres ' avec Alix, en ces jours où commençait ma tentative, à l'automne de 1980, et discutant aussi l'*élucidation*, telle que je venais de la disposer, phrase après phrase, dans sa succession non concertée, et sans éclaircissements, il était apparu quelque chose comme :

Il y a le *Projet*, et sa métaphore architecturale : plans, maisons, murs, chambres... (l' ' appartement de Coxeter ', nom générique); et sous la vision de l'édifice imaginé, dans son ombre (se dessinant), les ombres remuantes des récits. Le *Projet* est alors l'éloge inverse de l'ombre (dans la métaphore du palindrome).

Cette double langue : les frontières de chaque langue sont les frontières d'un monde : monde du projet, monde du récit. Mais on ne peut parler que comme si on n'était dans aucune : « toujours, traduisant », *le Grand Incendie de Londres*. Voilà pourquoi il y a Londres. Londres, disait Alix, et cette langue (réelle) où ni vous ni moi ne sommes, « toujours, traduisant ».

(19) Ceci dans le rêve est clair : pour cesser de commencer à écrire, j'ai écrit le rêve :
« Dans ce rêve, je sortais du métro londonien. J'étais extrêmement pressé, dans la rue grise. Je me préparais à une vie nouvelle, à une liberté joyeuse. Et je devais élucider le mystère, après de longues recherches. Je me souviens d'un autobus à deux étages, et d'une demoiselle (rousse ?) sous un parapluie. En m'éveillant, j'ai su que j'écrirais un roman, dont le titre serait *le Grand Incendie de Londres*, et que je conserverais ce rêve, le plus longtemps possible, intact. Je le note ici pour la première fois. C'était il y a dix-neuf ans. »

(20) Mais en fait, la première fois que j'ai écrit ce rêve, j'ai écrit ceci :
« Dans ce rêve, je sortais du métro londonien. J'étais extrêmement pressé, dans la rue grise. Je me préparais à une vie nouvelle, à une liberté joyeuse. Et je devais éclaircir le mystère, après de longues recherches. Je me souviens d'un autobus (à deux étages) et d'une demoiselle rousse sous son parapluie. En m'éveillant, dans cette maison, j'ai su que ce serait un roman, dont le titre serait « Le Grand Incendie de Londres », et que je conserverais ce rêve, le plus longtemps possible, intact. Je le note ici pour la première fois. C'était il y a dix-neuf ans. »
Les deux relations diffèrent un peu : « *en m'éveillant, dans cette maison, j'ai su que ce serait un roman...* »; le reste pratiquement pareil.

(21) Dans le rêve, il y a un titre, qui est le nom d'un événement.

(22) L'accent de l'intérieur du rêve est le titre.

(23) Le rêve a produit non un roman mais un titre.

Les deux relations du rêve (20) sont séparées, dans le temps, par un intervalle minime : le passage d'une version, celle de mon cahier, avec ses bandeaux de lignes noires couronnés de couleurs, à l'autre version, celle du papier (alors le papier était acheté rue Vavin, chez « Marie-Papier »; j'ai repris les mêmes gestes, les mêmes supports, aujourd'hui). Il y a cependant une divergence, quantitativement minime, mais d'une importance certaine : l'omission, à la réflexion instantanée de la copie (pour faire ce que les Anglais appellent « *a fair copy* »), *du lieu du réveil du rêve*; et cette omission accompagne un changement de présentation : « j'ai su que j'écrirais/j'ai su que ce serait ». L'importance de cette omission pour la déduction tient à ce qu'elle suscite, par réfractions successives, au long de l'élucidation. Ne pas désigner le lieu qui était, dans le « pourtour » du rêve que j'ai dit, le 56 de la rue Notre-Dame-de-Lorette, crée une indétermination et amène à rechercher, dans ma pensée me souvenant, le *lieu du rêve* qui est à la fois différent du *lieu dans le rêve* et du *lieu du réveil du rêve*; qui n'est pas le lieu du réveil du rêve parce que le réveil, dans la nuit, l'esprit encore dans le rêve (le lieu dans le rêve est Londres), laisse en fait une possibilité de brouillage : je rêvais, et je m'éveille dans un lieu que d'abord je n'identifie pas (je suis dans mon lit mais je suis, en même temps encore pour un temps, dans le survivant rêve). Le lieu qui m'apparaît alors, la première hypothèse de réponse à la question – où suis-je? – est le *lieu du rêve*. Il m'apparaît quand je revois pour la dernière fois le rêve (le matin du 24 octobre 1980), (c'est la dernière fois : puisque je vais écrire le rêve, il va disparaître); ce lieu est dicible, traduit de la langue du rêve (à laquelle je ne tiens pas à donner un autre nom).

Cette opération de l'esprit passe (21) par le titre du roman qui sera écrit; qui est su.

Dans ce titre, à l'aide de et à travers ce titre, le rêve énonce quelque chose qui a à voir avec son lieu.

Il y a une insistance de ce lieu, comme une cellule rythmique.

Car si le rêve annonce le roman, il lui attribue, surtout, un titre. Il donne un nom. Mais le titre, dit Gertrude Stein, est le nom propre du livre.

C'est à partir de son titre que le roman regarde vers l'intérieur du rêve, traduit du silence de la langue du rêve.

C'est qu'il est touché là à la duplicité du rêve, à la double langue qui l'entraîne.

63 *Flammes*

(24) Le *Heiji Monogatari* est un grand *emaki* de flammes. Les flammes peintes, toits enlevés, dévorent la ville. Ces flammes, je les vois, sont de grandes feuilles nerveuses, *origami* froissés. Ce sont aussi des vagues de flammes et je me souvenais des vagues de mer, qui sont des feuilles de figuier retroussées. Les vagues, feuilles de figuiers retroussées, montraient leurs dessous, l'écume, s'abattaient sur l'île où échoue Robinson Crusoé. Or, j'avais toujours cru que Daniel De Foe a écrit un « grand incendie de Londres ».

(25) Sur la vitre du pub londonien, couverte de buée, Charles Dickens lisait : « *moor eeffoc* », un palindrome traduit d'une langue-miroir : « *coffee room* ».

(26) Il y a un 'style pour dompter les démons', le *rakki tai* : odeur du figuier, sombre, le figuier disjoint les carreaux de la cuisine, sur l'arrière de la maison.

Ces *assertions* contiennent les images centrales du roman, *le Grand Incendie de Londres*. Elles sont quatre, points cardinaux d'un cadran solaire, d'une carte dans le miroir, d'un univers d'images dites (non peintes (mais peindre, c'est aussi dire)) ; et, comme elles sont quatre, elles sont cinq : l'image la plus centrale, image écrite, le titre   nom propre du récit.

Comme si, au moment de sa disparition ultime (poser le rêve), le roman révélait ce autour de quoi il aurait été bâti : quatre images en spirale autour d'une cinquième, son nom propre.

Flamme	Vague
Vitre	Figuier

Flamme-feuille   vague-feuille   figuier-feuille   vitre-miroir

« monogatari », récit de flammes   Robinson Crusoé, récit de vagues dans la maison, le figuier   mots écrits « à travers le miroir »

Il y avait là « tout » le roman.

Du mot *incendie* avait surgi l'image japonaise, Kyōto mangée de flammes. Des flammes-feuilles surgissaient les vagues-feuilles. Je voyais (c'était une vision de lecture dans l'enfance, dans un livre « illustré ») Robinson jeté à la mer par la tempête, sous la vague. D'où, par erreur (je le sais maintenant) ce livre que je croyais écrit par De Foe, dont le titre est proche d'un autre, qui est bien de lui : *Journal of the Plague Year* (« peste », sixième image?). Dans Londres je découvrais alors le palindrome où Chesterton (une lecture d'étudiant) décelait l'emblème du monde romanesque dickensien. La chaîne de ces images, construite comme un « renga », par associations, où les déplacements successifs révèlent une autre image, sous-jacente, commune, qui n'est pas visible dans le titre, que le titre recouvre, comme le nom couvre le corps, sert de « lien », pour l' *entrelacement,* d' *incendie* à *Londres.* L'image du figuier noue la flamme à la vague, le « *Heiji Monogatari* » à Robinson, le « Robinson » illustré d'autrefois (enfances de la prose). Au figuier (dans l'image de Robinson arraché à la tempête, la grande vague vert sombre est comme l'envers d'une feuille de figuier immense), à son odeur, s'attache l'angoisse et attirance qui donne au titre le pouvoir de susciter un autre ' style ' du rêve, qui n'est pas le ' style clair ' de son récit, mais le ' style des démons '. Ce style est obscur. Il dit le montrer, le montrer du non-dicible. *Dans cette maison.*

Le palindrome (25) traduit par « lande » (« *moor* ») la chambre (« *room* »); moi-même, là, traduisant de mon imaginaire langue maternelle, l'anglais.

Je vois le désert, le vent, la désolation, la « terre gaste », dans le palindrome qui met au jour l'envers du refuge, de la « chambre » « dans cette maison ». J'entends « *fog* » dans « *eef-foc* »; j'entends « brouillard » (« *fog* ») prononcé par une corne de brume. J'entends une aube boueuse sur la Tamise.

La condensation du rêve en quatre images entoure la cinquième, le roman.

64 *Parfois, en ces années*

(27) Dès que j'ai écrit le rêve, j'ai cessé de m'en souvenir.

(28) Quand j'ai rêvé le rêve, quand je me suis réveillé d'avoir rêvé ce rêve, m'en souvenant, et découvrant ce qu'il annonçait, le roman que j'allais écrire, j'ai aussi pensé que je ne l'oublierais pas; il en a été ainsi, du moins c'est ce dont je me souviens; et de cela seulement, puisque j'ai maintenant oublié le rêve.

(29) Parfois, en ces années, j'ai revu le rêve.

« Il en a été ainsi. » C'est-à-dire : en ces années, pas souvent, j'ai revu le rêve, je m'en souviens. Je me souviens, me réveillant, d'avoir retenu le rêve; et avoir pensé que je ne l'oublierais pas. Je me souviens d'avoir retenu le rêve; en ces années, le revoyant parfois. Je l'ai écrit et alors je l'ai oublié.

Il y a dans ces affirmations quelques impossibilités, ou quelques déplacements. Il n'est pas possible que, *en vérité*, je me sois souvenu d'un rêve. Un rêve s'évapore dès qu'on se souvient de lui (il s'évapore généralement *avant*, ce qui peut nourrir (c'est mon cas) quelque scepticisme à l'égard de l'universalité de la fonction onirique, sommeil paradoxal ou pas (je ne parle même pas des autres mammifères)). Un souvenir amené à l'explicite ne se conserve pas indemne. Un souvenir dit, ou écrit, perd de sa « réalité », devient « souvenir du récit du souvenir ». Écrivant le souvenir du rêve, ce que j'ai « oublié », plutôt que le rêve, quand j'ai écrit le rêve, est ce souvenir. Etc.

Pourtant, je maintiens ces assertions, qui ne contiennent qu'une prudence assez tiède : ...du moins, c'est ce dont je me souviens...

Je les maintiens, et ce maintien fait partie de la spécification du ' grand incendie de Londres ' comme livre.

Dans ce livre que je suis en train d'écrire, je ne tends pas à acquérir (par introspection ou recoupements) une certitude de la vérité de ce que j'énonce vrai au souvenir. Il me suffit de me souvenir, au moment où, me souvenant, j'écris ce dont je me souviens. L'exigence d'écrire au présent de la narration (sans anticipation ni révision) fait ici paraître un de ses effets majeurs. Quand je dis (c'est bien ce que je dis) : « Lecteur, fais comme si ce que tu lis est *cela* » (reformulation de la maxime de Coleridge : « *willing suspension of disbelief* »), je ne place mon livre, à cause de la *contrainte d'immédiateté du dire*, ni tout à fait dans la fiction romanesque (au sens habituel) ni tout à fait dans la fiction autobiographique (au sens habituel).

En ce sens, ' le grand incendie de Londres ' apparaît comme une *chute*, un affaissement de son prédécesseur imaginaire, *le Grand Incendie de Londres*. Cependant ce n'est pas là sa *définition*.

' Le grand incendie de Londres ' est, si l'on veut, un roman avec définition. *Le Grand Incendie de Londres* aurait été un roman ; il aurait raconté quelque chose, explicitement associé à lui, dès son début : le *Projet*, et tout ce qui unissait le projet, le rêve, la décision, et l'annonce, dans le rêve, du récit qui allait apparaître. Sa nature involutive (contenir le récit de l'annonce de son apparition) n'en faisait aucunement l'originalité. Ni le fait de raconter le projet. Il n'avait pas en lui cette intention.

Mais ' le grand incendie de Londres ', de par sa nature et ses circonstances, ne peut pas se permettre d'affronter le genre roman sans détour. Outre le détour de l'écriture « en temps réel », qui est affiché, il y a dissimulation de sa « thèse » (c'est, en somme, un roman à thèse, si on prend thèse au sens d'assertion factuelle, dont aucune « démonstration » préalable ou postérieure n'est exigée), (c'est une ruse indispensable avec le « genre » (comme dans certains romans policiers où on ignore *quel est le crime*)), et son dévoilement (promis, promesse confirmée (si vous lisez ceci la promesse est tenue)), (si vous lisez *ce qu'est* ' le grand incendie de Londres ' avant l'heure, tant pis), obligatoirement renvoyé à la fin. Si ce roman est la chute de l'autre, ce n'est qu'un état de fait circonstanciel qui ne dit rien de *ce qu'il est* se conformant à sa définition. Voilà pourquoi je n'ai pas, ici, révélé sa définition.

65 *Comment, d'une image émergée du sommeil*

(30) Parfois, en ces années, j'ai cru voir clairement comment, d'une image émergée du sommeil, avec le secours de la mathématique, faire naître le principe d'une composition qui, par ailleurs, serait non une image mais l'ombre d'une construction poétique, le *Projet*, dont le principe serait énigme et la stratégie l'entrelacement; énigme qu'à l'ombre du projet, rampante, l'enchaînement dans *le Grand Incendie de Londres* de mystères narratifs manifesterait en lui donnant assez d'écart.

Parfois, en ces années, je revoyais le rêve. Alors, à mesure, le travail du rêve, qui était en même temps le travail du deuil qui avait suscité le rêve, amenait au jour, toujours programmatiquement, une délinéation sans cesse plus précise de ce que seraient le projet et le roman.

Certes; mais dans cette assertion se trouve un silence : silence sur le fait qu'une formulation dense et assez précise présente comme stable et claire une conception d'ensemble dont les outils (non moins que les termes mêmes employés

pour les désigner) n'ont été véritablement en ma possession qu'au moment où l'ensemble de l'entreprise a sombré.

Je veux dire que, pensant sans cesse à ce qui devait être,
travaillant (en mathématique et en poésie simultanément) sans
cesse dans ce but, je ne disposais pas des moyens conceptuels
nécessaires :

- ni en mathématique où la question était : quelle mathématique?

- ni en poésie où la question était celle de la contrainte (des
contraintes).

Et je disposais encore moins d'outils pour penser le rapport
entre les deux, mathématique et poésie; et le rapport entre le
« bâtiment » du Projet et son ombre portée.

Les réponses à toutes ces questions ont pris tout le temps de
survie du rêve (dans le souvenir), et, parce qu'elles étaient un
préalable, j'ai échoué. Je n'ai pas échoué parce que je n'ai pas
réussi à trouver les réponses à ces questions. En fait, je ne sais
pas si j'ai trouvé les réponses. Je crois les avoir trouvées; mais
la vérification est impossible, puisque je n'ai pas réussi.

Si je disposais d'une autre vie, cela pourrait être une leçon
(du genre de celle du « joueur de bilboquet » de Charles Cros :
« je ne sais rien, rien, rien! je suis nul, nul, nul! »). (Si on
disposait d'une autre vie, la « vie » pourrait offrir des leçons.)

Je ne dispose pas d'une autre vie. Je ne tire aucune leçon. Je
constate; et raconte.

Les dix-neuf années dont je parle se divisent en deux parties :
9 + 9, en années entières. Elles sont scindées en deux par une
illumination. Je l'ai présentée au chapitre 2. La seconde moitié,
sur l'autre versant de l'illumination, est elle-même double
(6 + 3). Cela montre que ce n'est pas à cause d'une immobilité
de paresse rêveuse uniquement que j'ai été conduit à l'échec.
Car, indiscutablement, il y avait, chaque fois, progrès. Je
m'approchais d'une définition opératoire, même s'il ne s'agissait que d'une insuffisante approximation.

Or, tout ce qui est formulé dans la présente assertion,
trentième du nom, et affirmé comme toujours présent dès le
rêve et son réveil, ne peut l'être, en ces termes, qu'au moment
où la maxime est posée. Tout ce qui est dit en elle est

nécessaire (le caractère suffisant, je viens de le mentionner, demeure invérifiable), mais alors *il est trop tard.*

Il est vrai que l'assertion, malgré ce tour de passe-passe (involontaire), n'est pas mensongère : il est vrai que les deux (Projet, roman), tels que je les imagine en ces années, dès le commencement de ces années, s'ils doivent être, doivent être ainsi. Il est vrai, aussi, comme je l'ai déjà affirmé, que tout est en germe dans le rêve.

Mais la distance au réel (le réel du papier rempli) n'a jamais été réduite.

66 *Je croyais mettre au jour ce que le rêve disait*

(31) Sans cesse, je croyais pouvoir mettre au jour ce que le rêve avait dit, selon toute apparence. L'image en resterait mystères. A ce moment, en ces années, je revoyais le rêve.

Toutes mes tentatives : plans, ébauche, fragments... partaient de là : par le projet et le roman, mettre à la lumière l'obscur, éclairé de poésie, déplié de mathématique.

L'image du rêve serait posée au début, mais ne serait élucidée qu'à la fin complètement, dans et par l'aboutissement du tout. Elle demeurerait, pendant le temps de l'accomplissement, somme impénétrée de ses mystères.

(32) *Le Grand Incendie de Londres*, depuis le rêve, était un nom. Il était donc aussi autre chose que lui-même : *le Grand Incendie de Londres.*

(33) Il y faudrait même un double trait; et ainsi de suite, jusqu'à une infinité de traits.

Je veux dire qu'il m'apparaissait implicite dans le rêve que nommer le roman que j'allais écrire était nommer quelque chose qui devrait, en particulier, dire *ce par quoi c'était cela,* donc en particulier se dire soi-même, avec son titre, puisque le titre était alors le tout de cette chose, qui n'était alors rien, même pas son commencement. (Spirale du rêve, de la décision du projet, du roman, du rêve... poursuivie dans le roman même (§ 59).)

Il y avait donc, idéalement, une image du roman incluse dans le roman. Le titre du roman est toujours cela, image du roman (bonne ou mauvaise, peu importe), mais dans un roman ordinaire cette inclusion a lieu de la manière la plus élémentaire, par la place du titre au début et au-dessus du tout.

Dans mon roman quand il était encore futur (et pas encore passé à l'état passé sans avoir jamais été présent), le titre existant déjà, la séparation, qui était au moins chronologique, entre le récit et son nom ne pouvait être réduite que par l'inclusion effective, et future, du roman muni de son titre dans le roman même, ce que, d'une manière ressemblant à une « quinification », je pensais signaler par l'usage d'une notation discriminante, marquant ce deuxième état du roman, un trait sous les mots de son titre.

Alors (33), il était clair qu'une telle action de soulignage ne pouvait en rester là ; ne pouvait être arrêtée. *Le Grand Incendie de Londres* souligné, *le Grand Incendie de Londres*, contenait implicitement lui aussi une copie de lui-même ; d'où un deuxième trait : *le Grand Incendie de Londres* ; et, par succession inarrêtable, une infinité de traits :

le Grand Incendie de Londres
....

Je ne me poserai pas le problème de savoir si une infinité dénombrable suffit. (Cf. deuxième partie, *Insertions*, première incise, qui tranche certainement par la négative.)

L'image du roman, son titre, se contenait elle-même, mais en miroir, c'est-à-dire que *le Grand Incendie de Londres* était une version miroir (en langue palindromique (§ 61)) du *Grand Incendie de Londres* premier, et ainsi le soulignement aurait dû être noté par un symbole distinct dans le deuxième cas, *le Grand Incendie de Londres*, par exemple. A l'étape sui-

181

vante, on pouvait revenir au soulignement premier (par abus de notation, car l'image de l'image miroir ne ramène pas vraiment dans le monde d'origine). L'infinité incluse aurait eu pour titre :

Le Grand Incendie de Londres

Mais je ne pouvais malheureusement pas prendre ce titre-là pour titre (il me plaisait assez).

Cela pose un autre problème. Pourquoi pas « Le Grand Incendie de Londres », sans soulignement, pour désigner le roman, le premier roman qui contient tous les autres?

Parce que précisément, *le Grand Incendie de Londres* devait être la première de cette infinité d'images, l'image donc d'un Ur-Grand Incendie de Londres, le roman non écrit avec lequel je vivais, et dont l'écriture aurait constitué (en ce qui concerne le titre) le soulignement (et aussitôt la totalité de la sous-scription alternante). Le Ur-roman se confondait dans le rêve avec la décision et le projet.

67 *La première chose est dite*

(34) La première de trois choses claires, le rêve, est dite. La deuxième, la décision, ne le sera pas.

Sur les oreillers, contre la première lumière de mon réveil, celle de l'applique blanche au-dessus de la pile sans cesse croissante des TLS (elle pèse contre mes yeux fermés), je réfracte mentalement ces phrases qui résument ce que j'ai su, sans l'écrire jamais, du roman et du projet tant que je les ai gardés vivants, c'est-à-dire toujours « à faire ».

Je tourne et retourne chaque facette de ce *triple* : rêve, décision, projet. (C'est plus un solide qu'une liste; une architecture de doubles hiérarchisés : rêve... décision; rêve... projet; décision... projet.)

Aujourd'hui, je n'ai pas rêvé. Je n'ai aucune décision à prendre. Je ne suis pas entre rêve et néant, seulement devant quelques ruines.

A la fin de 1961, l'année du rêve, j'ai eu vingt-neuf ans; le bout m'apparaissait comme devant être ou brusque, ou extrêmement lointain. Aujourd'hui, à plus de cinquante ans, ce que j'ai à faire est tout à fait sans mystère aussi bien que sans énigme. Il est sans intérêt particulier que je le fasse. Il n'est pas important que je ne le fasse pas. De toute façon, c'est un tombeau.

Ce que j'écris, ce présent, entoure mes nuits : ici la branche matinale du présent; et la branche du soir, qui sera la dernière. Entre les deux je jette, un à un, des moments, les *insertions*. Je les jette dans un trou qui ne se remplira pas, jusqu'à la fin.

Dire que « la décision ne sera pas dite » est moins un mystère (ce serait un pauvre mystère) qu'une nécessité romanesque (au sens où ' le grand incendie de Londres ' est un roman, prétend être un roman). Tout ce qui est inclus dans ce quart de siècle, ou presque, et se trouve en train d'être raconté est pris entre deux bords de mort. La décision, la première décision, aurait maintenant affaire à une mort double, mais cette duplication même demande à être déchiffrée, et je recule.

Plus exactement, je fais, d'une impossibilité à dire cela, une nécessité de report vers d'autres branches du livre, que je laisse indistinctes, me refusant à prédire ce qu'il sera plus loin, presque le jour de mon prochain « moment de prose ».

C'est pourquoi le silence sur la *décision* (soulignée, comme *le Grand Incendie de Londres* l'est, et dans les mêmes conditions, avec la même infinité potentielle de conséquences) n'est pas opaque au point de ne pas la laisser deviner. Mais je ne l'explique pas; je ne l'ai pas « élucidée » il y a quatre ans, et je ne la « déduis » pas aujourd'hui. Je construis à partir d'elle un axiome explicite.

(35) Reste la troisième, le *Projet*, dont *le Grand Incendie de Londres* devait être l'ombre romanesque.

Avec l'achèvement, maintenant plus proche et presque certain (les deux tiers de quatre-vingt-dix-huit paragraphes achevés), de la première partie *(récit)* de cette branche, je suis arrivé tout près d'un acte de vie, implicite dans la démarche même du ' grand incendie de Londres ' (et de l'écriture d'un livre de poèmes qui s'est poursuivie simultanément) : je vais quitter ce lieu.

J'y ai été seul, seul d'une manière absolue, pendant presque trois ans. Le simple fait d'écrire ce que j'écris (accompagné de la possibilité morale de le faire, qui appartient à la « branche », privée, des sentiments) me restitue au mouvement du temps annulé depuis janvier 1983. Et si je bouge ainsi des lignes noires sans remords, je ne peux plus rester dans l'immobilité de cet espace entièrement vide.

68 *Maintenant, à sept heures, quand, la lampe éteinte*

Maintenant, à sept heures, quand, la lampe éteinte dans ma chambre et les quelques lignes noires d'un *moment de prose* posées sur le papier, je sors dans la rue des Francs-Bourgeois en contournant le square des Blancs-Manteaux, l'automne ayant mordu un peu plus encore les jours, la nuit est présente, sévère, et les réverbères sont allumés.

Je sors du square par la minuscule rue de l'Abbé-Migne, qui n'a qu'un seul numéro (et encore, un numéro d'excuse, puisqu'une plaque dit ' anciennement 11, rue des Guillemites '), celui de l'église des Blancs-Manteaux qui la mange entièrement d'un côté (de l'autre, le mur sans porte appartient au 51 de la rue des Francs-Bourgeois), en quelques mètres de façade, où on ferait à peine tenir *la Patrologie*.

Alix avait suggéré que la municipalité du quatrième arrondissement inaugure, précisément, une bibliothèque ' locale ' sur ce mur, bibliothèque dont le contenu aurait été limité à *la Patrologie* (œuvre, comme on le sait, de l'abbé Migne). Chaque volume, relié richement, aurait été visible dans une petite case individuelle éclairée de cierges, une « vitrine-vitrail » illuminative, accessible au moyen d'une petite clé dorée ; et les lecteurs se seraient assis à des places réservées sur les bancs du square pour lire. Ils auraient ensuite rendu les volumes à un gardien spécial, chargé de *la Patrologie* et du classement de vieilles feuilles de marronniers.

Dans ce même « jeu de langage » (un jeu strictement ludique), j'aurais été « poète en résidence dans le quatrième arrondissement », avec des coquets émoluments. Je serais apparu une fois par mois, à nos fenêtres sur le square, et j'aurais déclamé, devant la foule municipale admirative et rassemblée (un dimanche), ma composition réglementaire nouvelle du mois, une « Ode à l'abbé Migne », par exemple, ou une séquence intitulée « Sonnets des Guillemites », puisque la rue du même nom avait perdu un bout de son corps pour satisfaire la mémoire de l'abbé. Je n'aurais plus été obligé d'aller à Nanterre infliger des mathématiques à des oreilles estudiantines réticentes, et nous serions restés principalement au lit ensemble, entre deux voyages à Londres et à Cambridge, à la librairie Heffer's, notamment, pour refaire provision périodique de livres recommandés par le *Times Literary Supplement* (*TLS* pour ses intimes, déjà mentionné (§ 67)).

Je vais jusqu'au bout du morceau de la rue Rambuteau qui commence en face du centre Pompidou acheter deux croissants au beurre pour mon petit déjeuner.

La rue est à peu près déserte, et, depuis quelques jours, il fait froid.

Ce parcours, invariable, est comme une extension des quelques pas silencieux que je fais, en me levant, hors de ma chambre : une habitude, de même nature, qui survit à sa nécessité. En revenant, comme autrefois, je lève les yeux jusqu'au deuxième étage. L'appartement a trois fenêtres et l'une d'elles, celle de gauche, a gardé ses volets fermés trente mois, sur une chambre vide.

(36) Le rêve est une énigme : tout y est, quoique sous déguisement. Tout : le roman, la décision, le projet.

(37) Je ne dis pas que tout peut être reconstitué à partir du rêve. Le rêve n'est pas aussi puissant que la carte d'identité pour l'« Homme sans qualités ». Je ne dirais pas non plus : « O Corneille Agrippa, l'odeur d'un petit chien m'eut suffi / pour décrire exactement tes concitoyens de Cologne. »

(38) Je dis que le rêve tient tout en germe; détient du tout la vérité; si bien que je ne peux pas lui poser de question.

(39) *Graal-fiction*
Quand Perceval le Gallois revient enfin au château du Graal, la bouche pleine de paroles, il ouvre une à une les portes, fermées depuis des siècles. Il guérit les Rois du Graal, les Rois Pêcheurs, les Rois Blessés. Il ouvre les portes de la dernière chambre. Dans l'obscurité, il reconnaît le Sphinx. Et le Sphinx lui dit : « Quelle est la réponse? – Non, dit Perceval, quelle est la question? »

69 *Quand ce qui se passe a eu lieu*

(40) Quand ce qui se passe a eu lieu, le rêve a lieu.

(41) Au début, je sortais de ce rêve, où s'annonçait en une double langue, comme en un immense palindrome où l'envers dit pareil dans un idiome différent de l'endroit, ce qui allait avoir lieu. Aussi le nom de cette chose de prose, dont le rêve m'avait donné l'image, et l'image seulement, est *le Grand Incendie de Londres*.

Une tradition, peut-être apocryphe (les « dernières paroles » sont un domaine de prédilection des apocryphes) veut qu'Alice Toklas, rendant visite à Gertrude Stein à l'Hôpital américain de Neuilly, juste avant l'opération dont elle ne devait pas se réveiller, se soit entendu demander : « *What is the answer?* » ; puis, après un silence : « *Then, what is the question?* »

Il est vrai que vivre nous présente les réponses longtemps avant les questions.

Le monde est devant nous, chargé de réponses, et nous restons muets. Dans la « lande » ou « chambre » du temps dévasté nous errons, non à la recherche des réponses, mais dans la quête des questions. Mais à la différence de Perceval le Gallois, si jamais nous les trouvons, il est trop tard pour restituer à la prospérité la « Terre Gaste », la « *Waste Land* » de nos vies. Je ne crois même pas que le nœud se tranche au moment dernier, celui de notre mort. L'énigme reste énigme, jusque dans les yeux troués du cadavre. Qui résoud les énigmes perd la lumière du jour. La vérité creuse les orbites du vivant.

Mon rêve était une question, muette, sur « *cela* qui avait eu lieu ». Pendant dix-neuf ans, *le Grand Incendie de Londres*, le Projet ont été « *cela* qui allait avoir lieu ». La question était sans cesse différée, et le but de la quête.

Pour ne pas refuser l'analogie implicite, disons que le récit, qui n'était que *nom*, parce qu'il n'était que nom, était le Graal de cette quête.

La question non posée, au début, la non-question du rêve, en lançant cette quête, lui donnait au même instant son nom.

Et les quatre images centrales qui s'y cachaient sont les « muances » de cet objet-nom, pour toute sa vie en moi, depuis son néant d'avant la nomination jusqu'au néant, final, de n'avoir été jamais qu'un nom.

70 *Projet de poésie*

(42) Par quelle ruse la décision, bien que entrelacée au projet, au roman, a échappé à leur destruction, je ne le dirai pas explicitement.

(43) La décision appartenait au style du ' rakki tai ' : odeur du figuier sombre ; le figuier qui disjoint les carreaux de la cuisine, à l'arrière de la maison.

(44) La décision autant que son envers imposent le ' style des démons ' : dans le rêve du *Grand Incendie de Londres*, avant effacement, ' cette maison ' ?

(45) Sur la vitre enfumée du pub ' *moor eeffoc* '   ombre, éloge inverse.

ombre qui serait le palindrome de la lumière. Regardant la lumière, dans le miroir, devenir ombre.

incendie   fumée
vague   écume

(46) Le projet, lui non plus, ne peut pas vraiment se dire.

(47) Premièrement, il a échoué.

(48) Deuxièmement, il ne devait pas, s'il était accompli, apparaître, sinon comme énigme.

(49) L'énigme aurait été chiffrée. Quelque chose, son ombre, aurait été déchiffrable, par la comparaison de tous les livres, de tous les poèmes, de tous les théorèmes bâtis, composés, déduits selon le projet,

ce qui aurait assuré à l'ensemble son impénétrabilité pragmatique, l'attention réclamée pour le déchiffrement étant proprement invraisemblable.

(50) Le *Projet* était un projet de poésie.

Je risque ici non un paradoxe, que je ne refuserais guère, mais une incohérence, une inconsistance, ce qui est plus grave : j'ai toujours eu comme de la haine, une haine de poète artisan de poésie, pour l'extension inconsidérée de la notion de ' poétique ' en des régions où je sens qu'elle n'a rien à faire.

La poésie est pour moi une activité formelle, tout autant qu'une forme de vie, et mon modèle est celui qu'ont inauguré pour nous les troubadours (et toute poésie de l'avant et de l'ailleurs n'est reconnaissable pour moi qu'à partir de ce modèle). Le recul philologique, qui utilise l'histoire du mot pour donner à ' poétique ' une signification très étendue, n'éclaire en rien, telle est ma position. La définition ' sémantique ' de la poésie qui reconnaît comme ' poétique ' le coucher du soleil me donne la nausée.

Que veut dire, alors, que le *Projet* dont je parle est un projet de poésie? Je ne dis pas seulement qu'il devait inclure de la poésie, et je ne dis pas qu'il devait parler sur la, s'occuper de, poésie. C'était *un projet de poésie.*

Même si je ne l'ai pas concrètement décrit, j'en ai assez dit pour qu'il apparaisse évident qu'il faut une extension considérable du sens du mot ' poésie ' pour que je puisse formuler une telle assertion.

Là encore, j'ai procédé par approximations successives. L'extension, puisqu'il devait y avoir extension (car dès que j'ai conçu le projet je l'ai conçu comme ' projet de poésie ', donc j'ai su que je devais étendre mon idée de poésie dans des limites très larges), serait une *extension formelle.* Tel en était le principe cardinal.

Ma première tentative s'est faite à l'intérieur du champ ordinaire de la poésie, et à l'intérieur même d'une forme poétique précise, le *sonnet.* Dans le livre de sonnets qui a occupé la meilleure partie des premières années du *Projet*, j'ai introduit délibérément des sonnets paradoxaux, comme des « sonnets en prose »; puis, plus paradoxalement encore parce que moins visiblement, des *non-sonnets.* Et cependant le livre était conçu comme composé d'événements sonnets; ce qui fait que les non-sonnets devenaient, dans ce livre, « sonnets », par contiguïté et décision, par « naturalisation » en quelque sorte, ils étaient annexés à la forme, participaient d'elle.

J'ai fait un pas de plus en un autre temps, dans un autre livre : *Autobiographie, chapitre dix* (1977). Là, j'ai confronté les poèmes à de la prose, des *moments de repos en prose.* Là, ce n'étaient pas des poèmes non-sonnets qui devenaient sonnets par un coup de force, mais déjà de la non-poésie, marquée explicitement comme telle (ce n'étaient pas des « poèmes en prose » qui subissaient le même sort, devenaient « poésie rompue », signifiant comme telle).

Reste qu'une énorme extension nouvelle était nécessaire si je devais faire entrer dans mon projet de la mathématique, par exemple, sous le titre ' poésie '. Pendant longtemps, pendant presque toute la « vie » du projet, j'ai su qu'il me fallait résoudre ce problème, mais je n'en approchais qu'en intention.

Et bien entendu je ne suis arrivé à une solution (car je suis arrivé à une solution), appuyée d'une imagination de la stratégie de ' contrainte de contraintes ', que peu avant le renoncement définitif au projet. Aussi la viabilité de la mise en œuvre de l'assertion (50) est-elle destinée à demeurer à jamais fantomatique, improuvable.

71 Un projet de mathématique

(51) Le *Projet* était un projet de mathématique.

La difficulté semble plus grande encore. Que de la poésie soit mathématique !

En réalité il n'y a guère de difficulté, et il n'est pas demandé à la poésie d'être mathématique. La mathématique, dans le projet, n'est pas le *tout*; seule la poésie l'est. La mathématique est subordonnée à la poésie.

Si donc de la mathématique devait être *partout* présente, elle ne l'était pas au même degré que la poésie. Dans le Projet, chaque instant, chaque partie devait être poésie (au sens formel général que j'ai évoqué, sans le dire, au paragraphe précédent); mais pas, en même temps, mathématique.

La mathématique était seconde, comme elle l'avait été, toujours, pour moi, dans la visée de mon existence. Le *Projet* enfermait cette hiérarchie.

Il n'en restait pas moins vrai qu'une difficulté pratique aussi énorme se présentait sur mon chemin : quelle mathématique pour le Projet? Et ce problème ne pouvait pas être résolu indépendamment et après la solution de celui de la définition de « poésie pour le projet » car, pour ne m'en tenir qu'à l'intervention des contraintes, les contraintes impliquaient le recours à une mathématisation.

Et il s'agissait bien de mathématique au sens contemporain de ce terme. Je ne me permettais pas (me conformant en cela à l'idée de subordination à la poésie, où mon intervention était désinvolte) la moindre extension de la notion.

L'exploration mathématique en vue du projet que j'ai menée parallèlement à celle de la poésie a passé par une série d'étapes dont je me contenterai maintenant d'énumérer quelques-unes (je n'entre dans ce chapitre dans aucun détail concret des opérations du projet) : groupes formels, groupes simples, changements de parenthèses n-aires, démonstration automatique de théorèmes, théorie des catégories, biographie des demoiselles adèle, idèle (leurs corps « de classe »). La solution, faite de mathématique à la fois pauvre (relativement) et sobre, liée au *nombre*, est venue aussi, est venue trop tard.

La voie de poésie et la voie mathématique convergeaient. Leur unité conflictuelle intrinsèque (dans et pour le Projet, j'entends ; je ne produis pas ici la moindre thèse sur l'essence et le rapport de ces deux formes) s'est coagulée dans un couple, le *double* de deux maximes. Maxime de la mémoire pour la poésie :

(M) La poésie est la mémoire de la langue

(j'écris ici *la* mémoire de la langue, à la différence de l'affirmation plus prudente de l'assertion (63), encore à venir (voir au § 73). Cela tient à la portée illimitée de « poésie » dans le contexte du projet, puisqu'il s'agit de « poésie pour le projet ». La formulation ultérieure est de portée plus générale, et sert d'axiome pour le *Projet* même, n'est pas intérieure au projet. La même remarque vaut pour la maxime de la mathématique).

Maxime du rythme pour la mathématique :

(R) La mathématique est le rythme du monde.

191

72 *L'illumination du « Projet », un instant*

Une nuit à Madrid, me penchant sur le puits de nuit chaude et odorante de la rue, d'où montaient les cris d'enfants, j'ai revu le rêve. L'illumination du *Projet*, un instant, s'est faite, accompagnée d'une forme nouvelle de la décision. A ce moment, les parties du *Projet*, jusque-là à la fois imaginaires et autonomes, s'enchaînèrent brusquement. Je voyais ce qu'il fallait faire.

Dans cette espèce de lueur intellectuelle générale qui m'avait envahi, en ouvrant le livre que j'avais emporté avec moi sur le balcon, un peu plus de huit années, intenses, de mathématique, autant, et dans une direction qui semblait *a priori* tout à fait indépendante, de poésie : l'exploration de deux traditions poétiques anciennes, archaïsme stratégique de poète dans la ruine de la modernité, une conversation dans l'Iowa, la découverte d'un lien, d'une convergence possible de tous ces chemins (le *Cancionero* de Baena, que je tenais entre mes mains, restituait ces circonstances à mon souvenir), tout cela se disposa ensemble, et je reconnus *quel* était mon *Projet*.

L'appartenance au projet de tout ce que j'avais accompli, appris ou pressenti dans ces directions multiples ne me surprenait pas outre mesure ; cela n'appartenait pas à la révélation dont j'étais saisi : être pour le *Projet*, après tout, avait toujours fait partie de leur intention. J'avais agi pour cela. Il m'importait beaucoup plus d'imaginer la suite.

La coagulation en schèmes précis du projet, à ce moment, rendait plus vraisemblable la seconde partie du plan (bien que rien de clair ne se soit révélé à moi en cette circonstance) : le roman. Car :

(52) En s'accomplissant, le *Projet* aurait entraîné *le Grand Incendie de Londres*. Si le *Projet* était possible, il était possible de raconter son accomplissement.

Tout à l'illumination du projet, en ces heures de nuit lumineuse (intérieurement), je ne voyais encore nullement comment l'architecture maintenant visible du *Projet* allait déterminer, par contrecoup, celle du récit. La possibilité seule m'importait, que la solution apportée au problème de l'organisation du projet rendait alors pour moi certaine. J'étais sûr du roman, parce que le projet était certain. Voir le projet, c'était déjà l'avoir accompli.

Or, la vision du projet avait des conséquences sur sa mise en marche. J'étais trop pénétré encore de mathématique bourbakiste (cette conception de la mathématique qui avait été la mienne dans mes années d'étude (j'étais déjà éloigné d'elle dans la pratique (mathématique))), de méthode axiomatique, telle que me la présentait l'ouvrage de ce monstre moderne, pour ne pas avoir cherché aussitôt à traduire ma vision du projet en un dispositif conçu analogiquement.

La première exigence serait une exigence de fondements. Ces fondements auraient une visée stratégique : ils mettraient en jeu les acteurs essentiels du *Projet*; ils poseraient des principes de forme, mais ne diraient rien de l'intérieur du projet. Leur visage, avant tout, serait celui d'axiomes. Le premier axiome serait cet « axiome zéro » :

(53) Le *Projet* serait un projet avec axiomes.

Comme le projet devait être projet de poésie, cela avait pour conséquence une extension de la désignation de poésie à des écrits « avec axiomes ». Le rôle des contraintes était ainsi déjà implicite dans l'assertion (53), si j'y avais pensé. J'avais pourtant déjà essayé la transposition en poésie de la méthode axiomatique, dans le livre de sonnets dont j'ai déjà parlé plusieurs fois. Je concevais sans peine l'extension à l'ensemble du projet. Mais il était plus simple de traiter axiomatiquement la forme sonnet qu'une forme poétique (celle du projet) que je devais inventer pour pouvoir la traiter de cette manière. Il s'agissait de « monter au ciel en tirant sur ses lacets de chaussures », comme on disait parfois de ces situations inconfortables où tout semble devoir être inventé en même temps, les théorèmes comme les hypothèses qui vont servir à les démontrer, dans les années soixante, en algèbre homologique.

Les axiomes que je posai n'avaient rien de formellement opératoire.

73 *Axiomes du « Projet »*

(54) Axiome (p I)   Rien dans le projet n'est présent.

(55) Axiome (p II)   Chaque chaînon dans la chaîne du projet a un sens.

(56) Axiome (p III)   Chaque couple enchaîné de chaînons dans la chaîne du projet a un sens.

(57) Axiome (p IV)   Chaque segment de la chaîne du projet a un sens.

(58) Axiome (p V)   Les « sens » impliqués par les axiomes (p III), (p II), (P IV) ne se réduisent à aucun d'entre eux.

(59) Axiome (p VI)   La mathématique est à un bout de la chaîne du projet.

(60) Axiome (p VII)   La poésie est partout dans le projet. La poésie est aussi à un bout de la chaîne du projet.

(61) Axiome (p VIII) Le projet contient une énigme. Cette énigme est l'énigme du projet.

(62) Axiome (p IX)   Il n'y a pas d'explication du projet, mais une narration et une description.

Les mots clefs de ces axiomes, tels que je les découvrais, dans l'illumination, comme indispensables à la construction du projet, étaient :

chaîne   mathématique   poésie   énigme   explication
(négativement)   narration   description

Les axiomes (pVII) et (pVIII) assuraient la prédominance de la poésie sur la mathématique. La poésie était en droit comme en fait aux commandes.
L'axiome (pIX) prévoyait la place du roman dans l'économie du projet. (Il en ferait partie.)
Il fallait un axiome stratégique d'ensemble, une direction unificatrice. Je le formulais plutôt comme un axiome extérieur (échappant donc à la numérotation précédente) :

(63) Tout le *Projet* serait sous la maxime de la mémoire.

(M') La poésie est mémoire de la langue.

Le Grand Incendie de Londres, alors, pourrait être « déduit ».
Cette déduction tiendrait compte des axiomes du projet (elle en ferait donc partie) et, en même temps, de ce que la triple injonction initiale du rêve de la décision et du projet (mais je ne voyais, alors, que leur juxtaposition) semblait dire : un roman dissimulé dans son titre.

(64) Le *Projet* devait être raconté.

Ceci (une partie de l'élucidation de l'existence du roman) distinguait le roman dans le projet, le séparait du projet même, privé d'explication (axiome (pVIII)), confiait le rôle de narration, sinon de description (axiome (pIX)), à ce quelque chose que le rêve avait nommé seul, et que après coup seulement je m'étais disposé à lier de manière intrinsèque au projet.
Le point par où *le Grand Incendie de Londres* se séparait du *Projet* de manière radicale ne pouvait être, cependant, ni la narration (l'acte de narration) ni la description (que de toute

façon il ne devait que très obliquement aborder). C'est du projet comme énigme que naissait, proprement, la « raison » du roman.

(65) *Le Grand Incendie de Londres*, fiction du *Projet*, aurait été l'affrontement à l'énigme.

C'est en ce point que se créait la distance de la *fiction* à la *narration*. L'énigme du projet, constitutive, rendait la fiction nécessaire, ne permettait pas qu'il n'y ait que le projet seul. Un *double* n'était pas évitable. Alors seulement il y aurait juste place pour le rêve, comme pour les quatre images irréductibles qui entouraient le titre du roman (§ 63).

74 *Chute de l'énigme*

(66) Le roman aurait raconté le *Projet*, mais avec mystère; puisque le projet contenait une énigme, le roman racontait le projet, donc son énigme; mais avec mystère.

Le roman racontait l'énigme que contenait le projet; cette énigme était l'énigme de ce qu'était le projet; c'était une espèce toute spéciale d'énigme : l'auto-énigme. La question du Sphinx-Projet n'était pas : « Qu'est-ce? », mais : « Que suis-je? » Les mystères du roman s'en trouvaient affectés; non dans leur narration, mais dans leur ' style '. Le roman raconterait ' avec mystère '.

(67) Ce serait un roman, malgré des apparences parfois contraires.

Le roman contiendrait des mystères, pendant qu'il serait raconté avec mystère. Ce n'est pas la même chose. Dans les apparences du mystère, il y aurait le mystère de sa forme. Le mystère de la forme aurait une relation de substance à l'énigme du *Projet*. Tout particulièrement à cet aspect de l'énigme qu'était la réflexivité : le *Projet*, en soi, énigmatique. Le mystère de la manifestation romanesque de l'énigme du projet prendrait la forme ostensive. Ce serait une « monstration ». La fiction passerait par les « muances » nécessaires de la narration et de la description. Le mystère de l'" avec mystère ' impliquait le chiffre et des « nombrements ».

(68) Le mystère du *Grand Incendie de Londres* proposerait un déchiffrement de l'image de l'énigme du *Projet*.
Cela supposait une certaine disposition de lieux, au moins autant que les modalités de l'enchaînement des récits.

Or, le mystère du roman, c'est-à-dire avant tout son ' avec mystère ', passerait, puisque « monstration », par une image. L'image de l'énigme du projet aurait son lieu, qui serait une « chambre » (l'envers d'un désert, d'une « lande »). (Et je vis enfin que la clé était photographique, « écriture de la lumière »; je le vis à la fin, trop tard.) Le roman nommerait et décrirait ce lieu : « L'appartement de Coxeter » (un lieu de mystères topologiques, combinatoires, algébriques; un lieu aussi de la fiction ' avec mystère ').

(69) L'énigme, dans le roman, chute en mystère.

Une hiérarchie (esthétique, éthique, mathématique (difficulté, complexité et profondeur)), entre énigme et mystère, est implicite dans la relation du projet au roman. Le roman, avant toute chose, est chute de la maison-énigme. Le lieu de l'énigme devient le lieu du récit (d'où sa topologie bizarre), le récit celui d'une chute. Il n'y a pas, directement, d'implication religieuse dans l'emploi de ce terme. Mais il y a une « *intimation of mortality* », of course. Une certaine modernité ténue, résiduelle, de la notion de roman intervient.
(Sans trop plonger dans une *digression* (bien que cet écrit soit de nature digressive, il y a une forme définie pour cela dans

mon ' économie ', l'*insertion*), je ne peux m'empêcher de me demander si cette situation est propre seulement au roman qu'aurait été « Le Grand Incendie de Londres ». Autrement dit, est-ce que tout roman est, par ailleurs (ailleurs que son récit), chute d'énigme en mystère? Je ne crois pas. Ce serait donner une définition trop restrictive du genre roman (ce n'est pas une forme, là est sans doute la raison de l'impossibilité d'affirmer cette maxime définitoire). Cependant il y a certainement toute une branche de la production romanesque qui est cela, et « Le Grand Incendie de Londres » se serait inscrit dans cette tradition. L'exemple le plus parfait qui vient à l'esprit est *la Coupe d'or* de Henry James. C'est pourquoi il figure dans l'énumération désolée de mon « Avertissement ». Les romans du Graal, en un sens, sont un autre exemple; là, la signification religieuse du mot « chute » ne doit pas être rejetée. Les mystères du Graal m'apparaissent tout à fait comme des reflets d'une énigme centrale, et, dans cette vision, la chute est liée à la faute originelle, et à certaines conséquences logiques de la faute (le paradoxe de la logique dans la filiation biblique). Ce « modèle » est le plus proche de ce que l'image de l'énigme dans le projet pouvait être.)

Dans ' le grand incendie de Londres ', la chute est ruine. Et il n'y a plus d'énigme. Il n'y a que sa mémoire.

75 *Roman*

(70) Un roman est la transformation d'une énigme en mystère.

Je dois nuancer cette assertion. *Un* roman, c'est certainement trop affirmer; *ce* roman plutôt. Ce roman comme fiction; comme dans le projet. Je proposerai d'abord plutôt la maxime suivante :

(ROM) Ce roman était la mise en fiction de la poésie.

Il y a d'autres fictions : rhétoriques, théoriques... Elles devaient être englobées. Dans la fiction proprement dite, il y a plusieurs « formats » : la nouvelle, le *cuento* (Borges, Cortazar...). Il y a des déplacements de forme : la fiction en sonnets (*l'Austria*, de Ferrante Caraffa, dans la Naples encore aragonaise de 1560). Elles devaient être également mises à contribution.

Dire « transformation » semble anodin quand l'assertion (69) disait « chute ». Mais en fait les deux affirmations ne se recouvrent pas exactement. Il s'agit ici d'un rapport formel, qui est proprement transformation, à travers l'image, de l'énigme inabordable directement du projet. A la fois chute en mystère et transformé, le roman, à partir de là, pourrait être défini :

Le *Grand Incendie de Londres* était la manifestation romanesque du *Projet*.

C'est dire que le projet était découverte de poésie; d'une variation nouvelle sur le sens de « poésie ». Accomplir le projet, c'était *trouver* la poésie. Le *Projet* était un *Trobar*; une version contemporaine et solipsiste du « trobar » des troubadours.

Plus généralement, la poésie étant entendue et étendue comme ce en quoi était fait le projet,

La poésie est énigme.

La poésie est énigme et le roman est chute de poésie.

(71) Le *Grand Incendie de Londres*, un roman; donc un mystère. *Ce* roman, donc *avec* mystère. La tonalité particulière de ce roman, le mystère.

Le mystère, en lequel le roman traduisait l'énigme, se manifestait par des enchaînements de mystères localisés, limités et narratifs; mais, en même temps, il devait être composé dans un 'style du mystère', résultant d'une composition, comme chimique, de plusieurs styles, dont le yūgen (voir chapitre 1). Il restait enfin, tout ce qui précède ne résultant que de la nature et de la forme du projet, et une fois la forme posée par ses axiomes, sa tâche propre attribuée au roman, il restait que ce que le rêve imposait, avant même le roman, était son titre.

> (72) Je devais pénétrer le mystère, après de longues recherches.

Les mystères sont tout sauf impénétrables (à la différence de l'énigme).

> (73) Le roman était *sous* son titre.

> (74) Le roman, qui est présent dans le rêve, y est nommé; y est parce que nommé; donc, en un sens, devrait être une prose infinie.

C'était là un élémentaire germe d'impossibilité propre, frappant le roman. D'être « sous » le titre signifiait que le roman était aussi la fiction du roman souligné impliqué par la nature du rapport entre roman et projet; donc aussi du même souligné deux fois; et ainsi de suite. Une prose potentiellement infinie en est la suite. Même si on écarte tout de suite l'idée d'un infini actuel, il reste une certaine dose d'impossibilité à supposer une prose « potentiellement infinie ». Du moins est-ce ainsi que cela m'apparaissait. En fait, il est possible de l'envisager, ce qui est une autre « découverte » trop tardive de cette histoire.

76 Axiomes du « Grand Incendie de Londres »

> (75) En échouant, le projet a entraîné l'échec du *Grand Incendie de Londres*. Le *Projet* était impossible; impossible par

conséquent de raconter son accomplissement. Mais le roman était voué à l'échec pour son propre compte, puisqu'il devait raconter quelque chose qui n'était pas dicible.

(76) *Le Grand Incendie de Londres* était un roman avec axiomes.

Ces axiomes sont beaucoup plus tardifs que les autres, ceux du projet (§ 73).

Il leur a fallu, pour apparaître, un autre moment d'illumination, six ans plus tard (1976), à Memphis cette fois, dans l'État du Missouri. Il a fallu la conjonction, une fois encore, de plusieurs leçons abstraites, venues comme les précédentes de régions en apparence peu compatibles entre elles de l'activité littéraire :

Les romans du Graal   L'écriture sous contraintes selon l'Oulipo   La prose de Gertrude Stein (« *How to write* », surtout)   (Et bien d'autres).

La distance dans le temps, considérable, entre les deux groupes d'axiomes, est une raison secondaire de l'échec.

La reconnaissance de l'échec n'était plus très éloignée (quatre ans).

Les axiomes Gil

(77) (Gil I) Un récit est ce qui remplit l'espace, blanc, entre deux paragraphes.

(78) (Gil II) Une contrainte est racontée par le récit qu'elle engendre.

(79) (Gil III) Si une contrainte, si de la mathématique est derrière cette contrainte, une conséquence mathématique non immédiate joue à son tour dans le récit.

(80) (Gil IV) Si une contrainte, si cette contrainte est cachée, une autre contrainte, la même peut-être, la raconte.

(81) (Gil V) A la mémoire tout est présent, tout est distant : c'est *l'axiome d'entrelacement*.

Les cinq « axiomes Gil » font intervenir, eux aussi, mais explicitement, de la mathématique. La mathématique du projet devait être définie pour les rendre opératoire. Les familiers de l'Oulipo reconnaîtront dans les axiomes (Gil II) à (Gil IV) des cas particuliers de quelques « principes parfois respectés dans les travaux oulipiens ». Ce n'est pas par hasard, étant donné le rôle essentiel des contraintes, donc en particulier des contraintes oulipiennes, dans l'économie du projet comme du roman.

La mathématique est sans doute moins directivement visible dans l'axiome (Gil V), l'axiome d'entrelacement. Sa présence est liée à la double maxime (M), (R) (maxime de la mémoire et maxime du rythme). La mathématique du rapport de la mémoire (au sens formel) et du rythme (au sens formel aussi) est une mathématique de l'*entrelacement* (elle ne touche pas directement à l'entrelacement lui-même, qui est une stratégie narrative, mais à sa traduction et chute en mathématique, la mathématique des *intrications*).

S'il avait satisfait aux axiomes Gil le roman aurait donc été comme un croisement de *Lancelot en prose* (le modèle médiéval d'une prose de l'entrelacement) et de roman oulipien. Son ambition était plus vaste encore, puisque la nature de ce qui était raconté, le projet, lui-même générateur d'énigme, l'exigence du style (le style ' avec mystère '), ajoutait à cette figure des comparaisons à la fois le traité théorique et le roman policier. Je préfère ne pas allonger exagérément ces références qui rendent plus évidente la mégalomanie désespérée qui régnait en moi quand j'échafaudais de tels plans. S'il y a eu chute, elle a d'abord été celle de mon retour à l'acceptation du principe de réalité dans le domaine intellectuel. Cette histoire est celle d'une longue folie. Pourquoi ne pas le taïre? Là est le mystère de ceci, ' le grand incendie de Londres '. Je sais ce que veut être ce livre, ce qu'il sera, une fois mené à son terme (et un achèvement est maintenant probable). Mais je ne sais pas vraiment pourquoi je l'ai entrepris, pourquoi je n'ai pas laissé dans le silence l'aveu de mes divagations.

77 Du heurt des contraintes

(82) Les récits s'élucident du heurt des contraintes.

Les mystères dans le récit (je ne parle pas là du style 'avec mystère') nécessitaient, je l'ai dit, un chiffre. Ce chiffre s'appuyait sur des nombres, et surtout sur une séquence très particulière de nombres, à signification numérologique, les « nombres de Queneau », qui est liée pour moi à ma rencontre avec l'Oulipo.

Dans la stratégie de composition du roman cette séquence devait organiser l'emploi des contraintes. Comme la séquence des contraintes (nommées par les nombres de la séquence modèle) était elle-même soumise à d'autres contraintes (situées à un « étage » supérieur dans une hiérarchie rythmique), (et « potentiellement », si le récit avait pu prendre, dans un réel, quelque ampleur, il y aurait eu d'autres tels étages, avec des contraintes particulières sur l'organisation « verticale » de leurs rapports). Quelle que soit la nature de deux contraintes opérant « en proximité » ou « en chevauchement » dans le récit, il y aurait eu heurt.

Je ne voulais pas interdire à des heurts de contraintes de se produire, au nom d'une recherche d'harmonie, de l' « âme du monde » de mon projet, étendant sa bienfaisante influence, son ombre infuse sur le roman : « Harmonie », me disais-je « après Tzara », « que ton nom soit banni du monde fiévreux que je visite. »

Et je voulais au contraire faire servir les heurts inévitables des pages sous contraintes à l'élucidation des mystères du roman.

Ainsi, tout le mystérieux du livre aurait été chiffré dans les fêlures du chiffre.

Il y a, dans ces heurts et fêlures, dans les failles de la contrainte, autre chose qu'une stratégie de narration. Car la chute de l'énigme se manifeste là. La chute de l'énigme en mystère, un des liens génétiques du projet au roman, se découvrait dans les images centrales de la fiction, transposition et dégradation de l'image même du projet. Or,

(83) L'image contredisait toujours la mémoire.

La prose de mémoire, conçue selon l'axiome d'entrelacement, avait ainsi sa difficulté propre : l'image surgie de l'énigme, chute de l'énigme à laquelle la prose s'affrontait, de contraintes et de chiffres, lui présentait un visage fermé, une opacité irréductible. Car une image n'est jamais passée. Elle demeure, jusqu'à effacement, *universellement présente.*

78 *Les branches silencieuses des chemins*

(84) Le mystère est le stère des portes sur les fourmis.

(85) Aux carrefours se présentent les branches silencieuses des chemins.

(86) La main écrirait, déchiffrant par le feu.

---

79 *Dualité*

(87) *Le Grand Incendie de Londres* se serait écrit dans la prose de la mémoire.

(88) La prose de la mémoire était duale de la poésie.

La prose de la mémoire devait être celle qui, dans la transformation de l'énigme du projet en mystère romanesque, traduisait la poésie du projet, mémoire de la langue. C'était donc, plus exactement, une prose de traduction de la mémoire. Son axiome essentiel était l'axiome d'entrelacement (Gil v). La prose de la mémoire devait être inharmonieuse, « poésie rompue », chute de la poésie. La poésie, celle du projet, était la mémoire de la langue pendant que la mathématique du projet était rythme du monde. Ce monde était le monde du projet. Or, poésie et mathématique se trouvaient, dans le projet, dans un rapport de dualité. C'est ce rapport qui trouvait son interprétation dans une dualité du rythme et de la mémoire.

Je me représentais le rythme comme combinatoire en mouvement séquentiel (mais dans une infinité de dimensions), irréversible (un mouvement en direction), d'événements différenciés, instants de gouttes-microcosmes d'insistance, de lourdeur variable, construisant leurs figures, les *formes rythmiques*, dans une reconstitution permanente de dispositions changeantes mais toujours se répétant.

La mémoire parcourait les mêmes lignes (dont les lignes noires avançantes du cahier sont comme une pauvre allégorie) en sens inverse, figure d'ombres, corythme (le préfixe de la dualité).

La poésie était énigme dans la mémoire.

Le roman était la chute de la poésie. La forme rompue de la poésie, la prose de récit, était ainsi prose de mémoire.

La dualité présente dans le projet, entre mémoire et rythme, se retrouvait inscrite dans le récit. La manifestation romanesque de la dualité avait sa propre figure :

(89) La poésie, tombée du *Projet*, était à la prose, dans *le Grand Incendie de Londres*, comme   *blancs, ponctuations, silences*.

La figure des blancs, des ponctuations, des silences apparaissait aux lieux du heurt des contraintes, comme la poésie de l'élucidation.

La mathématique, après la chute dans le roman, revenait aussi, mais « derrière le miroir » des contraintes, donc « du côté de la mémoire ».

La poésie, dans la chute, revenait, elle, « du côté du rythme ».

Ainsi, mathématique et poésie étaient encore présentes dans la prose, mais croisées.

La figure principale de la poésie dans la prose de la mémoire était le silence.

80 *Le silence de la mathématique jusqu'au fond de la langue virgule*

J'écrirais, me disais-je, le monde du *Projet* en langue mathématique. La mathématique serait mon repère galiléen.

Le récit donnant, de loin en loin, des nouvelles du passé du projet, à sa manière, la prose, la prose de la mémoire, le salmigondis, le *dit de Babel* (Babel monogatari) de la prose, le pluriel de dispersion des récits 'dans les dix styles', les contraintes, avec leurs accidents corpusculaires dans l'onde de l'encre noire, noircissante, aux lignes noires déchiffrant, défrichant par le feu, la main.

Le récit suscité par la chute de l'énigme, et son image, et son ombre.

Le récit formé, comme un corps diaphane l'est de lumière, lui, d'obscurité. Prenant son impulsion en ce lieu où se tenait la mémoire, où elle prenait demeure, 'dans cette maison', avec le figuier disjoignant les pierres de la cuisine.

La poésie, dans le roman, manquerait et marquerait. C'est par le manque qu'elle prendrait sa place, sa place rythmique, nécessitée par le croisement des rôles qui donnait, pour cause de chute, le rôle de mémoire à la prose.

La prose de la mémoire était prose de l'entrelacement, selon

les modèles des romans du Graal et les modalités des contraintes; versions ombreuses des intrications rythmiques :
- successions, sans repentirs ni retours, des gouttes d'événements, les pages.
- enchâssements, intercalation des nouveaux récits, mille et une nuits de la mémoire,
- empiétements, chevauchements simultanés à une fin. La fin d'une histoire sera le début d'une autre. Boucles; spirales;
- effacements et leurs doubles, les substitutions; récits abandonnés; récits venant « à la place » d'une phrase, d'une proposition, d'un mot, d'une lettre, du miroir d'une lettre. Récits rayés;
- et bien d'autres.

Si la poésie, dans le projet, était mémoire, elle s'écrivait en le rythme, par la mathématique, langue du monde du projet. La poésie dans le roman prenait le statut rythmique, mais la prose, en lui enlevant la mathématique des contraintes, la poussait vers un tout autre mode, celui de l'absence.

> (90) Le silence de la mathématique jusqu'au fond de la langue, poésie.

81 *Je suis, aujourd'hui, dans un autre silence*

Je suis, aujourd'hui, dans un autre silence, qui n'est ni celui de la mathématique ni la parole-silence de la poésie. Je suis dans la destruction.

Un certain effort de concentration continue m'amène ici, à la presque fin de cette « déduction » fantôme, glose et paraphrase d'une séquence, numérologiquement dessinée, ces *assertions*.

J'ai choisi une date pour une fin de ce moment : le 7 novembre; ce qui m'a obligé à quelques marches forcées de lignes et de réflexion.

Il y a une raison à ce choix, un *double* encore : le 7 novembre est le jour anniversaire de ma rencontre avec Alix Cléo Blanchette, qui devait devenir ma femme. Et le 7 novembre de l'année suivante, 1980, j'avais entrepris ce qui devait être ' le grand incendie de Londres ' dont la version actuelle constitue, en même temps qu'elle se bâtit elle-même, la destruction.

' Le grand incendie de Londres ', dans cette version détruite, devait être la destruction du roman dont il porte le nom, mais en citation en son titre ; il devait aussi détruire le *Projet*.

(Là n'est pas le but du ' grand incendie de Londres ' que vous lisez, donc vous n'avez là aucune clé pour déchiffrer la définition incomplète donnée au chapitre 1 ; je le précise pour éviter toute confusion, ainsi que le sentiment que vous pourriez avoir d'une révélation prématurée et subreptice de ce que j'ai annoncé ne pas vouloir dire avant la fin.)

Il s'agit donc maintenant d'une *double* destruction. Le présent de la prose rejoint la circonstance qui le désigne.

Il est clair en outre que la destruction n'était pas absente de la démarche initiale : la chute de l'énigme du projet était bien une démarche destructrice, un monde était mis à bas ; mais il s'agissait alors de bâtir à nouveau.

(91) Montrer en disant appartient à l'art de détruire.

(92) La destruction était ma Béatrice.

(93) ' Dans cette maison ', le silence ; et son nom : *l'appartement de Coxeter*.

Au début, j'ai écrit un poème pour le jeu du silence. Il naissait d'une cellule, la cellule d'une composition rythmique abstraite née d'une photographie :

(94) La lampe s'évapore dans le bas de rectangle gauche de miroir s'emplissent de lumière d'ailleurs de gris et de blanc d'une lumière le rectangle de miroir d'une lumière de gris et de blanc et le mur s'emplissent de la lampe d'une lumière *lentement*, et d'ailleurs.

208

(95) Lignes noires aujourd'hui, traces du *Grand Incendie de Londres* : au bord du papier calciné doux, avec la cendre des images, l'éloge inverse de l'ombre.

82 *Qu'est-ce qui est clair, aujourd'hui?*

(96) Qu'est-ce qui est clair, aujourd'hui? Ceci : en écrivant ' le grand incendie de Londres ', je mets fin au *Projet*. Le *Projet*, il est vrai, était impossible. Mais je ne l'ai annulé véritablement, et comme futur antérieur même, qu'en posant sur la page la première ligne du présent récit.

(97) Au pied du bâtiment du projet, qu'on se représente, les paysans ont construit de petites maisons, avec les débris. Il y a les arbres, des horizons, de petits bonshommes là posés. Les ruines : ' Le grand incendie de Londres ', entre '   '.

(98) ' Le grand incendie de Londres ' avait été commencé dans un état de biipsisme; maintenant et à défaut, son tombeau.

Une logique pour laquelle elle avait construit le sens, moi la syntaxe, les modèles, un calcul.

Le monde d'une seul, mais qui aurait été deux, un double : pas un solipsisme, un *biipsisme*.

Le nombre *un*, mais comme bougé dans le miroir, dans deux miroirs se faisant face : son palindrome, début d'une double langue, *nu*.

L'ordre dans le monde, mais avec deux commencements.

Différents, inséparables.

La distance n'aurait pas pu être morcelée par un regard intérieur; une mesure pour cette distance, mais qui n'aurait pas pu être prise sans fausser le système du *double*; son principe d'incertitude.

Dans ce monde, s'il avait pu être pensé, la pensée de l'autre, toujours, aurait été la pensée de l' « autre de deux ».

La pensée de l'extérieur, dans ce monde, le nôtre alors, aurait été celle de choses apparaissant à une conscience alternante, dont seules auraient existé réellement, ou plutôt de manière signifiante, les perceptions, utopiquement unies, à l'intérieur de l'île du deux.

Le Frigidaire, le four, les lumières faiblissantes, les cris et les bruits, enfants dans le square, sans hostilité, rumeurs, entre nous la table,   pensée,   de la cuisine.

Dans ce monde la double langue, palindrome de la pensée et du miroir, la même langue comprise doublement, et nous, toujours, traduisant,

Dans ce monde ses images;   mes mots. Le biipsisme
des images et de la langue.   Montrer, dire.

' Le grand incendie de Londres ' commence là. Au début non de son déroulement linéaire, mais de sa construction, la définition, posée ici inachevée (au prochain moment de prose, comme la dernière assertion, numérotée (99), dont l'achèvement actuel est indispensable à la poursuite).
Le chemin inverse des assertions ramène à son début.

83 *'Le grand incendie de Londres'*

(99) 'Le grand incendie de Londres' est...

Évaluation et répulsion palindromique des assertions

(99) 'Le grand incendie de Londres' est...

(98) 'Le grand incendie de Londres' voulait un biipsisme; maintenant, à défaut son tombeau.

(97) Au pied du bâtiment du *Projet*, qu'on se représente, les paysans ont construit de petites maisons, avec les débris. Il y a des arbres, des horizons, de petits bonshommes là posés. Les ruines : ' le grand incendie de Londres ', entre '   '.

(96) Qu'est-ce qui est clair, aujourd'hui? ceci : en écrivant ' le grand incendie de Londres ', je mets fin au *Projet*. Le *Projet*, sans doute, était impossible. Mais je ne l'ai annulé véritablement, et comme futur antérieur même, qu'en posant sur la page la première ligne du présent récit.

(95) Lignes noires aujourd'hui, traces du *Grand Incendie de Londres* : au bord du papier calciné doux, avec la cendre des images, l'éloge inverse de l'ombre.

(94) La lampe s'évapore dans le bas de rectangle gauche de miroir s'emplissent de lumière d'ailleurs de gris et de blanc d'une lumière le rectangle de miroir d'une lumière de gris et de blanc et le mur s'emplissent de la lampe d'une lumière *lentement*, et d'ailleurs.

(93) ' Dans cette maison ', le silence; et son nom : *l'appartement de Coxeter.*

(92) La destruction était ma Béatrice.

(91) Montrer en disant appartient à l'art de détruire.

(90) Le silence de la mathématique jusqu'au fond de la langue, poésie.

(89) La poésie dans le *Projet* était à la prose du *Grand Incendie de Londres* comme *blancs, ponctuations, silences.*

(88) La prose de la mémoire est duale de la poésie.

(87) *Le Grand Incendie de Londres* s'écrirait dans la prose de la mémoire.

(86) La main écrirait, déchiffrant par le feu.

(85) Aux carrefours se présentent les branches silencieuses des chemins.

(84) Le mystère est le stère des portes sur les fourmis.

(83) L'image contredit toujours la mémoire.

(82) Les récits s'élucident du heurt des contraintes.

(81) A la mémoire tout est présent, tout est distant : c'est l'*axiome d'entrelacement.*

(80) Si une contrainte, si cette contrainte est cachée, une autre contrainte, peut-être la même, raconte.

(79) Si une contrainte, si de la mathématique est derrière cette contrainte, une conséquence mathématique non immédiate joue à son tour dans le récit.

(78) Une contrainte est racontée dans le récit qu'elle suscite.

(77) Un récit est ce qui emplit l'espace, blanc abstrait, entre deux paragraphes.

(76) *Le Grand Incendie de Londres* aurait eu des axiomes.

(75) En échouant, le *Projet* a entraîné l'échec du *Grand Incendie de Londres.* Le *Projet* était impossible; impossible de raconter son accomplissement. Mais *le Grand Incendie de Londres* était voué à l'échec pour son propre compte, puisqu'il devait raconter quelque chose qui n'était pas dicible.

(74) *Le Grand Incendie de Londres* est dans le rêve; y est parce que nommé; donc, en un sens, devrait être une prose infinie.

(73) Le roman était *sous* son titre.

(72) Je devais pénétrer le mystère, après de longues recherches.

(71) *Le Grand Incendie de Londres* : un roman, donc un mystère. *Ce* roman, donc *avec* mystère.

(70) Un roman est la transformation d'une énigme en mystère.

(69) L'énigme, dans le roman, chute en mystère.

(68) Le mystère du *Grand Incendie de Londres* proposerait un déchiffrement d'une image de l'énigme du *Projet.* Cela supposerait une certaine disposition de lieux, au moins autant qu'un enchaînement de récits.

(67) Ce serait un roman malgré les apparences parfois contraires.

(66) Le roman aurait raconté le *Projet,* mais avec mystère; puisque le projet contenait une énigme, le roman racontait le projet, donc son énigme; mais avec mystère.

(65) *Le Grand Incendie de Londres*, fiction du *Projet*, aurait été affronté à son énigme.

(64) Le *Projet* devait être raconté.

(63) Le *Projet* était placé sous la maxime de la mémoire : (M') La poésie est mémoire de la langue.

(62) Les axiomes du *Projet* sont déductibles.

(61) Il n'y a pas d'explication du *Projet*, mais une narration et une description.

(60) Le *Projet* contient son énigme.

(59) La poésie est à un bout.

(58) La mathématique est à un bout.

(57) Chaque segment de la chaîne du projet a un sens.

(56) Chaque couple entraîné de chaînons de la chaîne du projet a un sens.

(55) Chaque chaînon de la chaîne a un sens.

(54) Rien dans le projet n'est présent.

(53) Il y avait des axiomes du *Projet*.

(52) En s'accomplissant, le *Projet* entraînerait *le Grand Incendie de Londres*. Si le projet était possible, il serait possible de raconter son accomplissement.

(51) Le *Projet* était un projet de mathématique.

(50) Le *Projet* était un projet de poésie.

(49) L'énigme aurait été chiffrée. Quelque chose, son ombre, aurait été chiffrable; par la comparaison de tous les livres, de tous les poèmes, de tous les théorèmes, échafaudés, composés, énoncés et déduits selon le *Projet*.

(48) Le projet ne devait pas, s'il était accompli, apparaître, sinon comme énigme.

(47) Le Projet ne peut pas se dire, parce qu'il a échoué.

(46) Le roman ne peut pas se dire, car il a échoué.

(45) Sur la vitre enfumée : ' *moor eeffoc* '. Ombre : éloge inverse.

(44) La décision autant que son envers supposent le ' style des démons ' : dans le rêve du *Grand Incendie de Londres*, ' cette maison '.

(43) La décision supposait le ' rakki tai ' : odeur du figuier sombre : le figuier qui disjoint les carreaux de la cuisine, à l'arrière de la maison.

(42) Par quelle ruse la décision, bien qu'enchevêtrée au Projet, au rêve, au roman, a échappé à leur destruction, je ne le dirai pas explicitement.

(41) Au début, je sortais de ce rêve, où s'annonçait une double langue, comme en un grand palindrome où l'envers dit pareil dans un idiome différent de l'endroit, ce qui allait avoir lieu. Aussi le nom de cette chose de prose, dont le rêve m'avait donné l'image, l'image seulement, est-il *le Grand Incendie de Londres*.

(40) Quand ce qui se passait a eu lieu, le rêve a eu lieu.

(39) *What is the question?   Then, what is the answer?*

(38) Ce que je dis : le rêve tient tout en germe ; détient du tout la vérité ; si bien que je ne peux pas lui poser de questions.

(37) Je ne dis pas : tout peut être reconstitué à partir du rêve. Le rêve n'est pas aussi puissant que la carte d'identité dans *l'Homme sans qualités*.

(36) Le rêve est énigme : tout y est, quoique sous déguisement. Tout : le roman, la décision, le projet.

(35) La troisième chose est dite : le *Projet*.

(34) La première de trois choses claires est le rêve. La deuxième, la décision, ne sera pas dite.

(33) Il faut, sous le Grand Incendie de Londres, sous son *titre*, une infinité de traits.

(32) *Le Grand Incendie de Londres*, depuis le rêve, est un nom. Il est donc aussi autre chose que lui-même. Son titre devrait être souligné.

(30) Parfois, en ces années, j'ai cru voir clairement comment, d'une image émergée du sommeil, avec le secours de la mathématique, faire naître une composition qui, par ailleurs, serait non l'image mais l'ombre d'une construction poétique, le *Projet*, dont le principe serait énigme, et la stratégie l'entrelacement ; énigme qu'à l'ombre du *Projet*, rampante, l'enchaînement dans *le Grand Incendie de Londres* de mystères narratifs manifesterait en lui donnant assez d'écart.

(29) Parfois, en ces années, j'ai revu le rêve.

(28) Quand j'ai rêvé le rêve, quand je me suis réveillé d'avoir rêvé ce rêve, m'en étant souvenu, et découvrant ce qu'il annonçait, le roman que j'allais écrire, j'ai aussi pensé que je ne l'oublierais pas ; il en a été ainsi : du moins c'est ce dont je me souviens ; et de cela seulement, puisque j'ai maintenant oublié le rêve.

(27) Car, dès que j'ai écrit le rêve, j'ai cessé de m'en souvenir.

(26) Odeur du figuier, sombre. Le figuier disjoint les carreaux de la cuisine, sur l'arrière de la maison.

(25) Sur la vitre du pub londonien, couverte de fumée : ' *moor eeffoc* '.

(24) Les flammes peintes, toits enlevés, dévorent la ville. Les flammes sont de grandes feuilles nerveuses, papiers froissés. Les vagues sont des feuilles de figuier troussées, montrant leurs dessous d'écume.

(23) Le rêve a produit non un roman mais un titre.

(22) L'accent de l'intérieur du rêve est le titre.

(21) Dans le rêve il y a un titre, qui est le nom d'un événement.

(20) La première fois que j'ai écrit le rêve, j'ai écrit ceci : ...en m'éveillant, *dans cette maison*, j'ai su que ce serait un roman...

(19) Ceci est clair dans le rêve : il y a cinq ans, essayant de commencer à écrire, j'ai écrit le rêve.

(18) Cela, certainement, intervient dans le choix du nom de cette chose de prose dont le rêve m'a donné l'image.

(17) Il y a deux langues, palindromiques; et je ne suis dans aucune, toujours : traduisant.

(16) Comme dans un palindrome ou nulle ligne n'est vrai miroir d'une autre.

(15) Au début, je sors du rêve, m'annonçant une double langue, comme un palindrome où l'envers dit pareil, mais différemment, que l'endroit.

(14) Le rêve est en ' style clair '.

(13) Le rêve est une chose claire; cela ne désigne pas son sens mais son style.

(12) Dans le rêve clair, obscurément, est né le projet de ce roman. J'ai su que je l'écrirais.

(11) Il est clair que, s'il y a trois choses claires, elles sont quatre. Celle-là, qu'il y a trois choses claires, reste obscure.

(10) Le rêve a précédé la décision. Après la décision le *Projet* a été conçu. *Alors, le Grand Incendie de Londres* est apparu comme devant être le roman dont le mystère serait le *Projet*.

(9) Je ne pourrai peut-être pas le dire. Le rêve, pourtant, est clair.

(8) Il y a trois choses claires, dont je n'ai pu parler clairement.

(7) Après le renoncement au projet, après l'abandon du roman, l'effacement du rêve me montre ces trois choses solidaires, me persuade de leur entrelacement.

(6) Pendant ces années, je n'ai pas remis en cause ma décision. J'ai vécu comme si le roman et le projet allaient être accomplis.

(5) Après le rêve, la mémoire s'interrompit, remplacée par l'algèbre, les contraintes, une règle de vie.

(4) Ayant rêvé le rêve, je vis distinctement ce qu'il fallait faire. Mais je n'ai jamais pu y parvenir.

(3) Il y a trois choses claires : le rêve, la décision et le projet. Ces trois choses s'entrelacent.

(2) Je vois ces trois choses clairement. Presque tout le reste est obscur.

(1) Il y a trois choses claires.

84 *Récit dans les dix styles*

Au fragment 252 d'un livre, *Autobiographie, chapitre dix*, j'écrivais ce qui suit :

Ainsi, à l'approche de la quarantaine, à cet âge où la vie devient aussi fragile que la rosée, je me suis construit, comme le chasseur qui se bâtit une cabane de branchages pour la nuit, comme le ver à soie vieillissant qui fabrique son cocon, un dernier abri pour mon corps. Si je compare cette demeure à celle qui était la mienne autrefois, c'est véritablement une toute petite bicoque. A mesure que ma vie décline, ma demeure se rétrécit.
Ma maison actuelle a trente et un pieds carrés de surface et six pieds de haut. Comme je n'ai plus besoin d'un domicile stable, sa base est simplement posée à même le sol. Ainsi pourrais-je facilement déménager ailleurs si quelque événement désagréable survenait. En ce moment je suis arrêté dans la garrigue, près de Villerouge-la-Crémade; j'ai construit au midi un auvent,

ajouté une petite terrasse de roseaux et à l'intérieur, contre le mur de l'ouest, j'ai mis dans une niche le portrait de *Kamō no Chomei*, que je déplace chaque jour un peu, de façon que son front s'éclaire aux rayons du soleil couchant. Au-dessus de la porte coulissante, j'ai installé une petite étagère où j'ai rangé trois livres de poésie, mes cahiers et un pot de basilic.

Dans le livre, la description de la retraite de l'ermite est protégée par deux autres fragments (des « pages » de cahier, les numéros 253 et 254) qui sont des « pages de silence », respectivement :

page de silence, prose

et

page de silence, poésie

Ermite, je me place sous l'autorité et l'exemple de Kamō no Chomei, l'ermite poète du treizième siècle japonais. La cabane contient son portrait et la description elle-même est transposée de celle de la propre cabane de Chomei, celle où il se retira, après le grand incendie de Kyōto.

Ce fragment est écrit dans un style particulier, le 'style' inventé par Chomei, qu'il appelle : ' vieilles paroles en des temps nouveaux '.

Car Chomei, comme d'autres poètes du Japon médiéval, a laissé sa liste de *styles*, et c'est celle que j'avais choisie pour guider mes pas dans la prose de roman.

Le choix de Chomei n'était pas indifférent. Il fut, avant sa grande décision stylistique (celle du retrait du monde), lié intimement à une étrange entreprise de poésie : secrétaire du « bureau de la poésie » de l'empereur Go-Toba il fut l'un des principaux compilateurs du *Shinkokinshū*, huitième Anthologie impériale, grand « poème de poèmes » où j'ai puisé l'une des « visions » les plus contraignantes de mon *Projet*.

C'est pourquoi, comme *le Grand Incendie de Londres* devait être *récit du Projet*, je décidai qu'il serait composé *récit dans les dix styles*, en son honneur.

Les dix styles

(I) Le *choku tai*, style des ' choses comme elles sont '.

(II) Rakki tai, le style ' pour maîtriser les démons '.

(III) Le ' *style de Kamō no Chomei* ' : les ' vieilles paroles en des temps nouveaux '.

(IV) Le *yūgen*, ' style des résonances crépusculaires '.

(V) Le *yoen*, ' style du charme éthéré '.

(VI) Le sentiment des choses, le ' *mono no aware* '.

(VII) *Sabi* : rouille; solitude.

(VIII) Le *ryohō tai*, ' style du double '.

(IX) *Ushin*, ' le sentiment profond '.

(X) *Koto shirarubeki yō*, ' cela devrait être ', ' muss es sein '.

J'ai déjà, au cours des précédents chapitres (et dans celui-là même), évoqué certains de ces styles, le yūgen, le rakki tai, le ' style du double ' (celui-là indirectement, par l'accent mis sur le ' double ' de photographies intitulé *Fès*, et ailleurs; par *double*, j'entends à la fois un objet de pensée, ou de prose, ou de poésie, ou d'images, mais aussi son ' style ', en ce sens; c'est un *double* dans le ' style du double '). Mon roman devait en faire un usage constant et il en demeure quelque chose dans ma présente tentative.

L'interprétation donnée à ces *styles*, transposés sans trop de précautions du Japon médiéval dans une chambre nocturne de faux ermite au vingtième siècle finissant, devait être, bien évidemment, une *invention*. J'ai bien essayé de me pénétrer de ce que je comprenais (dans les limites étroites de la poésie, laissant de côté la dimension religieuse) de ces styles. J'ai fait un effort particulier pour le style (VI), celui du *mono no aware*, rassemblant sous ce titre une recréation française de cent quarante-trois poèmes pris aux Anthologies impériales (ce livre contient aussi une section intitulée *sabi* (style (VII))); mais je sais bien que je n'en pénètre pas, loin de là, le sens originel (qui d'ailleurs semble assez difficile à saisir aujourd'hui au Japon même, si j'en juge par les divergences entre commentateurs. De plus, chaque poète semble avoir eu sa propre interprétation des styles, et même sa propre liste : celle de Chomei n'est pas celle de Teika...). C'est donc avec une désinvolture

218

assez grande que je m'étais approprié ce découpage très suggestif des manières d'aborder le réel écrit dans la prose (en poésie également, dans la poésie selon le projet).

A chaque branche du *Grand Incendie de Londres* devait correspondre non pas son style, mais plutôt une sorte de ' cocktail ' caractéristique de styles, constituant une figure stylistique complexe, gouvernée par contraintes. Je m'étais forgé dans ce but une vision de chacun des styles, à partir des exemples originaux que j'avais pu recueillir mais surtout, délaissant ce point de départ rapidement, à partir d'une méditation portant principalement sur leur *nom*. Libre de mes choix, je pouvais essayer l'invention d'une chose, en la ' déduisant ' presque entièrement de son nom (et de quelques éléments de ' description définie ', comme dans le cas, déjà évoqué, du yūgen). La totalité d'un monde de prose narrative se trouverait ainsi découpée en régions dominées par un style, ou une combinaison de styles, comme des couleurs.

85 *Énigme et mystère*

Le roman, s'il devait exister ' avec mystère ', ne le pourrait qu'à l'intérieur d'un style propre, que j'inventerais pour lui, le ' style avec mystère '. Ce style serait une certaine combinaison signifiante (signifiante du mystère bien sûr) des dix styles qui se partageraient le territoire du roman. Quelque chose de l'obscurité de l'énigme s'y lirait.

Ce n'est pourtant qu'en ayant renoncé au projet, et en écrivant sous la dictée de l'urgence, à la lueur évanouissante du rêve une fois noté, la séquence des assertions, que j'ai associé au double de l'énigme et du mystère la différence entre le roman et le projet. C'est une distinction, en quelque sorte, posthume.

Mais, en fait, j'en avais déjà, ailleurs, la possession. Dans mes recherches en vue du projet, j'avais essayé de comprendre les *enfances de la prose* française, le vaste monument entrelacé consacré au royaume arthurien. Or, on peut dire, *d'une certaine façon*, que ce roman multiple (et le mien lui aurait ressemblé en cela) tient son caractère mystérieux d'une énigme qui le précède et largement le suscite, qui est l'*énigme du Graal*, telle que nous la présente Chrétien de Troyes dans son *Perceval*. M'étant livré longuement, pour mon propre compte, à une élucidation de ces rapports (et de ceux qui lient le roman en prose à la théorie de l'amour des troubadours), je n'ai eu qu'à en abstraire les ingrédients utiles pour le projet.

Le mot mystère ainsi nommait la forme roman, où s'effectue la conversion d'une énigme en récit. Et en même temps son espèce, à l'intérieur du genre roman : roman avec mystère. Dans le Projet s'enfouissait l'énigme.

Axiomes de l'énigme et du mystère (axiomes EM)

(EM I)   L'énigme *est* le *Projet*.

(EM II)   Le mystère du *Grand Incendie de Londres* était la destruction de l'image du *Projet*.

(EM III) L'énigme, dans sa chute, assombrirait de mystère le roman.

(EM IV)   *Dans*, et *par* le roman.

(EM V)   Ce qui a lieu sans trace visible entre dans le mystère du récit de l'énigme.

(EM VI)   Chaque mystère approche l'énigme.

(EM VII) Le système des mystères a pour limite l'énigme.

(EM VIII) La table des contraintes constitue la grille de l'élucidation du mystère.

(EM IX)   L'énigme épuise les mystères.

(EM X)   L'énigme est hors réponse. L'énigme est hors question.

(EM XI)   A l'énigme il n'est pas de *dedans*.

Se soumettre aux axiomes EM revenait à adopter une attitude programmatique : par approximations successives de mystères, tendre, dans et par le roman, vers l'énigme.

L'énigme ne peut être atteinte ; pour deux raisons :

- parce qu'elle n'est pas atteignable, en définition, en tant qu'énigme;
- parce que les mystères sont inadéquats.

Les axiomes du mystère et l'intention de déchiffrement originaire du roman sont contradictoires. Mais l'effet de la contradiction demeure caché; à cause d'une tierce raison d'impossibilité qui annule la solution possible au paradoxe des deux autres, et qui est de fait : il faudrait, pour que le roman saisisse l'énigme, une infinité de mystères. L'inadéquation de chaque mystère pourrait recevoir son remède par l'infinité. L'énigme serait une limite (une métaphore mathématique me donnait l'image d'une « limite inductive »). Mais il faudrait alors un impossible, un roman infini.

Je raconterai ailleurs comment j'avais imaginé un processus permettant d'amadouer quelque peu cette impossibilité-là, par la simulation d'une infinité en prose.

En ce qui concerne le projet, l'énigme qu'il constituait en même temps *le* constituait, créant en lui une autre infinité, une infinité interne, comme les murs miroirs d'une chambre feraient d'un livre ouvert en son centre. Le Projet était un monde possible où le barbier de Russell se rasait lui-même enfin sans paradoxe, lui qui ne rase que ceux qui ne se rasent pas eux-mêmes, appliquant l'image du rasoir à la mousse image de sa réflexion, qui n'est pas lui, mais un simple contrefactum cohérent.

Seul le lecteur restait incohérent et paradoxal. Car l'écriture renversée sur le tain qui la renvoie avec la lumière troublée et légèrement infléchie d'imperfections semblait illisible; à moins d'inclure dans le monde du projet la langue du palindrome optique avec ses signes bizarrement orientaux; ou sa traduction, tel dans le Londres dickensien le message laissé par la prose sur la vitre du pub : *moor eeffoc*. Le son de '*moor*' est proche du palindrome sonore de '*room*'; mais il n'en est pas ainsi du '*ee*' de « *eeffoc* » (car j'entends ce '*ee*', comme dans le mot « *see* », et pas comme dans « *coffee* »); l'accent, naturellement, dans le miroir, s'est déplacé). Dans le projet, rien ne passait derrière le miroir. Tout restait intérieur.

221

86 Entrelacement. Élucidation

Hors le projet, dans la prose, l'entrelacement des mystères était la voie pour atteindre la limite, l'énigme, dans sa représentation, une image, l'image tenant du projet tout entier. Ce n'était pas bien sûr la voie pour atteindre ce résultat effectivement, puisqu'il était par nature inatteignable, et aussi par durée, mais plutôt la voie par laquelle le résultat m'échappait : l'entrelacement a la couleur de l'ironie.

La prose de la mémoire, cette « sparterie » (comme l'a écrit autrefois Ferdinand Lot dans son *Étude sur le « Lancelot en prose »*) tiendrait chacun de ses fils coprésents d'une manière absolue, par l'entrelacement, qui est nommé *entrebescar* par les troubadours.

J'entrelacerais l'obscur à la lumière dans la prose, 'pensif-pensant'.

De l'entrelacement à l'élucidation, le rapport était un rapport de silence et de lumière. La totalité du projet racontée dans le roman était maintenue obscure par l'entrelacement; elle ne disait rien. Mais en chaque partie, serrée par les contraintes, une lumière se laissait saisir, comme d'un « corps diaphane », lumière de réflexion, où les mystères pouvaient (virtuellement, au foyer des rayons) être dits. Cette dualité antagoniste avait pour traduction une maxime :

(EN EL) Entrelacement du tout, élucidation des parties.

L'illumination cependant n'aurait pas été telle qu'elle puisse dispenser d'un effort, d'une quête, à la lecture, de *signifiance*. Aussi l'élucidation aurait pu être, lisant, invisible au premier coup; partant, omise. Mais, découverte, elle pouvait avec autant de pertinence être oubliée. Enfin, et sinon, ni oubliée ni omise, il était loisible de ne pas en tenir compte.

Puisque l'élucidation naissait de l'entrelacement même, elle touchait au plus obscur : obscurité des distances, obscurité de ne pas dire, de ne pas avoir dit, obscurité de la mise en succession : réitérer, retarder, insister, imbriquer, enchâsser, empiéter, ponctuer, tracer, tels étaient ses moyens. L'intérieur de chaque moment de prose adhérait à sa frontière. Mais chaque fois, sortant des pages, des lignes, de l'encre même, l'élucidation était destinée à s'effacer rapidement : obscure de là où tout se mêle.

Dans l'échec général de mon entreprise, ce n'est pas tellement l'imperfection stratégique de mon recours au couple antinomique entrelacement-élucidation qui est en jeu. C'est que quelque chose me manquait, extérieur au projet, extérieur à la prose; quelque chose noir et clair à la fois, capable de donner l'impulsion première, et de la soutenir, de la faire renaître de moment à moment : si le roman, si le projet devaient être formes, et formes de vie par conséquent, une certaine résonance de la vie (la vie comme on l'entend) était indispensable : l'entrelacement, vital, et l'élucidation des moments du monde ont pour moi un nom, qui désigne une logique d'un univers vital possible, le *biipsisme* (§ 82).

La relation biipsiste est clairement de l'ordre de l'amour.

Son idée, la relation d'appartenance à un *double*, un signe si l'on veut, l'être-deux au monde, je l'avais empruntée aux troubadours, à la théorie de l'*amors* dans le « grand chant » des troubadours. « Empruntée » est le mot qui convient à un détournement aux fins propres de mon projet.

Je voulais vivre un projet de poésie, et sa fiction; et ils devaient répondre à l'idée d'une vie qui en serait entièrement saisie. Mais un état d'amour n'avait pas été durablement possible.

Et sans amour, sans l'amour ainsi pensé, homme approximatif, solitaire, je n'avais pas la moindre chance.

87 *Stratégie du montrer*

A Memphis, l'été de 1976, celui du deux-centième anniversaire des États-Unis d'Amérique, j'étais parvenu, presque au bout d'une marche longue de mille miles, à l'Holliday Inn d'où Martin Luther King fut persuadé de partir pour rejoindre le motel où son assassin le trouva avec plus de commodité au bout de son fusil à lunettes.

Le Mississippi était là, à quelques mètres seulement. Le soir, je me suis assis pour le regarder couler, bien grandi depuis sa naissance, presque deux mois auparavant sous mes yeux, à Grand Rapids, Minnesota. Il faut suivre les fleuves comme des vies, pour les comprendre.

C'était une des dernières *stations* de mon chemin, avant le saut vers le delta, Baton Rouge, Thibodeaux, et la Nouvelle-Orléans. J'étais venu, une nouvelle fois, mettre un *moment* de la marche, un moment du fleuve, en une page, quelques lignes d'un journal de voyage, accompagnant-accompagnées d'autres lignes, inégales, un poème, comme tous les soirs : germes d'un futur Mississippi Haibun, à l'imitation des « journaux de voyage » de Bashō.

Un peu plus bas, sur la rive terreuse, nue, lourde, assez en pente, un vieux gentleman de cette variété de l'espèce humaine qu'on dit « noire », à cheveux blancs, s'était assis sous son chapeau, un petit garçon de sept ans, son petit-fils, immobile et intense à côté de lui. Il pêchait. L'eau était vaste et déserte, la lumière insistante, presque épaisse. Je regardais le vieil homme sortir de l'eau un *catfish* (poisson-chat). Il m'expliqua que ça se mangeait avec du riz (il me prenait pour un Canadien, comme d'habitude, à cause de mon accent anglais). Je ne trouvai pas cela invraisemblable.

Mais sur cette berge un peu indistincte, mordue d'eau boueuse, paresseuse, mâchonnante, devant cette étendue du fleuve en train d'engloutir la lumière épaisse du soir, je me sentis, à la vue de ce poisson ou plutôt dès qu'il me fut nommé, transporté à une grande distance en imagination. Cette distance était plus que géographique : le fleuve était devenu soudain la Volga, telle que je me la représente à travers mes souvenirs de *l'Enfance de Gorki*, de Donskoï; et le poisson était un *silure*.

Je sais qu'il n'y a rien de plus incertain que l'onomastique des poissons et je ne suis pas le moins du monde persuadé de l'équivalence réelle d'un *catfish* de 1976 au bord du Mississippi avec un *silure* 1900 de la Volga (j'ignore d'ailleurs le nom russe autant que celui des naturalistes), qui était lui un *silure* de roman. Elle n'en apparut pas moins dans ma tête, inévitablement saisie par l'attrait de l'eau infinie, par la tranquillité engourdie où je me trouvais après mes heures quotidiennes de marche, suivies d'autres heures de torpeur télévisée dans la chambre, une pièce à température basse plutôt qu'une chambre fraîche (car seules les maisons méditerranéennes, l'été, ont des chambres fraîches, dans le territoire peuplé de cruches et gargoulettes de ma langue), de l'Holliday Inn, et par la surimposition immédiate sous mon crâne du mot *silure* sur le mot *catfish*. Et de là, par un chemin de pensée plusieurs fois frayé non vers Stalingrad, qui est dans un coude de la Volga, ce que l'association lexicale (le ridicule khrouchtchévien « volgograd ») la plus évidente aurait pu amener, mais vers une image, retenue de la lecture ancienne d'un roman, le *Klim Samguine* de Gorki : le fleuve gelé, un trou dans la glace où vient battre le visage d'une eau sombre, presque violette, et la question (qui est répétée à plusieurs endroits du récit) : « Est-ce qu'il y avait un petit garçon ? »

Il se trouve que le même soir je découvris et écrivis les axiomes du *Grand Incendie de Londres*, qui furent un prolongement réfléchi de la masse de pensées déclenchées par ma rêverie de fleuves et de poissons; ce faisant, et heureusement pour mon propos actuel, j'ai aussi noté l'enchaînement initial d'images que je viens de dire, et ses circonstances.

Plus tard, relisant et repensant à ce qui devait servir au « haibun », à ces stations de poèmes-moments éclairés de prose dont je le composerais (j'étais parti marcher le long du Mississippi dans ce but, mais ce livre, je ne l'ai pas, lui non plus, achevé), il m'a semblé qu'il y avait là autre chose que le simple déclic d'une batterie d'assertions destinées à diriger la composition, que, au bout d'une succession de pensées oubliées, et après rumination, je m'étais inventées pour justifier une prose destinée à ne pas être (le Journal avec poèmes), mais un modèle des rapports entre mystère et énigme, tels qu'ils devaient être mis en lumière dans le roman et le projet (respectivement et distinctement). Ce que j'identifiai à une *stratégie du montrer*. (Je la retrouve, elle aussi, dans le roman médiéval.)

montrer

(MN I)   Cela devra se voir.
(MN II)   Cela se verra si je le montre. Je ne peux pas montrer en disant.
(MN III) Montrer efface.
(MN IV)   Disant, je montrerais *presque*.
(MN V)   Il faut, disait Goethe, rester obscur à soi-même.
(MN VI)   Odeur du figuier sombre. Si le figuier disjoint les carreaux de la cuisine, sur l'arrière de la maison, où?
(MN VII) Montrer comment la décision rejetait dans l'obscur, qu'en même temps le rêve offrait à une autre lumière, romanesque, oblique, après mystère, avec mystère, tout ce qui se note implicitement dans l'emploi de la fonction *successeur* (les traits sous le titre du roman).
(MN VIII) Montrer par addition d'objets inaccessibles.
(MN IX)   Mais il n'y a vraiment qu'un axiome :

cela voit.

88 *Finir. Partir*

Je m'éveille, encore. Devant chaque moment de ce livre je me vois, toujours, m'éveillant. Je m'éveille et je pense, ce matin, deux choses :

- premièrement, je suis arrivé au bout réel de cette région aride de mon récit, cette « *Waste Land* » de déductions à partir du rêve, de la décision, du Projet. Il est temps de finir.
- deuxièmement, je vais quitter ce lieu. Ici, je ne vis pas, je suis dans le temps suspendu.

(J'ai déjà écrit cela, « je vais quitter ce lieu », il y a une vingtaine de « moments », mais ce n'était alors qu'un performatif exhortatoire, annonçant un acte encore futur. Ce matin je ressens une exigence, impérative, d'en finir; d'en finir au présent; c'est-à-dire : chercher où j'irai en quittant ce lieu.)

Peut-être le premièrement, la fin visible et certaine de ce chapitre (il ne me reste plus, dans la partie « récit », que le chapitre 6, dont j'ai déjà l'idée, et la dimension (numérologiquement obligatoire), et le titre, ce qui n'est pas peu), force immédiatement le deuxièmement ou, si l'on veut, le force négativement : je ne pouvais pas partir sans terminer ce chapitre; parce que je ne pouvais pas le terminer une fois parti.

En fait je n'achève pas seulement ce chapitre. Je termine aussi la mise au net (la version tapuscrite) de mon livre *Quelque chose noir*, commencé au printemps presque en même temps que ' le grand incendie de Londres '. J'ai tenu compte des observations qui m'ont été faites après lecture (Claude Roy, Florence, Paul Fournel, M.), décidé de l'état provisoirement définitif du texte, celui que je vais remettre au comité de lecture de Gallimard en vue de publication. Il s'ensuivra un long moment d'incertitude et je ne pourrais pas continuer la prose dans ces conditions.

Mais il y a sans doute plus que de telles considérations pratiques en jeu : si aujourd'hui seulement je peux m'envisager réellement dormant et respirant ailleurs qu'ici, c'est bien parce que le rêve, la décision, le projet sont dits, que je n'ai plus à y revenir. Il y a cinq ans, je commençais à les dire. Les lignes noires détruites, le temps brûlé, noir, silencieux et vide de mon deuil dans cet endroit où rien n'a bougé depuis trente-trois mois m'attachent, me lient, annulent tout mouvement. Dans ce chapitre, à la différence des autres, je me suis heurté directement à elles, aux débris, ruines de ce que j'avais écrit au cours

227

de ces autres matins nocturnes, vivants. Là est la force négative de cet écrit sur mon existence : je ne *pouvais* pas partir sans en venir où je suis maintenant.

Je m'éveille et je vois, pour la première fois, que bientôt je ne m'éveillerai plus ici, que le décor paralytique de mes nuits va changer, qu'il n'en restera rien. Il n'en restera rien parce que je le verrai. J'ai une solution, une solution de vie, au problème de mon départ, qui est de ne pas désassembler l'ordre de ces choses qui m'entourent, où j'étais et ne suis plus qu'en immobilité de souvenirs, sans m'assurer de ce qu'elles seront *après*, afin de ne pas emporter le lieu avec moi, où j'irai. Les images photographiques que j'en garde, et les images de mémoire, qui ne s'effaceront sans doute pas si j'abandonne le lieu sans d'aucune manière pouvoir connaître ce qu'il deviendra, ces images prendront une force hallucinatoire, comme si elles rendaient compte d'une présence réelle, dont je me serai exilé, n'étant plus désormais nulle part. Heureusement, cela ne se passera pas ainsi.

C'est pourquoi si je me dis « je vais quitter ce lieu », il s'agit d'un vrai départ. Je vais quitter le lieu, et le chapitre que j'achève, sur une vraie fin. Je ne vais ni le récrire ni l'annuler. Ce qui veut dire que ce matin se trouve aussi répondu à la question suspensive qui m'accompagne depuis le début : *ceci* sera achevé. A cet instant, je rejette déjà dans un passé narratif propre le présent de la composition qui m'a imposé jusqu'ici son allure, comme une pluie incessante de bruits, de gestes, de pensées. Cela veut dire aussi que en ce qui concerne la prose qui se prolonge dans ces lignes, je ne suis plus déjà dans ma chambre au 51 de la rue des Francs-Bourgeois. Le présent des voitures que j'entends passer, rares à cette heure (il est cinq heures), deux étages plus bas, dans la rue, au carrefour, est devenu implausible.

Il y a à cela un corollaire : le dernier chapitre de mon « récit » ne peut pas être écrit ici.

Mais j'avais déjà prévu de l'écrire ailleurs.

89 *Jour*

Ce sera le seul *moment* écrit au jour; dans la tranquillité du jour de novembre, un peu ensoleillé, un peu froid, un peu nuageux. Le papier où avancent les lignes noires semble plus pâle, les lignes plus noires, la lumière inhabituelle. Une sorte de silence du cœur, de tranquillité pâle me guide. Ni le désespoir, ni l'indifférence, ni le sentiment de l'infortune n'ont disparu, mais existent dans des régions moyennes, sans couleurs, sans violences, plates. Je vois les dernières feuilles brunes sur les arbres du square, les nuages venus de l'ouest qui pénètrent, par le golfe de toits, entre la rue et l'église des Blancs-Manteaux. Ils ont la couleur, les formes vagues, l'imprécision de leurs prédécesseurs, des centaines de jours dans le même estuaire de maisons, jetant du gris, ou de la pluie, de la lumière parsemée de bleu. Pendant des mois, ils étaient signes du *rien*, je les regardais avec haine, je les renvoyais en larmes, je leur commandais d'arrêter. Aujourd'hui, c'est eux qui ne sont rien. Bientôt, je n'aurai plus l'obligation de les voir. Je comble une page : de silence.

chapitre 6

« *Nothing doing in London* »

90 *Écrit en 1984*

La partie féminine du couple de touristes plus que japonais
assis à côté de moi au petit déjeuner m'a dit avec quelques
hésitations et un sourire : « *It - - - - - - - - - - rains.* » C'est vrai.
Ce n'est pas moi qui m'en plaindrai. Il pleut on ne peut plus
naturellement sur Londres. Les tables de *breakfast* dans le
basement du Crescent Hotel sont propres mais étroites. Les
dames du lieu et la serveuse en minijupe antédiluvienne sur
grosses cuisses à chair de poule rose ne laissent pas une
assiette en place une minute de trop. J'ai droit comme tout le
monde à un verre *d'orange juice, tea, two slices of bacon, one
egg (fried), baked beans, four slices of toast, butter and jam
(orange marmalade)*. Je bois deux tasses de thé avec un nuage
de lait, repousse ma chaise perpendiculairement et pondéré-
ment par rapport à la table (mais sans atteindre le dos de la
chaise située derrière moi) et murmure perspicacement à
l'intention du couple japonais : « *Rain today, I'm afraid!* »
Mon ton reflète un contentement certain, comme si j'étais
propriétaire du temps londonien qui, d'une sécheresse excessive, risquerait de décevoir ses admirateurs. Une « party » de
six Italiennes descend l'escalier étroit (le petit déjeuner dans
ce *basement* s'achève comme dans quelques milliers d'hôtels
ou de « Bed and breakfast » au même moment). Je les croise
en montant et dit « *Good morning* » à chacune d'elles. Elles
ne font aucune attention. Je n'en suis pas déçu, je n'ai fait
que mon devoir. Je pars pour le British Museum (pour la

British Library, plus exactement, que le British Museum abrite).

Si on me demandait ce que je suis venu faire ici la première semaine d'août de l'an 1984, seul, je ne saurais trop quoi répondre. Je pense, j'espère ici passer plutôt inaperçu : je ne suis guère « *conspicuous* » dans ces rues mouillées avec ma taille, ma casquette et mon Burberrys', surtout quand, comme aujourd'hui, il pleut. Je ne connais personne et je dispose devant moi des heures les plus vacantes, parenthèses et paisibles dont on puisse rêver.

J'atteins la British Library en un quart d'heure, par Herbrand Street, Russell Square et Montague Place (un itinéraire pour logiciens), ma serviette noire sous le bras, le long des rues où passent lentement les longs museaux noirs des taxis. Le Crescent Hotel, d'une centralité convenable, est dans un *crescent*; les Cartwright Gardens, et toutes les maisons de ce demi-cercle (ou ovale doux) sont des hôtels ou des « pensions » : Mentone, Avonmore, Jenkins...; sauf une, qui abrite le staff de la Westminster Bank. Ce sont sans doute ces honorables banquiers qui jouent au tennis sous ma fenêtre dans le soir où je m'endors sans aucune peine ni aide (Londres m'endort doucement) sur le lit étroit d'une chambre étroite et immense de plafond.

Montague Place, que j'emprunte juste avant de tourner à droite vers l'entrée du British Museum, est également une rue d'hôtels et de pensions mais du côté droit il y a aussi des appartements avec des *basements* : des demi-étages sous le niveau de la rue, avec des pots de géranium aux fenêtres, des rideaux de couleur ou bien des plaques « professionnelles ». J'aime particulièrement revoir, à chaque voyage, cette recommandation affichée au fond d'une de ces fosses : « *Do not feed the architects!* »

Il pleut doucement, avec gentillesse, avec une oisiveté tenace. Des accès de pluie brève, coupée de ciel bleu tendre, comme on lâche des poignées d'eau depuis le ciel, à la volée.

Avant Montague Place, je traverse en diagonale Russell Square. Si je suis en avance et s'il ne pleut pas, je m'assieds un moment sur un de ces bancs personnalisés, offerts par quelque vieux colonel en retraite ainsi immortalisé, et je lis le *Times* : les notices nécrologiques, les nouvelles de la Cour (« *Court Circular* »), les taux de pollinisation dans les îles Britanniques... Comme toujours, j'arrive devant la porte de la bibliothèque longtemps avant l'heure. Quelques vieux gentlemen-lecteurs me regardent avec une méfiance courtoise ; ils craignent que, plus ingambe qu'eux, je ne parvienne à m'approprier la place qu'ils convoitent et à laquelle ils sont habitués depuis des années. C'est mal me connaître. Je continue la lecture du *Times*, je prends connaissance des températures dans les principales villes du monde, du résultat des ouvertures de testaments de la veille. Sur un signe du chef gardien, les portes s'ouvrent et je me dirige vers ma place habituelle, la même de voyage en voyage : R14 (R pour mon nom, Roubaud, et 14 en l'honneur de la forme sonnet, qui comporte généralement (généralement seulement) quatorze vers).

91 *Londres n'est pas qu'un lieu irréel*

Londres n'est pas que ce lieu, irréel, cette ville déplacée, ces limbes d'une prose ; ou si irréel, imaginaire, pas seulement de cette façon. C'est aussi une ville où je vais souvent, où j'ai de temps en temps besoin d'être. Je n'y ai aucune attache, je n'y connais personne. Et pourtant, tous les deux, trois mois, depuis des années, je prends l'avion, ou le train, et j'arrive ; à Heathrow, Charing Cross, ou Victoria.

Cette attraction irrésistible, cette habitude compulsive n'ont pas cessé avec le deuil. Alix vivante, Londres n'était pour nous que passage, nous allions à Cambridge, la ville de notre mariage, la ville de Wittgenstein et de Bertrand Russell. A Londres, les souvenirs ne sont pas pour moi omniprésents. C'est une ville que je n'ai jamais encore longuement partagée, elle m'appartient en propre, de la manière la plus gratuite, la plus désintéressée qui soit.

Dès le mois de juin 1983, il y a deux ans, alors que depuis des mois je ne sortais pas, ne voyais ni n'entendais rien que la machine des jours et nuits tournant à vide, j'y suis revenu. J'ai renoué avec l'habitude ancienne de ces séjours sans but (sinon l'achat de quelques livres), sans prétextes de musiques, de théâtres ou d'expositions; dont la fréquence n'est limitée que par l'emploi du temps (ma vie professionnelle) et l'argent (comme je ne connais personne, je vais à l'hôtel, qui, même modeste, est coûteux), (sans parler du coût des livres).

Je viens là, et j'y viens, en quelque sorte, pour rien. Avant toute description de mon usage de Londres, c'est cela qu'il me faut dire, ce vide tranquille, cette vacuité. Je dispose du temps entier, du lieu entier, nul ne me parle qu'au hasard, nul n'a rien à me demander, à me dire. Je suis dans une solitude volontaire, provisoire, absolue, absolument sans angoisse. Je passe des heures insipides, pas heureuses mais entièrement non malheureuses, des heures de couleur vague, tiède, *ternes* (le mot anglais qui convient est « *drab* »; je suis à l'apogée, dans la sublimité de la *drabness*).

Je dors. Je ne me réveille pas face au néant de trois heures. Je me réveille (tôt toujours, à Londres comme ailleurs) dans un lit généralement étroit, pas très confortable, j'allume une plutôt mauvaise lumière de chambre d'hôtel économe, et je lis. Je lis en anglais.

Tout le jour, toutes les soirées, je lis et j'entends de l'anglais. Dans mon état de « suspension indéfinie » non du jugement, mais des émotions, j'entends autour de moi, j'entends, en lisant, dans ma tête, un murmure continu de voix anglaises, ces voix modérées généralement en volume, en intensité, en intonation. Je les entends et peux à volonté comprendre ou ne pas comprendre, elles ne s'imposent pas à moi avec l'agressivité rarement oubliable de la rue parisienne, des cafés, ou des métros. Les voix anglaises font une averse douce sur mes oreilles. La nuit, le silence est sans abîmes.

Je viens, sans doute, entendre ici de l'anglais, la langue anglaise, ma pseudo-langue maternelle (comme le provençal est ma pseudo-langue paternelle) que mon enfance dans la guerre m'a appris à connaître comme la langue de la liberté (toutes les variations, aberrations et ironies de l'histoire de ce siècle ne m'ont jamais enlevé cette conviction enfantine), (les USA, par contraste, ne me semblent absolument pas « anglais »; et l' « *american english* » n'est pas une langue qui m'émeut).

Pour l'approche de Londres, je préfère la lenteur du train, les compartiments inconfortables du train paresseux depuis Douvres, toujours en retard, les noms de gares inaudibles, l'interminable avancée dans les grandes banlieues sans lignes, indécises, interchangeables. Je suis parti par le premier train du matin, j'ai traversé la Manche en glissant sur un coussin d'air, au sommet d'une grosse bouée soufflée à travers l'écume, je suis sorti par la sortie « verte » des « *customs* », je suis monté dans l'un quelconque de ces trains qui se présentent au hasard, et maintenant je franchis Waterloo Bridge. Dans ma poche, je vérifie une poignée de pièces anglaises pour l'autobus, ou le métro.

Il pleut. Je mets mon imperméable et ma casquette.

92 *British Library*

Venir à Londres seul, m'isoler dans Londres, et, dès que j'y suis parvenu, m'isoler dans un lieu clos de Londres, un lieu de livre, la British Library, voilà un des paradoxes de mon existence. Je n'en perçois pas la raison, je ne peux que le constater. Sans doute suis-je ici en accord parfait avec la destination première de l'endroit : je suis un de ces amateurs, curieux, désintéressés, désirant seulement lire, que les pères fondateurs voulaient accueillir et qui exaspèrent de plus en plus les conservateurs modernes et les gouvernements. Je sens que la gratuité absolue de ma présence est une offense constante aux idéaux de rentabilité, et je n'en suis pas mécontent. Un tel plaisir, tout indirect et abstrait, n'est cependant aucunement une raison suffisante.

Je pose mon Burberrys' et ma casquette (oxonienne) sur le dossier de mon fauteuil. Je prends possession de la place qui, à la différence très explicite des places de lecteurs dans les bibliothèques françaises (que je fréquente aussi beaucoup, j'ai une passion universelle pour les bibliothèques publiques), est une place *privée* (car je n'ai aucun visage en face de moi; en me tournant légèrement je peux ignorer mon voisinage de gauche (s'il en est un ou une)); la place R14 est en bordure d'allée, je n'ai personne à ma droite. Dès que je suis assis avec une poignée de bulletins de demandes de livres, je suis dans mon domaine, mon royaume, mon silence, mon île.

Les voix anglaises, ici, sont particulièrement apaisantes, sans heurts ni éclats. Par rapport au murmure londonien moyen, leur volume est d'un degré en dessous encore. Je peux m'absorber entièrement dans le spacieux espace bibliothécaire, chargé du bourdonnement implicite à mes oreilles de la quasi-infinité potentielle des livres confortablement imaginables à ma disposition dans leurs magasins. La haute forme arrondie de la salle de lecture, sa couleur bienveillante (proche de celle que l'on dit favorable à la ponte dans les poulaillers) ont indiscutablement un effet tellement apaisant qu'il en devient souvent soporifique sur bon nombre de ses habitants momentanés (même jeunes!), mais je m'y sens moi-même plutôt éveillé, vif, presque allègre.

Certes, la presque totale absence d'intentionnalité de mes lectures et recherches contribue sans aucun doute à ma bonne humeur et équanimité. Il n'est pas, en effet, facile d'obtenir ici (à la différence de la BN parisienne) des renseignements de nature un peu complexe. L'évasivité courtoise des bibliothécaires qu'il m'arrive parfois d'interroger, leurs disparitions rapides et sans remède après une absence de réponse précise, avec au mieux un geste vague dans une direction quelconque offrant à ma soif de renseignements un introuvable livre de référence bibliographique, font mon admiration. Il est vrai aussi que de plus en plus de livres y sont inaccessibles, surtout parmi les plus récents, ou envoyés dans des purgatoires lointains dont ils ne peuvent être rapatriés sur demande qu'avec des délais qui excèdent mes réserves de patience, ou la durée de mes séjours. Mais je renonce vite, n'étant poussé par aucune urgence académique.

La British Library traite ses livres avec une négligence étudiée, ses lecteurs avec une bienveillance négligente. Les livres anciens en mauvais état sont placés dans des enveloppes ou maintenus entiers par des ficelles et expédiés, pour consultation, à la North Library Gallery : je reçois mon bulletin de demande, avec une aimable invitation à m'y rendre, un tampon vert. La North Library proprement dite contient les livres de l'équivalent londonien de la « réserve » française (mais on n'emploie pas, ici, de mot aussi explicite et intimidant). Ils sont signalés, eux, sur le bulletin de demande par un tampon rouge. Je rassemble mes bulletins marqués de vert, mes bulletins marqués de rouge et je me rends, par des couloirs labyrinthiques, vers ces régions encore plus profondes, murmurantes, privées, où le crayon seul (murmure de la notation) est autorisé. Et j'ouvre, par exemple :

> Finances et thresor de la plume françoise de Estienne du Tronchet, secrétaire de la Royne
> Paris, Nicolas du Chemin 1572   cote Britlib   c 109 ff 25

ou encore :

> Alphabet anatomic, auquel est contenue l'explication exacte des parties du corps humain, et réduite en tables selon l'ordre de dissection ordinaire par Barthelemy Cabrol, anatomiste de l'université de Montpellier
> Tournon, Claude Michel et Guillaume Linocier   cote Britlib   548 h 1

Ce sont deux livres passionnants qui contiennent quelques sonnets liminaires dont je note la description et (parfois) le texte.

Mes lectures sont de deux ordres :
- des livres anciens, français, anglais, espagnols, italiens... des siècles seizième et dix-septième (toujours la quête du

sonnet), qui ne se trouvent pas dans les bibliothèques parisiennes;
- des romans anglais introuvables en librairie.

Je reste parfois à ma place la journée entière : certains jours de la semaine, la British Library est ouverte jusqu'à neuf heures du soir; ce sont des jours d'un luxe inouï. A midi, je sors un moment pour une *Cambridge sausage and beans* dans un pub proche; ou bien pour un *Big Mac with root-beer* (large) au McDonald's de Tottenham Court Road.

Puis, légèrement ivre de lecture, je rentre à l'hôtel me coucher.

93 « Books »

Je viens aussi pour d'autres livres que ceux de la bibliothèque : ceux que j'achète. En prenant comme point de référence la place R 14 de la British Library, je peux me diriger soit vers Dillon's (du côté Warburg, Courtault, université de Londres), soit (du côté Tottenham Court Road) vers le triangle Foyle's, Waterstone's, Books etc. Ce sont des librairies.

Je ne recherche pas un de ces titres indispensables dont un compte rendu du *TLS* m'a donné soudain l'envie : le *Livre définitif sur le hérisson britannique*, par exemple - une réfutation du scepticisme huméen - un *compendium* de *Vies brèves* d'une centaine de « Clergymen of the Church of England ». La modernisation irrémédiable de la librairie anglaise rend extrêmement peu vraisemblable leur présence dans les rayons. Si j'y tiens vraiment, je peux toujours les commander chez Blackwell, à Oxford, ou chez Heffer's, à Cambridge. (Mais dans ce cas c'est la modernisation irrémédiable des prix des livres qui généralement m'en dissuade.)

Mon ambition est plus vague, plus modeste : faire quelques provisions de romans, policiers et non policiers, que je ramènerai à Paris et qui m'aideront à franchir une quantité respectable d'heures difficiles.

Les policiers (plutôt anglais qu'américains, dont la violence bizarre, prétentieuse, méprisante pour les facultés intellectuelles des lecteurs, m'excède) sont destinés, après le filtre de ma propre lecture, à mon père, qui ne lit plus beaucoup autre chose. Les romans proprement dits (comme une bonne partie des policiers, ceux de Phyllis D. James, par exemple) appartiennent à une catégorie particulièrement insulaire de la prose, inaugurée autrefois, après les frémissements annonciateurs du dix-huitième siècle, Aphra Benn ou Fanny Burney, par Jane Austen : c'est ce que je désigne sous le nom générique de « prose des Anglaises ». (J'y place, par faveur spéciale, aussi quelques Anglais : Henry James et Trollope.)

Le domaine est vaste. Même si j'élimine de mon champ d'investigation, donc de lecture, les romancières que je n'aime pas, que je ne suis jamais arrivé à lire (ce n'est pas là un jugement de valeur motivé, je le précise), comme Iris Murdoch ou Doris Lessing (ou, pour les plus contemporaines, Angela Carter ou Beryl Bainbridge), il y a à faire!

Je procède d'une manière un peu saccadée, mais au fond assez naturelle : il est difficile, en effet, de pénétrer dans un monde romanesque nouveau, quel qu'il soit. Il faut s'y plonger, comme dans une mer dont l'eau paraît froide aux doigts de pied. Je passe donc des heures longues devant les livres, dans une des librairies de mon parcours, essayant de déduire, de la lecture des quatrièmes de couverture, des notices bio-bibliographiques s'il y en a, des titres et des premières phrases, si je peux me risquer à « investir » dans une nouvelle romancière (il s'agit d'un investissement émotionnel de lecteur, le coût financier étant modéré, puisque je n'achète, d'inconnues, que des « paperbacks »). Si le test ultérieur de la première lecture est favorable (ce n'est pas souvent le cas), cette « nouvelle acquisition » viendra compenser l'épuisement, hélas inévitable! de Barbara Pym ou de Stevie Smith. Une fois lu, en effet, avec approbation, un roman d'une Anglaise nouvelle (nouvelle pour moi), je vais généralement jusqu'au bout de ses livres disponibles. C'est dire l'importance du contact initial.

J'erre ainsi dans les rayons de Foyle's ou de Waterstone's, cherchant à identifier les titres des auteurs de mon univers de lecture que je ne possède pas encore. Il y a les nouveautés absolues d'auteurs vivants, en état de produire : un nouveau P.D. James, un nouveau Van de Wettering, un nouveau « Kramer et Sondi » de James McClure (dans certains cas, prétextant l'envoi ultérieur comme cadeau à mon père, je me permets l'achat de l'édition « *hardback* »). Mais il y a aussi les rééditions capricieuses, trop lentes, des romancières oubliées et peu à peu redécouvertes : Sylvia Townsend Warner, Christina Stead (une Australienne), Elizabeth Taylor..., à partir des introductions succinctes aux livres que j'ai déjà lus d'elles, je me suis fait une liste de ceux qui me manquent encore, et mon œil les guette, comme il guette aussi l'apparition éventuelle d'un des derniers romans de Trollope qui échappent à ma collection.

Chaque soir, dans ma chambre à l'hôtel, je sors les livres de leurs sacs caractéristiques (Hatchard's, Foyle's, le papier plastique pourpre de Waterstone's...). Je les dénombre, je calcule le nombre de pages de lecture ainsi ajouté à mes réserves, je lis de nouveau toutes les notices, les préfaces, pour ajouter à ma connaissance des titres, pour repérer les allusions à d'autres livres, les jugements, les parentés. Je dépouille toutes les listes d'éditeurs, les catalogues, les annonces de parutions prochaines.

Puis je m'allonge sur le lit, dans la mauvaise lumière. Je lis.

94 *Trajectoires*

Du Crescent Hotel à la British Library, de la British Library chez Dillon's, ou Foyle's, de Foyle's à Hatchard's (qui est sur Picadilly), Londres présente ainsi des trajectoires quasi obligées, des parcours que je pourrais presque faire les yeux fermés, que j'ai fait d'innombrables fois, sans réfléchir. C'est une sorte de « noyau dur » de la ville qui s'établit, autour des endroits à livres.

Il en est d'ailleurs un peu de même à Paris, entre les bibliothèques (BN, Arsenal, Sorbonne, Mazarine) et les librairies fournisseuses de livres anglais (entre deux « pôles » à livres : le « triangle » des Tuileries, « Bermudes » des grandes librairies traditionnelles anglo-saxonnes : Brentano's, Galignani, Smith and Sons; le « quadrilatère » du Luxembourg : Shakespeare and Co, Attica (rue des Écoles), Gibert, le Nouveau Quartier Latin, en haut du boulevard Saint-Michel. (Je les dispose, constellations d'un ciel de lecture, autour de deux jardins, puisque c'est là que, bien souvent, je fais le point de mes achats)).

Toute ville pour moi est, d'abord, livres, et lecture. Je ne marche, *Homo lisens*, comme j'ai dit, je ne prends les métros, les trains, les autobus pour ainsi dire jamais sans un livre, des livres : ils m'accompagnent, dans mes poches, dans des sacs plastique de librairies ou d'éditeurs. Londres offre aussi, au hasard des rues, d'innombrables petites librairies, des « *antiquarian bookshops* », sans compter les « *book fairs* », les « foires à livres » qui fleurissent parfois dans les halls d'hôtels, les marchés, les jardins de presbytères. Je m'y arrête toujours, même quand je n'achète rien. Tout pratiquant des villes a sa topographie personnelle, orientée autour des architectures, des musées, des vêtements, des nourritures. La mienne est livres.

Il n'est sans doute pas indifférent que ce soit dans cette pseudo-langue maternelle, l'anglais, que je cherche de plus en plus à m'enfouir (direction déjà ancienne de ma vie, bien avant ma rencontre avec Alix (qu'elle a sans doute favorisée), bien avant le deuil (qui ne l'a pas affaiblie, bien sûr)). Je marche et je lis dans Londres, au hasard, pour m'oublier, pour m'assourdir, aujourd'hui pour user le vide, la douleur. Je marche dans la vacuité absolue de projets et de pensées. Je lis de la prose anglaise, de l'insulaire prose des Anglaises, pour rien, contre le rien, pour effacer, m'effacer. Je pratique une version toute particulière de l'exploration d'une métaphore : la ville-livre, la ville-livres; la ville bâtie autour et pour ses librairies et bibliothèques, la ville imprimée dont je suis le récurrent, provisoire et gratuit habitant-lecteur.

241

Londres est cette métaphore de la manière la plus pure, la plus radicale; puisque je n'ai rien à y faire, ce qui ne peut jamais être le cas à Paris (où d'ailleurs je me suis fait aussi, avec les librairies anglaises, une géographie inspirée de la géographie londonienne, mimétique). Londres est ma ville-langue, à laquelle je suis ouvert de la façon la plus passionnée, qui est en même temps (en accord avec un résidu étymologique) la plus passive. Car je n'y parle pas, ou presque : je ne suis qu'un œil-oreille. J'entends la voix de la rue, j'entends les voix intérieures de la prose que je lis.

Dans ma *passion* de Londres (et il y a, aussi, en elle, maintenant, toujours, de la souffrance, puisque l'anglais était ma langue pseudo-maternelle et la langue paternelle d'Alix : et l'Angleterre, celle des philosophes, celle des poètes, mon rêve (et le sien)) je renverse, en ma détermination livresque, la métaphore wittgensteinienne de la langue-ville :

> *Our language can be seen as an ancient city : a maze of little streets and squares, of old and new houses, and of houses with additions from various periods; and this surrounded by a multitude of new boroughs with straight regular streets and uniform houses.*

(Je lis ceci au § 18 des *Investigations philosophiques*.) La langue est ville : la langue, pour moi, est livres, d'abord et avant tout livres : ceux que je lis, ceux que j'ai lus, ceux que j'aurais voulu écrire. Et je me suis trouvé cette ville-livre, Londres, ville-livres donc *ville-langue*.

Mais dans ce double écart à la langue : de la langue à la ville, de la ville à la langue (à travers le miroir des livres), je ne reviens pas tout à fait à mon point de départ. Je suis dans une autre langue, l'anglais; toujours, traduisant.

Les dimanches, ou s'il pleut, je monte dans les autobus. Les grands autobus rouges de mon rêve initial tournent réellement et avec majesté le coin des *squares*, des *crescents*, des *streets*, *places* ou *avenues*. Je monte au deuxième étage d'un 11, je m'assieds en une des places les plus avant, dans la hauteur confortable. L'immensité de Londres se déroule. Parfois je vais jusqu'au bout d'une ligne, au hasard, « *for sheer pleasure* ». Des pages et des pages aux lignes presque identiques ou presque de maisons, jardins devant la maison, maisons, jardins devant la maison tournent devant mes yeux. L'autobus s'arrête. Je descends précautionneusement l'étroit escalier tournant du navire autobus. Je sors. Je fais quelques pas dans une rue suburbaine. Je vois des pelouses mouillées, des chiens dominicaux. Je croise quelques parapluies.

La nuit approche. Je remonte dans l'autobus, relis le même paysage qu'à l'aller, palindromiquement.

95 « Three minutes to opening time! »

Je me souviens du premier livre anglais que j'ai lu, et en anglais; il s'agit plus exactement du premier livre qui n'était pas un « livre pour enfants »; donc ni *Alice in Wonderland*, ni *Winnie the Pooh*, *The Wind in the Willows*; ni *Huckleberry Finn*, *The Just-so Stories* de Kipling; ou *Three Men in a Boat* de Jerome K. Jerome (pour ne citer que les livres formateurs, le « sextuor » majeur de mes souvenirs).

C'était en 1947, après ou avant (sans doute après) mon premier séjour dans les îles Britanniques (en Écosse) : un roman policier de 1929, acheté alors par mes parents, et qui me paraît complètement oublié aujourd'hui. Je n'en ai pas vu de réédition, je ne l'ai vu mentionné nulle part. Pourtant, je l'ai relu récemment et je le trouve fort original. L'édition que je possède n'est pas la première; c'est une édition Penguin de 1937 qui fait état de sept « printings » successifs de 1929 à 1937, ce qui prouve qu'il n'était pas passé entièrement inaperçu à l'époque.

L'auteur s'appelle John Ferguson et le titre est *The Man in the Dark*. C'est un roman policier classique dont la particularité, qui en fait l'originalité et le charme, est la donnée suivante de départ : le héros, témoin principal du crime, est aveugle. C'est lui l'homme du titre, le « *Man in the dark* ». Cette lecture était ma première *vraie* lecture (non enfantine : je parle de ce que

243

je ressentais alors) dans cette langue que je n'ai jamais cessé d'aimer, et l'impression que j'en ai gardé était très vive (je l'ai retrouvée en le relisant, beaucoup plus tard). Le narrateur s'appelle *Chance*, ce qui veut dire « chance », ou « hasard ». Le meurtre est un meurtre londonien, et l'énigme est avant tout une énigme urbaine (je prends « Londres » au sens large, le crime a lieu à Ealing) : la recherche du lieu du meurtre, de la maison du crime où le héros s'est trouvé entraîné par hasard. Et c'est grâce à sa connaissance instinctive de Londres, par une conjonction caractéristique de bruits, de textures, d'odeurs, par la saveur non visible de la ville qu'il parvient, un jour, à se retrouver. (Et de là à retrouver la vue et à trouver l'amour; car ce roman est aussi un conte.)

Pour moi, aveugle à ce qui est la vie réelle de Londres, à ses événements comme à ses habitants, je me sens toujours, chaque fois que j'y reviens, à la fois familier du lieu et perdu, un « *Man in the dark* ».

La texture caractéristique des bruits londoniens comporte encore, en dehors des bibliothèques, des rues, des librairies, des métros, des autobus (et des jardins dont je parlerai au « moment » suivant de ce récit), un type de lieu à la fois public et privé tout idiosyncratique (et où je ne peux pas aisément être seul) : c'est le *pub*.

Sur le mur de sa chambre, autrefois, Alix avait épinglé une carte : la carte des pubs de Cambridge, qu'elle projetait de visiter tous. C'était presque le seul lieu public où la foule, pourtant parfois intense, ne l'étouffait jamais. Malgré sa myopie, elle « sentait » les pubs à distance, bien avant moi, dont pourtant la vue était meilleure. Elle aimait leur convivialité impersonnelle, le vacarme le plus souvent non agressif, non malveillant, nerveux. En outre, on y trouve assez souvent de la Guinness à la pression (et à une température convenable). Une de ses citations favorites, adaptée d'un propos du docteur Johnson rapporté par Boswell, était : « Il n'y a pas d'invention qui ait apporté plus de bonheur à l'humanité que le pub. » Un de ses héros favoris était ce personnage d'une prose orale de Dylan Thomas (nous l'avions en disque, dans l'exécution inimitable de l'auteur) qui ponctuait une promenade galloise

244

en autobus d'un refrain magique : « *four minutes to opening time!* » « *three minutes to opening time!* ». L'invention poétique géniale de l'épisode était que Dylan Thomas maintenait avec férocité que cette exactitude était purement magique, que le personnage en question ne possédait pas de montre et se dirigeait seulement par instinct.

Je sais que l'Angleterre aspire à des heures d'ouverture des pubs moins arbitraires et que sans doute c'est une chose qui finira par se produire, comme la disparition des shillings, des Fahrenheit et des inches (l'absorption générale de la britannicité dans le décimal universel, dont rêvait le personnage de Trollope, Plantagenet Palliser). Mais le petit gentleman gallois de Dylan Thomas exprime à la perfection, allégoriquement, un des traits les plus originaux de la tradition du « pub » : l'intensité atmosphérique qui règne à l'approche du « *closing time* », juste avant que retentisse la cloche annonciatrice du moment fatidique, la frénésie d'avant fermeture qui s'empare des hommes les plus pondérés et pousse des jeunes filles sages vers une ultime pinte de stout.

Pour des étrangers pas vraiment touristes comme nous étions, le pub était le lieu par excellence de la parole et du regard. Les heures s'étendaient sans lassitude.

96 *« Parks »*

Quand il fait beau, et souvent même sans qu'il fasse beau, je vais dans un parc (un parc quelconque, aussi bien un modeste jardin public de *square* qu'un des jardins somptueux et magnifiques que compte Londres), je vais lire dans un parc : Kensington Gardens, Kew Gardens, St James' Park). J'occupe un banc, je lis avec la pensée subliminale toujours présente de l'herbe, dans l'odeur d'herbe, face à l'arrangement pentu des pelouses, l'ordonnance évidente des choses vertes sous le ciel. Les nuages passent visiblement. En été, les insectes, « *The plumed insects swift and free/Like golden boats on a sunny sea/Laden with sound and odour which pass/Over the gleam of the living grass* » (je ne manque pas de me répéter ces quatre vers de Shelley); le vert et l'or de la lumière sur l'herbe.

Je préfère les jardins à eau, ou animaux (ou non exclusif : s'il y a eau et animaux, il y a peut-être animaux aquatiques). J'aime la britannicité absolue des jardins de Londres, des berges hautes de la Tamise à Putney, la britannicité des plans d'eau, et surtout la britannicité des animaux. Les animaux domestiques anglais sont remarquablement « *unobstrusive* ». (A la différence de leurs homologues parisiens (et ce n'est pas la faute des animaux).) A Winchester, devant la cathédrale, sur la large pelouse, je me souviens d'avoir lu cet écriteau : « *Well-behaved dogs are authorized.* » Cela me parut presque redondant, pléonastique. Peut-être était-ce un avertissement discret, timide, anglican, aux touristes français à chiens.

La qualité d'herbe des parcs m'émerveille toujours; pas seulement parce qu'elle est bien nourrie, « *sleek* » comme une fourrure de chat en forme, mais parce qu'elle n'est pas détruite systématiquement par des hordes de pieds. J'ai eu une discussion récurrente à ce sujet avec mon vieil ami Pierre Lusson, l'inventeur de la TRA$_m^M$ (Théorie du Rythme Abstrait $_\text{mathématique}^\text{Métaphysique}$) : tout écriteau, toute pancarte du genre « *Keep off the grass* » ou « Interdit aux chiens et aux Maliens même tenus en laisse » l'énerve (à juste titre; ce n'est pas là que nous divergeons); mais il commente invariablement en disant : « ' Si tout le monde faisait comme vous! ' est un raisonnement privé de sens. » Peut-être : mais j'ai remarqué qu'en l'absence de signes quelconques d'interdictions quelconques à Kew Gardens (sauf peut-être autour de quelques tulipes adolescentes, parfois) les pelouses de ce trésor botanique universel sont toujours en parfait état; et je sais bien que, transportées à Paris, elles seraient transformées en un désert jaune et pelé en moins de trois semaines.

Sur le banc, à peu de distance de l'eau, un livre ouvert sur les genoux, j'ouvre un sac de biscuits dont je vais nourrir les canards de St James'. Les canards seulement, je déteste les cygnes. J'ai une affection particulière pour les canards, surtout ceux qui se réunissent avec dignité sur les pelouses des *colleges* de Cambridge, en bord de Cam. Je les imagine volontiers *fellows* de ces *colleges*, puisque les pelouses ne sont accessibles qu'aux « fellows ». J'envie leur imperméabilité confortable, leur avance imperturbable en surface, caresse silencieuse. Ils plongent, et sortent humides mais non mouillés.

Je ne suis jamais tout à fait sorti du rêve enfantin d'identification anthropomorphique aux animaux, qui me semble parfaitement réussie dans quelques grands livres anglais : le blaireau de Kenneth Graham (*The Wind in the Willows*); Pooh et Piglet dans les livres de A.A. Milne. Je n'y projette pas un rêve d'innocence, ni de déshumanisation « naturelle »; au contraire. Humaniser un blaireau, un loir, un hérisson, un canard, un écureuil, les imaginer pensant-parlant (mais d'une manière invisible, en leur for intérieur, ce qui est ma rêverie la plus récurrente), c'est en fait en faire des « originaux », des excentriques, des personnes singulières, privées, inoffensives, joueuses. J'aime offrir un *Scottish short-bread* à un canard en lui disant : « sir ».

Je nourris encore les écureuils dans les fourrés en bord de la Serpentine, rêvant des rêves de « baron perché ». Au printemps, allongé, parallèle au ciel, je regarde monter les cerfs-volants admirables de Kensington Gardens.

97 « *The bench of desolation* »

L'été dernier (l'été de 1984), en août, marchant dans une rue derrière le Crescent Hotel, je suis tombé par le plus grand des hasards, dans une petite librairie désordonnée tenue par un Australien, sur un des romans de Trollope qui me manquait encore et qui se trouve être son dernier (du moins son dernier achevé; et il a paru de manière posthume) : *An Old Man's Love*.

C'était la petite édition cartonnée bleue des Oxford Classics des années vingt, et le coût en était exceptionnellement modéré, surtout pour Londres : quatre pounds. (Les éditions originales sont devenues inabordables. Je n'en possède qu'une, en copropriété avec ma sœur Denise.) Je n'avais pas *An Old Man's Love* et je ne l'avais pas lu.

J'insère ici deux anecdotes trollopiennes, ou plutôt de ma quête trollopienne. Au temps de mon premier enthousiasme pour cet auteur, j'avais formé le projet, presque accompli aujourd'hui, d'acquérir *tous* ses romans : il y en a quarante-sept. J'avais, à cette fin, pris l'habitude d'entrer systématiquement chez tous les *antiquarian bookshops* que je rencontrais dans Londres ou d'autres villes d'Angleterre. Je n'avais pour ainsi dire jamais de succès. Je laissais mon nom et mon adresse. Je reçus un jour un paquet de la ville de Bath, un paquet d'extérieur modeste, à papier d'emballage brun. Il contenait la carte d'un bouquiniste de cette ville où j'étais passé l'été précédent, et un roman de Trollope, l'un de ses plus beaux, *Orley Farm* (dans l'édition Oxford Classics, encore). J'en fus transporté de joie. Mais quand je voulus envoyer le règle-ment de cet achat à mon bienfaiteur je m'aperçus qu'il n'y avait pas de facture. Et c'est seulement en examinant attentivement l'exemplaire du livre que je découvris, modestement tracé au crayon dans le coin supérieur gauche d'une page blanche finale, la somme due : trois pounds. Je trouvai ce procédé d'une élégance suprême.

A quelque temps de là (c'est ma seconde anecdote), je découvris (tout simplement en consultant à la Bibliothèque nationale la bibliographie des *Books in Print* (USA) à l'article « Trollope, Anthony ») qu'un éditeur de *Racine, Wisconsin,* venait de rééditer des nouvelles, parues autrefois en revue. J'écrivis aussitôt pour m'enquérir de leur disponibilité et du mode de paiement. Je reçus en retour une lettre enthousiaste qui commençait ainsi : « *Dear Mr. Roubaud, you are my first continental customer. God bless you!* » Ces deux anecdotes sont éminemment trollopiennes.

J'ai commencé ma lecture du roman à la British Library. C'est un livre triste, à la fois parce que son sujet, l'amour d'un homme âgé (il a presque cinquante ans !) pour une jeune fille, qui est sa pupille, qui ne l'aime pas et qui aime un jeune homme (pauvre), est un sujet triste ; mais aussi parce que dans le livre même, dans une certaine fatigue et lourdeur de la prose, généralement si lucide et si décidée, on sent le pessimisme de Trollope vieillissant sur le monde et sur l'art du roman. C'est un roman de la vieillesse et de la vieillesse de la prose (la prose victorienne finissante).

J'en suis venu au moment décisif du roman : le héros, ce vieil homme, doit épouser la jeune fille. Mais voilà qu'on annonce le retour de l'autre, le jeune homme, qui était parti en Afrique du Sud. Il en revient chargé d'amour et de diamants. Sans doute la jeune fille a-t-elle promis au vieil homme, qu'elle aime tendrement, qui était un ami de toujours de son père, qui l'a recueillie orpheline, etc. Sans doute a-t-elle donné sa promesse, et elle se ferait couper en quatre et dévorer par les cannibales plutôt que de revenir sur sa parole. Mais enfin cet amour qu'elle a pour lui n'est pas l'amour qu'elle pourrait avoir pour l'autre si elle se laissait aller à l'éprouver. Et lui, que doit-il faire ?

En ce moment difficile le héros, après avoir tourné tout le jour (un jour d'été) dans son club, sort dans le crépuscule et va s'asseoir sur un banc pour méditer. Et, moi aussi, je suis sorti de la bibliothèque (mon club à moi) dans le crépuscule et j'ai emporté *An Old Man's Love* sur un banc de *Green Park*, le banc même où (j'imagine) s'est assis Trollope pour concevoir cette scène et où il place son héros.

Je me sentais vieux, moi aussi, et désolé. Ce banc était, comme dans la nouvelle de James, le banc de la désolation, « *the bench of desolation* ».

98 *Rêve sans Projet*

Je fais parfois le rêve éveillé de venir vivre à Londres. Ce n'est pas un rêve, puisque je suis éveillé ; ce n'est pas un Projet réel, il n'implique aucune décision : vivre à Londres ne m'est pas possible, pour de simples raisons professionnelles et financières (liées, bien sûr).

Mais, contre toute évidence d'immatérialité, je m'abandonne souvent à cette rêverie. J'imagine toute difficulté abolie : je vivrais dans un *mews*, à Chelsea. J'occuperais le *basement*, comme dans un *sett* de blaireau. Le reste de la maison, étroite, avec un petit jardin sur l'arrière, serait partagé (je ne serais pas seul).

Comment vivrais-je ? Le silence, les jardins, la lecture, la « suspension du jugement », les marches, les pubs, la bibliothèque ; ce que je vis parfois dans Londres devenu permanent.

J'atteindrais à l'absence de désir, à l'endormissement de mes facultés, à la non-souffrance, au non-espoir non-désespoir.

Ce serait la chute définitive : du *Projet* en ce projet ; du *Grand Incendie de Londres* en Londres, en lecture quotidienne de Londres, ma ville-rêve, ma ville-langue. Ma ville privée.

Peut-être rien.

Demain Londres, vol AF 812.

Paris, 11 juin – 7 novembre 1985

Insertions

DISCUSSIONS

incises

(du chapitre 1)

99 (avertissement) *Distinct du « Projet » quoique s'y insérant...*

Il m'arrivait même parfois, saisi d'une vision moins sage encore, par une matinée d'exaltation, de décider que *le Grand Incendie de Londres*, loin de ne constituer qu'une partie singulière, marquée, du *Projet*, l'engloberait tout entier au contraire; que le *Projet*, devenu chapitre du récit, en apparaîtrait alors comme la véritable création. Et, détournant à mon profit une image de la *' mock-theology'* de mon maître J.-P. Benzécri (en sa jeunesse au centre Richelieu), image qui a sa source (ou son *' plagiat par anticipation '*) dans les affirmations lapidaires et péremptoires du docteur Faustroll, je me représentais alors mon *Projet* comme un univers, *le Grand Incendie de Londres* comme sa cause première, une sorte de petit Dieu; et tels qu'ils satisfassent, comme couple, à l'axiome : *' «Le Grand Incendie de Londres» sera le compactifié d'Alexandrov du «Projet».'* Ce qui veut dire (en termes un peu moins étranges pour le non-mathématicien) que le roman ajouterait, simplement, un point à l'infini au *Projet*, corrigeant en lui ce défaut de compacité globale qui est celui, par exemple, de la droite réelle, de la droite non bornée.

C'était certes un Dieu abstrait, logiquement déduit pseudo-intuitionnistement, proche du *« Nil non aliud »* de Nicolas de Cuse. Dieu du *Projet*, le roman que je me promettais alors d'écrire lui donnerait une existence, puisqu'il y serait décrit et surtout nommé. Car cette création serait (était en imagination) surtout, il faut bien le dire, une nomination. L'existence du *Grand Incendie de Londres* serait la condition de celle du *Projet*, assurée en retour par lui, et prouvée. Mais cela impliquait qu'elle n'aurait pas alors besoin d'être autre chose que la faculté, conférée par moi, par décision, de nommer le *Projet*.

Je me souvenais de cette preuve de l'existence de Dieu, telle que la chantait autrefois mon père, sur un nostalgique air de cor de chasse :

S'il n'y avait pas de Dieu, pas de Dieu, pas de Dieu... eu
S'il n'y avait pas de Dieu
Il n'y aurait pas de « Nom de Dieu! ».

Une conception semblable du *Projet* (qui n'était alors qu'un pur nuage, puisque de ses branches innombrables n'existait que le rêve; et du récit, pas la moindre ligne), cette conception me donnait, infiniment mieux que celle, plus sobre, de deux entreprises distinctes quoique imbriquées à laquelle je me résignais généralement, le sentiment de toute-puissance future qui s'accommode aisément de l'abstention (« A quoi bon réaliser nos rêves, dit, je crois, Villiers de L'Isle-Adam, ils sont si beaux! »).

Car, en donnant au récit tout pouvoir sur l'existence même du *Projet*, je me réservais la possibilité, peut-être la plus exaltante (comme « Bartlebooth » dans *la Vie mode d'emploi* de Georges Perec), celle de l'effacement : écrire *le Grand Incendie de Londres*, par exemple, puis le détruire, ne conservant que le *Projet*, tel qu'il *aurait fait partie* du récit qui l'aurait créé. Le *Projet*, seul, morceaux épars, disjoints, dont l'inachèvement à peine perceptible aurait laissé deviner à quelques-uns, peut-être (ah! ces *happy few* si semblables à soi!), le manque de quelque chose de grandiose et de volontairement saccagé : Dieu absent, par la décision d'une délectation morose, quelle merveille! Et voilà où je m'aventurais parfois, en des rêveries solitaires nocturnes, en des marches, comme si le labeur de vingt années était derrière moi déjà. Et, cependant, je n'avais toujours pas posé une seule ligne sur le papier, encore moins le plan d'un quelconque livre, l'idée du moindre théorème. Je n'émergeais pas sans dommage de ces orgies quasi mélancoliques.

100 (§ 1) *La clarté insidieuse qui se déverse lentement du ciel invisible dans la rue*

Le jour pénètre en oblique dans la pièce. Quand le soleil s'est hissé au-dessus de la maison qui me fait face, au coin des rues Vieille-du-Temple et des Francs-Bourgeois, si les volets sont encore fermés, les lignes brisées, brillantes, chaudes, jaunes, irisées, se déplacent lentement sur le mur et le plafond à ma gauche, avec le cinéma d'ombres, voitures et passants, que je regarde parfois s'animer, de mon lit.

La rue des Francs-Bourgeois est en sens unique ouest-est, la rue Vieille-du-Temple l'est nord-sud, et les voitures, sûres de leur bon droit dans ces rues étroites, arrivent au carrefour dans des dispositions souvent belliqueuses. Une maison, dent déchaussée, a été enlevée juste en face, laissant une façade aveugle et un espace où la municipalité, dans une crise de verdure, a planté deux infimes faux acacias qui brouillent juste assez la vue pour ne pas révéler à l'avance qu'ils le font. Comme il n'y a pas de feux rouges (réclamés depuis longtemps et depuis longtemps promis pour bientôt), les conditions idéales sont réunies pour des rencontres de séries automobiles indépendantes, comme on les aimait autrefois dans les discussions sur déterminisme et hasard, dont les manifestations extérieures vont du coup de frein violent au froissement de tôles avec, heureusement très rarement, l'affairement des piétons autour du SAMU ou de Police-Secours.

De mon côté, l'immeuble que j'habite et qui occupe deux des angles du carrefour est un peu en retrait ; la fenêtre de ma chambre est sur la rue des Francs-Bourgeois, celle de la cuisine donne sur la rue Vieille-du-Temple. Diagonalement, par-dessus les faux acacias, je peux voir les fenêtres de l'atelier d'architecte du 64 de la rue Vieille-du-Temple.

Souvent, le soir, ou la nuit, je regardais, depuis cette fenêtre, Alix aller à, ou revenir de son atelier. A l'aller, elle apparaissait sur la droite, ayant dépassé la boucherie, après ce qui était alors un Nicolas ; elle traversait dans le passage indiqué pour les piétons, devant l'arrêt de l'autobus 29, traversait encore en diagonale le territoire des arbres, puis la rue Vieille-du-Temple, avant de disparaître au coin du magasin d'appareils électriques, l'entrée du 64 n'étant pas visible d'ici. Après avoir franchi la rue des Francs-Bourgeois, sur le trottoir, elle se retournait pour me faire signe, et moi je la suivais des yeux jusqu'à ce qu'elle disparaisse, avant de revenir me coucher.

Au retour, je la voyais arriver par le même chemin, lever les yeux vers la fenêtre et me regarder, du même endroit : c'était la nuit, presque le matin même parfois, après des heures passées (pour elle) dans la chambre noire. Elle m'appelait au téléphone en arrivant, juste avant de commencer son travail ; ensuite, et quelle que soit l'heure, quand elle se préparait à revenir. A cette époque de l'année (celle où

259

j'écris), l'air du soir chaud encore, elle aurait mis son blue-jean plein de peinture et ses tennis achetées à La Bourboule et devenues roses après un passage imprudent dans la machine à laver. Elle aurait traversé les mains dans les poches, et son grand sac noir sans forme à l'épaule.

Je l'apercevais généralement avant qu'elle me voie. Elle marchait non pas voûtée mais un peu en dedans autour de ses poumons, dans l'attitude que j'ai appris à reconnaître comme étant celle des asthmatiques, à peu près inconsciente en apparence de tout ce qui l'entourait ; absorbée, et sombre. Le trajet était suffisamment court pour elle, et nous avions choisi l'appartement en grande partie pour cela, la proximité de l'atelier, de la chambre noire. Entrée sous le porche du 64 de la rue Vieille-du-Temple, elle n'avait plus qu'à traverser la cour, monter les trois étages et demi ; obstacle surmontable. Mais il y avait aussi les nuits, les nuits sans nom. En ce moment encore, après presque trente et un mois, brusquement, vers trois heures du matin, il m'arrive de regarder par la fenêtre, le carrefour, la rue, les deux arbres. Tout est vide, comme le reste.

101 (§ 2) *Chaque fragment de mémoire que j'extirperai du temps... aussitôt s'évaporera...*

Une fois posé sur le papier, chaque *fragment de mémoire*, c'est-à-dire une séquence de souvenirs articulés en une leçon, *une élucidation* pour mon livre (un souvenir moralisé en prose), me devient, de fait, inaccessible. Non sans doute que la trace mémorielle, où qu'elle se situe sous le crâne, dans les neurones, ait disparu, mais tout se passe comme si un transfert s'était effectué, quelque chose comme une translation ; et qui fait que dès lors les mots composant les lignes noires de ma transcription s'interposent entre elle (la trace) et moi, finissant par se substituer entièrement à elle.

En même temps l'éclat du, des souvenirs ternit. J'utilise pour penser ce fait l'image de l'évaporation, de l'assèchement de l'encre ; ou bien de l'eau sur le galet sorti de la mer, le soleil laissant sa trace ternissante, le film de sel. L'émotion du souvenir a disparu. Parfois, si ce que j'ai écrit pour le dire me satisfait (plus tard, relisant), une émotion seconde, induite, venue des lignes mêmes dans leur succession infime, noire, leur minceur visible, me procure comme un simulacre de l'émotion première, mais celle-ci est devenue lointaine, inabordable. Elle ne se répète pas, même affaiblie.

Il s'agit bien en fait, pour toutes fins pratiques, d'une destruction. Je me suis plongé dans l'entreprise de destruction de ma *mémoire* (attention, ce n'est pas cela qu'est ' le grand incendie de Londres ', et que je ne peux pas dire). Je l'incendie, et de ses débris je charbonne le papier (autre image). Non que le souvenir ait, lui, disparu ; puisqu'il y a trace, puisque les lignes qui le rapportent, le commentent, en le disant, l'ont fixé : il y a eu acte de mémoire, et cela est le compte rendu. Je ne doute pas de sa vérité (quoique à vrai dire cette certitude repose sur un pur et simple acte de foi : que le fragment de mon récit où tel souvenir est pris était non seulement véridique, mais exact, fidèle).

Mais le souvenir, si je l'interroge maintenant, à l'occasion de sa description, ou simplement en y pensant, est désormais immobile ; et c'est lui maintenant qui est second, qui est le fantôme, le simulacre. Je l'ai perdu, et perdu sans l'avoir même oublié. Car, bien sûr, il est en même temps devenu inoubliable, puisque je peux y avoir accès à tout instant, si je le veux, comme un savoir que je commande. Il est là, quelque part dans la prose. Il est là, il est ; et il est mort.

Je pense à ces documents secrets du roman d'espionnage, que le viol du regard amène à s'enflammer, qui se détruisent eux-mêmes, programmés pour une autocombustion. Le souvenir, pour survivre, ne doit pas franchir une certaine limite, corporelle, une frontière entre moi et le monde. Il ne doit pas tomber, hors moi, sous un regard ; pas même le mien.

Enfin, il n'y a pas que l'extériorité qui soit destructrice. Il y a aussi l'accessibilité : pour être rendu présent par la mémoire, un souvenir doit demeurer dans une certaine mesure imprévisible, non localisable immédiatement. Or, l'acte de la prosification le rend certain. Je relis ces phrases, j'y suis. Pourtant, alors, en un sens il n'y a plus rien. Car ce qui reste, il reste quelque chose, c'est un souvenir induit. Si je relis, plus tard, assez longtemps plus tard, je me souviens des circonstances de la découverte par la mémoire de ce fragment, du moment de son entrée dans le récit, du contexte de cette entrée dans la continuité du récit, ou de l'*insertion. Cela* devient le souvenir, traînant l'image affaiblie du souvenir premier, devenu seulement lignes. La prose, *cette* prose, devient la source de mes souvenirs. Un à un elle les remplace. Elle tend à être la seule mémoire. Sa fin est d'être la seule mémoire. Pour cette raison aussi j'ai longtemps échoué à écrire *le Grand*

Incendie de Londres, et ensuite même son substitut, 'le grand incendie de Londres'; reculant sans m'en rendre bien compte devant un pouvoir de destruction plus radical que l'oubli.

102 (§ 4) *Cette prose, où je dis de ce que je raconte : c'est ainsi*

Il n'en est pas moins essentiel à la poursuite de cette entreprise de fiction que je suis en train d'inaugurer que l'affirmation du *vrai* y soit, dès le début, posée.

J'avais été, au début de mon exploration de la vieille prose française, au moment où j'essayais de comprendre l'architecture des grands romans du Graal, le *Lancelot* et le *Tristan en prose*, le *Guiron*..., frappé par une affirmation polémique, due au premier traducteur en français de la *Chronique du Pseudo-Turpin* (c'est une désignation, comme la suite le montre, toute moderne), faite d'après un manuscrit latin en la possession de Yolande et Hugues de Saint-Pol, vers 1195, et reproduite par Brian Woledge dans l'introduction de son *Répertoire des plus anciens textes en prose française depuis 842 jusqu'aux premières années du XII⁰ siècle :*

> En l'enor nostre Seignor... voil comencier l'estoire si cum li bons emperaires Karlemines en ala en Espagnie por la terre conquerre sor Sarrazins. Maintes gens en ont oï conter et chanter, m'est n'est si mensongie non ço qu'il en dient e chantent cil jogleor ne cil conteor. Nus contes rimés n'est verais.

Nul conte rimé n'est vrai : la prose d'art française (et j'extrapole au-delà de ce que permet Woledge, mais je me le permettrai ici, sans scrupule, en ce lieu qui est, aussi, fiction) naît d'une traduction suscitée dans une intention affichée de vérité dont le vers et, partant, la poésie seraient incapables, de nature. Je tirais, de cette méfiance lourde de postérité à l'égard de la poésie, quelques conséquences pour moi-même : en premier lieu que, puisque le roman en prose que j'allais entreprendre devait être avant tout de la non-poésie, antonyme et complémentaire à la fois d'un *Projet de poésie*, il me serait certainement avantageux de faire mien ce critère, et de lui donner comme moteur, comme impulsion, une contrainte de vérité;

à l'aide de laquelle je le nouerais, au moins fictivement, aux *enfances de la prose*; et je rechercherais comment fonctionne, avance, s'entrecroise, la prose de roman qui se prétend vérité, afin de donner à un récit banalement et simplement véridique les prestiges du vêtement romanesque.

En second lieu, que je m'assurerais ainsi une relative originalité, ma tentative s'éloignant de la plupart des romans, mais s'efforçant également, comme la *nouvelle*, comme le *cuento*, de retrouver le rapport si étrange, si paradoxal, du conte universel avec la vérité. Car le *conte* est vrai par évidence et affirmation. Et, pour mimer cette évidence, pour recréer l'atmosphère de certitude indéniable dans laquelle il baigne, les auteurs de nouvelles ont eu recours à l'emprunt, réel ou inventé, de « Mémoires », de « Lettres particulières », de « Rapports »... Ainsi font *la Fille du capitaine*, de Pouchkine, *Une descente dans le Maelström, la Marquise d'O*. Et l'exemple le plus parfait à mes yeux, étant donné son caractère tardif, et précisément parce que la narration biographique servant de point de départ existe, est *Une aventure arrivée au maréchal de Bassompierre*, de Hugo von Hofmannsthal.

103 (§ 6) *Quatre biscuits vietnamiens « Madame Sang »*

Contrairement à ce qu'on pourrait déduire de ma description extrêmement *perfective* (au sens des verbes russes), un petit déjeuner de biscuits (qui pouvaient être aussi bien des galettes chinoises friables ou de simples biscottes Clément immergées dans de la confiture (exceptionnellement, après une excursion au supermarché d'Alésia, pendant quelques matins, des *Scottish short-cakes* (d'inspiration (celte) proche des *Traou-Mad*, mais de forme et de consistance plus compactes (différence, où je pressens quelque influence picte, plus sensible encore sans doute dans les *baps*, expressions de la pictitude-en-soi, chers à la tante de Saki, et que je n'ai encore jamais goûtés)))) et de café soluble n'était alors qu'une pratique très récente, rendue nécessaire par la mise en chantier de la prose, et ses horaires, alors comme aujourd'hui, étranges. En m'installant rue de la Harpe, plus d'un an auparavant (au début de 1979), je cherchai d'abord dans les alentours un café accueillant pour y prendre le matin, une heure ou plus après mon réveil, un *Grand Crème*, accompagné de *Deux Beurrées* (ou de *Deux Croissants*) et de la lecture d'un chapitre de roman anglais, selon des habitudes déjà anciennes. Je dus y renoncer rapidement.

Car, plus encore que dans le quartier de la place Clichy, d'où j'arrivais, les heures sans cesse plus tardives d'ouverture des cafés m'auraient obligé à différer jusqu'à presque huit heures mon réveil (ce qui m'est impossible) ou à attendre, ce que je n'aime pas. Aussi m'étais-je résigné à l'achat des croissants à la boulangerie (passant, à titre de compensation, de réparation décidée de manière unilatérale, du croissant ordinaire au croissant au beurre). Cette boulangerie, située boulevard Saint-Germain, je l'atteignais par la rue de la Parcheminerie, suivie de la rue Boutebrie. L'idéal du *Croissant* (et il s'agit, bien entendu, du croissant parisien, le croissant provincial, dans toutes les villes où je l'ai essayé, est un désastre), le croissant qu'on pourrait désigner comme *Croissant au Beurre Archétypal*, présente les caractéristiques suivantes : losange très allongé, arrondi aux bouts mais de corps à peu près droit (le *Croissant Ordinaire*, et lui seul, a l'allure ottomane, lunaire) - doré - dodu - pas trop cuit - pas trop blanc et farineux - tachant les doigts à travers le papier pelure qui l'enveloppe, ou plutôt le soutient - de chaleur récente (il est sorti du four il y a peu ; il n'est pas encore refroidi), (réchauffé, ce qui est bon peut-être pour les « quiches », ou pour les volailles, ou pour ces discoïdes innommables que les Français appellent « pizzas », il croustille, ce qui est horrible, et il rancit, à cause du beurre).

Il se compose de trois membres principaux, de trois compartiments de chair articulés l'un à l'autre, recouverts d'une carapace tendre, qui l'apparente au jeune homard. La partie centrale est, dans cet homomorphisme croissant-homard, le corps du crustacé, les parties extrêmes sont des pattes sans pinces. C'est un homard extrêmement stylisé, un *Homard Formel*, en somme. Pour que le croissant soit parfait, il faut qu'en tirant sur les « pattes » elles se détachent du « corps » avec facilité, entraînant, chacune, avec elle une excroissance oblique et effilée de chair intérieure de croissant, soustraite à la partie centrale, extraite en quelque sorte sans effort de l'intimité même encore chaude du croissant, sans miettes, sans bruit, sans déchirements. Je revendique hautement la découverte de cette correspondance, morphisme structural (du moins je n'ai pas encore trouvé de « plagiaire par anticipation ») que je propose de baptiser *loi de Roubaud du Croissant au Beurre*.

Il est, bien sûr, à peu près impossible de trouver de nos jours un croissant concret constitué en conformité à cet axiome et tel que je le rêve. Peut-être le croissant idéal n'a-t-il jamais existé que comme cas limite, comme essence formelle dont on ne pourrait que s'approcher, et de loin, dans les croissants réellement existants. Ceux de la boulangerie du boulevard, qui étaient pourtant les meilleurs de ce quartier, n'atteignaient qu'à une approximation modeste de l'idéal. Mais je me réjouissais pourtant de les avoir trouvés, tant la nullité générale du croissant moderne me faisait frémir. Il y a des boulangeries aujourd'hui (je pourrais citer des noms!) où on vous sert subrepticement les croissants de l'avant-veille (pourtant réservés tacitement et traditionnellement aux hôtels de troisième catégorie et aux plus médiocres et pingres des cafés). Ils sont ternes, avachis, défraîchis, malodorants, semblables à des poissons pas frais de l'Océan à l'éventaire d'une poissonnerie jurassienne, vers le quinze août, avant l'invention du congélateur. Il y a les croissants minuscules et simultanément carbonisés; ceux qui n'ont pas de forme discernable, à la pâte mal cuite; ceux, particulièrement déplaisants, dont la croûte a été légèrement caramélisée par adjonction de sucre pour faire bien (ce sont les plus traîtres car un coup d'œil trop rapide ne suffit pas, généralement, pour les identifier, et il faut les recracher à la première bouchée); ceux dont les extrémités honteuses se relèvent comme des mentons en galoche. Et j'en passe. Il me faut le plus souvent un dixième de seconde pour juger une boulangerie, en dévisageant son compartiment croissants, et je dois, hélas! à la vérité de dire que Paris, de ce point de vue, se transforme de plus en plus en musée des horreurs (parallèlement à la décadence, que je crains irrémédiable, de la baguette).

Ma boulangerie de l'époque (comme, antérieurement, rue de Clichy, la boulangerie Tranchant) semblait une survivance; conservant également l'ancienne tradition d'une serveuse de croissants blonde, laitue laiteuse (de la variété « grosse blonde paresseuse »), molle, bovine, inanimée, dont la chair paraissait être le résultat d'une assimilation partielle, hâtive et clandestine d'une quantité énorme de croissants subrepticement dérobés à la sortie du four; son visage ne s'animait que pour me faire un signe de reconnaissance, dès qu'elle eut identifié en moi l'âme sœur, l'amateur de croissants; elle en fut même tellement stimulée intellectuellement qu'elle répondit un jour, à mon indication invariable (de pur principe, car je prends ce qu'on me donne) « deux croissants au beurre, pas trop cuits, s'il vous plaît » par un « quatre croissants ce matin? »; et la croûte pas encore prise de la pâte de son visage trembla un instant, avant de retomber à plat dans le moule. Mais malgré mes exhortations silencieuses elle ne parvint jamais jusqu'à la variante du double antonyme : « quatre croissants, bien cuits ? ». Mes croissants chauds dans la main, entourés de leur papier, je revenais assez vite, car il faut qu'ils soient encore tièdes à la dent au moment voulu. Il y a un moment optimal pour la consommation du croissant, un « moment machiavélien » du croissant (selon l'acception pocockienne) ; un rituel de gestes et une préparation intérieure accompagnent cette opération.

Par ailleurs, deux partis s'affrontent chez les mangeurs de croissants (de croissants en général, aussi bien ordinaires qu'au beurre) : le parti sec et le parti humide. En ce qui me concerne, j'appartiens à la tendance sèche du parti humide. Cela veut dire : après avoir préparé un bol de café au lait (je n'avais pas encore abandonné le lait) chaud, mais non brûlant, je trempais l'aile (la patte plutôt) du croissant (conservons une cohérence métaphorique) détachée (supposons le croissant parfait, satisfaisant à la loi de Roubaud pour les besoins de la description) de façon qu'elle se mouille, s'imbibe, s'adoucisse, mais sans fondre, *sans se défaire.* J'agissais de même avec l'autre patte ; puis avec la partie centrale du corps ainsi désassemblé (commencer par la patte *gauche!*). Si le croissant était parfait (et c'est là, sans conteste, un test, une mesure de son degré de perfection), (échelle de Roubaud du croissant), pourvu que les gestes corrects aient été accomplis, il ne devrait rester au fond du bol aucune trace de sa disparition. *Un vrai croissant ne s'effrite jamais.* Un croissant trop mouillé, au point de s'effondrer, de se transformer en carton victime d'une pluie dans un terrain vague de banlieue, me fait autant reculer, ou presque, qu'un autre, dont le contact à la bouche, trop sec, me blesse : comme d'un mince jet d'eau en été, le soir, au bord de la mer, dans la forte chaleur, on arrose la poussière à la terrasse d'un café, fixant la sécheresse, et l'odeur brusque de terre, de fleurs et d'ombre et de platanes vous serre le cœur de nostalgie, ainsi la juste humidité caféinée donnant le juste arôme, la juste consistance du croissant vous fait croire, ne serait-ce qu'un instant précaire, à la possibilité d'une bonne journée. En renonçant au croissant j'avais fait, on le voit, un sacrifice sérieux à la prose ; mais je n'en attendais pas de récompense.

104 (§ 8) *En admettant que j'aie le temps de l'écrire du tout*

Le seul mystère de ce livre est là (parmi quelques énigmes, dont certaines, sans doute, m'échappent) : les quatre mots manquants dans la phrase de sa définition diront, quand ils seront écrits, quelque chose qui sera alors, je le pense, si je vais jusque-là, d'une certaine évidence pour le lecteur. Là n'est pas vraiment le mystère : il n'y a rien à chercher, puisque ce qui serait à chercher et que dissimulent les mots manquants dans la phrase n'est pas encore, et, quand cela sera, ces mots n'auront plus rien de mystérieux.

Le mystère est donc ailleurs : il est dans ce qui, de l'intention de ce récit en train de commencer, nécessite une parenthèse comme celle que j'ai introduite juste après :

... il est clair que ' le grand incendie de Londres ' ne sera ce qu'il est qu'une fois achevé, s'il l'est jamais, c'est-à-dire s'il va assez loin pour être *(auquel cas il sera alors, quoi qu'il arrive, nécessairement achevé)*,

et a trait à la forme de l'écrit, à ce qui le constituera, éventuellement, comme un tout. J'y insiste, dans cette *incise*, encore très près du début de ma tentative, à un moment précisément où j'ignore encore si elle aboutira (un minimum, une quantité minimale de prose est posée comme indispensable pour cela), et il m'importe assez peu que cette insistance conduise quelque lecteur ingénieux à un déchiffrement anticipé ; car il s'agit d'un mystère, non d'une énigme, qu'il importe de ne pas déchiffrer.

La distinction entre mystère et énigme, que j'invente pour les besoins de mon récit, vous sera présentée plus loin (elle est déjà écrite, mais sans doute vous ne l'avez pas encore lue, du moins si vous lisez les *insertions* au moment où elles apparaissent dans la continuité du texte). Le mystère touche à l'intention de forme du récit, si on peut dire : les mots absents dans la phrase que je commente désignant, eux, une intention de contenu.

Je l'ai déjà, dans un paragraphe antérieur, *dite* implicitement. Si je dis qu'il s'agit d'une intention formelle, c'est, je le crois, que cette intention, une fois atteinte (et acceptée) par l'achèvement, donnera, au moins autant que l'adéquation à la définition, absente maintenant, mais qui sera très visible quand le livre sera écrit, et dès qu'il sera certain qu'il le sera, un sens au récit, que je désignerai comme étant son *sens formel*. Et mon idée, qui me fait ainsi insister au-delà du strict nécessaire narratif sur le mystère de sa forme (idée qui est d'ailleurs aussi applicable, pour moi, à la poésie), est qu'il y a *prédominance* du sens formel sur toute autre modalité de sens, en particulier sur ce qu'on désigne ordinairement sous ce mot.

La non-révélation de la phrase définitoire est une tentative pour rapprocher l'intention d'un sens (dans l'acception ordinaire) d'une intention formelle (intention de *sens formel*, par conséquent, si on me suit bien), en lui donnant quelque chose comme un autre sens formel comparable (les deux ne sont pas indépendants). Ce qui fait qu'en somme le mystère est double; son second visage étant, une fois le premier, le mystère formel proprement dit, aperçu et écarté, celui qui pourrait surgir.

La présente *incise* n'a pas de rôle dans le récit. Je m'aperçois que sans doute, dans l'ignorance où je suis de l'achèvement éventuel de mon écrit, j'ai voulu, en cas d'interruption involontaire avant que cet achèvement soit possible (donc certain), et en supposant que malgré tout l'état fragmentaire où en resterait dans ce cas ' *le grand incendie de Londres* ' n'empêche pas une mise au jour, laisser une possibilité de déchiffrement de ce qui serait alors un irréel du passé. Ce qui semble vouloir dire que même affaiblie, abâtardie, ridiculisée et combattue consciemment, la même impulsion, commune à toutes les versions mégalomanes antérieures du *Projet* et du *Grand Incendie de Londres* (les deux en intention), demeure en moi et ruse avec l'aveu d'échec; essayant malgré tout de survivre, ne serait-ce que par ces moyens détournés. Elle m'accompagnera vraisemblablement, de plus en plus dérisoire, jusqu'à la mort. Il reste que l'intention de sens existe, que tout ce que j'ai écrit, ou presque, s'y conforme; et l'intention formelle est toujours présente, d'une manière plus essentielle encore, dans la mesure où sa nature même lui fait porter ombre sur chaque ligne avançante (ou presque). Il n'est pas impossible que, la prose bougeant avec ses lignes, j'y distribue plus tard de nouveaux indices, plus précis, rendant plus commode le déchiffrement, encore peu envisageable à ce stade.

(du chapitre 2)

105 (§ 16) *Un « projet » en bonne et due forme... que j'ai même publié*

Publié est beaucoup dire : le caractère éminemment confidentiel du lieu de publication, la « deuxième série », dite « documents de travail » des *Cahiers de poétique comparée* (eux-mêmes tout à fait confidentiels), sous le titre *Mezura*, emprunté aux troubadours, le tirage insignifiant (cent cinquante exemplaires dont il ne s'est pas trouvé circuler beaucoup plus de la moitié) donnent à cette « rechute » dans la mégalomanie des « plans de vie et de travail » une nocivité heureusement fort relative.

En outre, j'avais été, au milieu de ma folie récurrente, un peu plus prudent cette fois. (Un certain goût du secret a toujours, heureusement, été associé en moi à l'ambition démesurée.) Le titre, « Description du projet », de ce *Mezura*, n° 9, était certes dangereux puisque le *Projet*, s'il avait été accompli, ne devait pas apparaître comme existant, antérieurement à son achèvement effectif; et il ne devait pas apparaître non plus comme « ayant pu avoir été », dès le moment où il avait été abandonné et ' le grand incendie de Londres ' entrepris.

Certes encore, la *section I* de ce texte, son « exposé des motifs », s'approchait en quelques endroits excessivement de ce qui appartenait réellement au *Projet* (et même au *roman*). Ainsi :

5. Cette intention (une intention unifiante, d'après le n° 4) est *intention de poésie*.
6. Considéré dans son ensemble, le projet, dont ceci n'est que tentative de description, est un *projet de poésie*.
...
8. Je peux envisager aussi un autre mode de description, cette fois *trame* d'un *bref* de narration.

269

(La distinction, empruntée au vocabulaire du tissage, entre « trame » et « bref », touchait même là à une métaphore stratégique des rapports entre le *Projet* et le *Grand Incendie de Londres*, que je n'ai pas encore abordée dans ce texte-ci.)

Mais je n'allais pas malgré tout au-delà de ces velléités de dévoilement : le « projet » de la « description du projet » restait éloigné du véritable *Projet* sur quelques points essentiels. Il n'en était même pas le résumé, ni le « squelette ». Et, surtout, une multiplicité de parapluies étaient ouverts dans le texte, où je laissais dans le vague, et les délais et le fait même de l'achèvement des nombreuses tâches énumérées d'ailleurs plutôt que décrites. Dans la partie la plus précise du texte, je dressais un bilan de « travail accompli ». Même si l'enchaînement conceptuel des régions en apparence les plus éloignées de ce travail (la « théorie des catégories » (de la mathématique) à un bout de la chaîne, la pratique du sonnet à l'autre, pour ne prendre que les cas extrêmes) empruntait évidemment à tout mon passé de rêveur du *Projet*, l'extravagance restait modérée, et ne devait pas éveiller le soupçon d' « autre chose » :

1. L'objet de ces quelques pages est d'établir un bilan de dix-sept années d'activité (1962-1979),
2. et de présenter un programme de travail pour d'autres années.
...
12. Gertrude Stein a écrit : « *I write for myself and strangers.* » J'écris ceci pour mes amis : c'est une manière de signe. Pour moi-même, aussi : afin, peut-être, de discerner où j'en suis ; peut-être pour ne pas cesser de continuer.
J'écris ceci pour ceux que je traîne, sans les prévenir, dans ces pages. Et pour quelques autres, que cela pourrait intéresser.

A la Section VII, « Le projet deux : quelques livres préparés ou prévus », je terminais par cet avertissement :

369. ... Certains de ces livres existeront. Les autres auront pu avoir été.

En effet.

Il reste que j'étais passé fort près d'une imprudence plus grande encore qui aurait rendu ʻ le grand incendie de Londres ʼ strictement impossible.

Cela m'a servi de leçon. D'abord, j'ai compris à ce moment qu'il me fallait *renoncer réellement*, et au *Projet* et au *Grand Incendie de*

Londres, ne pas chercher à les sauver sous une forme hybride ou dégradée.

J'ai compris en même temps que ' le grand incendie de Londres ', pour être, devait se maintenir dans un état « privé », dans une confidentialité encore beaucoup plus radicale que celle de la « Description du projet » de 1979; au moins pendant le temps nécessaire à l'avancement minimal qui assurerait qu'il aboutirait quelque part.

Enfin, il devrait inscrire en lui-même, dans son propre mode de composition, la « clandestinité programmatique » qui était sa protection, la condition même de sa survie. A cela je me tiens.

106 (§ 17) *Les citoyens de Manhattan... ont réinventé le « sereno »*

Il y a sept ans (en septembre de 1979), pour en finir avec une passion sentimentale épuisante et tournant à la dérision, j'avais pris l'avion pour New York (un des rares moments de ma vie où j'ai pu faire cela : partir en avion pour New York). J'ai habité quinze jours chez Louise, dans son appartement de « Lower Manhattan ».

Elle vivait alors dans une rue calme, proche de la Troisième Avenue, un petit appartement d'étage élevé, infiniment confortable et infiniment cher. Elle y vivait seule. Elle avait un ami, mais lui était dans le New Jersey. Ils se rencontraient aux week-ends (ils travaillaient tous les deux). Tantôt elle allait chez lui, tantôt il allait chez elle; c'était un scientifique appliqué, un chimiste des parfums. Il était très ordonné.

Le lit de Louise, où je passai beaucoup de mon temps à New York, était immense, clair, bas, très bas, presque au sol. Les couleurs intenses, criardes, brouillées, empiétant l'une sur l'autre, perpétuelles, de la télévision, la pendule lumineuse électrique et silencieuse ponctuaient l'obscurité; avec, parfois, dans la nuit tardive, le noir et blanc de vieux films, des vieilles séries reprises par les chaînes « intelligentes » (les *Munsters*, par exemple).

Louise partait tôt et rentrait tard. Nous allions dîner le soir dans un des innombrables restaurants de nationalités invraisemblables (mais dont les nourritures, aussi différentes qu'elles aient pu s'annoncer, avaient toujours un air de famille (dans la tonalité fade)) qui jonchent ces régions de New York. Louise les connaissait tous. Elle fronçait les sourcils sur ses beaux yeux rentrants et hésitait, mais pas longtemps. J'étais un peu absent, triste, mais soulagé; elle me trouvait plus vivable qu'autrefois; « *mellowed* », disait-elle.

Après son départ, je regardais *Good Morning America*. Puis je sortais, parcourant Manhattan en tous sens, de librairie en librairie. J'entassais des masses de livres que je m'expédiais à mesure à moi-même dans d'immenses et séduisantes enveloppes sélectionnées par Louise qui travaillait alors dans une maison d'édition spécialisée en westerns (conversion bien américaine d'une provençaliste de formation): je passais des heures parmi les centaines de milliers de livres de la librairie Strand, toute proche.

Il faisait chaud encore, et les nuits, tiède. En revenant du restaurant Louise se livrait à un slalom compliqué entre les rues réputées dangereuses et d'autres où, pensait-elle, on pouvait circuler à pied sans crainte. Je ne saisissais, et pour cause, pas très clairement le sens et la pertinence de ces distinctions. Ces rues me paraissaient toutes semblables; et tranquilles. Le seul critère que je parvins à identifier avec certitude était celui-ci: certaines rues étaient trop tranquilles; dans celles où nous marchions les trottoirs n'étaient jamais vides.

J'ai alors compris le sens « sécuritaire » de l'institution du « sereno », réinventée dans le Manhattan d'aujourd'hui (au moins celui de 1979, je n'y suis pas revenu depuis); en arrivant à l'adresse de Louise, en débarquant de l'avion, j'avais été accueilli à l'entrée par un gardien armé, aimable (il était prévenu de la venue d'un « *gentleman from France* »), mais malgré tout sur ses gardes; et armé. L'immeuble était en effet gardé jour et nuit et le coût de cette surveillance entrait pour une part non négligeable dans le loyer.

Dès que Louise m'a donné l'explication de cet accueil surprenant pour un Parisien, j'ai pensé à Madrid. En cette même année 1970, j'avais rencontré Louise.

Louise connaissait et traitait avec déférence chacun des deux gardiens: celui de jour et celui de nuit. Elle me présenta, afin que je ne me heurte pas à une impossibilité de rentrer dans la maison en son absence. J'eus le sentiment de l'évidente pertinence de l'expression « chien de garde ». L'identification était visuelle, non olfactive; mais je fus tenté de tendre la paume de ma main vers le museau du revolver, pour l'amadouer.

107 (§ 20) *Un seizième de feuille de format français ancien,*
21 × 27

Les pages manuscrites de mes notes d'alors, de mes copies de textes
provençaux que j'ai conservées sont sur des pages du format alors
courant en France ; elles m'apparaissent aujourd'hui courtes, épaisses,
maladroites. Mon impression, quand j'ai été confronté pour la première fois au format « américain » de 21 × 29,7 qui s'est imposé depuis
partout, en une démarche « normalisante » du papier, fut exactement
inverse : je trouvais ces pages inélégamment longues et étroites.

Cette impression demeure nette dans mon souvenir ; et, pour une
fois, je dispose quasiment d'une corroboration objective, indépendante de ma mémoire : car toutes ces notes d'alors sont sur des
feuilles « françaises », ou des « quarts de feuille », à petite écriture
quadricolore accueillant les « coblas » de chansons de troubadours
(unité dont j'avais pris l'habitude pendant les longues années de ma
composition de sonnets), donc sur du papier que j'avais apporté,
délibérément avec moi en franchissant l'Atlantique, de façon à ne pas
dépendre du papier « américain ».

Plus tard, pas très longtemps plus tard, quand ma résistance
géométrique s'est trouvée, en quelque sorte, tournée par une trahison
de l'intérieur, l'adoption par la papeterie française des normes
anglo-saxonnes, j'ai même envisagé un instant de faire des provisions
de papier 21 × 27 suffisantes pour toutes les années de mon écriture,
mais ma paresse naturelle en présence de telles tâches (jointe au
problème, fort peu aisément soluble, du stockage) m'y a fait renoncer
rapidement. Je me suis adapté. Et je ne vois pas sans une certaine gêne
l'évidence, patente au moment de reprendre des manuscrits de ces
années d'avant le papier impérialiste yankee (si j'ose dire), de mon
habituation, de mon intériorisation de cette contrainte « multinatio-
nale » qui me fut imposée contre mon choix.

C'est une question, en ce qui me concerne, moins minuscule qu'il
peut y paraître au premier abord. Les premières années de mon
' Projet ', je l'ai dit, ont été largement occupées, du côté de la poésie,
par un travail sur le sonnet. A chaque sonnet que je composais, dans
chacun de ses états successifs, je donnais une existence quadricolore
de papier autonome, un « quart de feuille » de papier machine
ordinaire, quatre-vingts grammes : un microcosme de surface blanche
de papier, habité des mots et des lignes du poème. L' « existence-seul »

de chacun de ces sonnets, ainsi, avait sa confirmation matérielle dans la notation.

De plus, comme la fabrication du livre qui devait les contenir et les agencer était ce qui m'importait alors le plus, tout autre rapport au papier, même mathématique, passait par les mêmes dispositions : pas d'autres types de feuilles, pas de feuilles de papier rayé, pas d'autres papiers que le papier machine (alors même que je ne me servais pas encore, ou très peu, d'une machine à écrire). Le format de la feuille, et ses diviseurs (de la moitié au seizième), était devenu le mode même de l'existence de toute langue écrite par moi, dans quelque ordre d'activité que ce soit (c'est sans doute une des raisons pour lesquelles, quand ces « sonnets » se sont trouvés devenir *livre*, je veux dire livre imprimé et publié par un éditeur, au moment même de la joie et exaltation naïve que me procurait ce fait, une sorte de tristesse me faisait mesurer la distance qui s'était établie entre ma « conception », appuyée sur la page manuscrite, et *cela*, où je ne me reconnaissais pas vraiment).

Étant donné tout cela, le lien de la pensée, de la vie dans la langue particulière qui est celle de celui qui compose de la poésie comme de celui qui cherche de la mathématique (et j'étais alors, de manière très imbriquée, les deux, en ces années-là) au *format* des lieux géométriques des « dépôts de langue » qui en résultaient, était fortement contraignant. Et cela d'autant plus que la version de la forme sonnet que j'avais adoptée, à la suite des sonnettistes des siècles passés, interprétée graphiquement par la typographie moderne, disposait la division majeure du poème, le huitain s'opposant au sizain en une répartition qui donnait neuf lignes au premier et sept au second. Or, le rapport de neuf à sept est, numériquement, le même que celui de la dimension longue, vingt-sept centimètres, à la dimension courte, vingt et un centimètres, des pages que j'utilisais. Le confort d'une telle harmonie de proportions se trouvait détruit par le format de la feuille « américaine ».

J'ai mis très longtemps à retrouver le sonnet.

108 (§ 21) *Il était nécessaire que son terrain d'application soit « dans la poésie ».*

Cette nécessité ne se comprend ici qu'à la suite, dans le chapitre 5 du récit de cette branche : puisque le *Projet* devait être, *à la fois*, un projet de poésie et un projet de mathématique. Les réflexions que le rêve, la décision et le Projet, qui constituent ce chapitre, inspirent et qui sont déjà écrites au moment où je m'engage dans cette incise, éclairent suffisamment cet aspect.

Mais il m'apparaît autre chose, lié à une contradiction inhérente au *Projet* (et, à sa suite, au roman) : ce *moment* de la découverte d'un mode d'accès de l'algèbre à la poésie, que je crois reconstituer et qui joue un rôle décisif dans mon *illumination* et le nouveau départ du *Projet* qui en résulte, est un moment de hasard. Je suis à peu près certain cependant qu'il se serait nécessairement produit, puisque, par exemple, je m'intéressais beaucoup, à l'époque, à la linguistique générative; puisque je m'étais lancé, à la suite de ma thèse de mathématique et dans le sillage de mon maître J.-P. Benzécri, dans l'exploration d'un modèle concurrent de la syntaxe des langues naturelles; quelqu'un, moi-même encore peut-être, aurait découvert, ailleurs, plus tard, les travaux de Métrique Générative de Halle-Keyser. *Cela* aurait eu lieu.

Pour prendre un autre exemple, le principe combinatoire auquel je fais allusion dans les lignes du récit qui suivent, celles qui ont appelé cette *incise*, un principe général d'une théorie du rythme, *cela* aussi était « en route » à ce moment, et finirait de toute façon par « rencontrer » le *principe du maximum*, pour mettre l'algèbre rythmique sur une voie véritablement utile à mon *Projet*.

Ceci veut dire que le principe de dispersion boulimique qui caractérise ma trajectoire dans ces années effervescentes du début du *Projet* travaillait secrètement en faveur de son contraire, la stratégie unifiante qui était indispensable à la réalisation.

Mais il était impossible que tout ait lieu en même temps. En avançant dans chaque « branche » de recherche ou d'écriture, je me rapprochais de la solution du problème du « comment » du Projet; et pendant ce temps s'épuisaient les années qui m'étaient données pour le mettre en œuvre.

Voilà, en effet, de quoi rire.

Rions.

Cette « *discrepance* » fatale touche toutes mes entreprises : le travail sur la forme sonnet, cet îlot survivant du naufrage du Projet, se heurte à une difficulté du même ordre; comme l'ambition est moins vaste, et que je peux supporter l'idée d'un accomplissement imparfait, je parviendrai malgré tout à quelque chose. Mais c'est seulement aujourd'hui que je sais ce qu'il aurait fallu faire pour le faire de manière satisfaisante.

Chez certains (je pense en particulier, selon des modalités très différentes mais avec des résultats assez semblables, à mes amis Pierre Lusson (le fondateur de la Théorie du Rythme) et Jean Bénabou (le Maître de la Théorie des Catégories)), le syndrome que je décris conduit à un inachèvement quasi parfait. La différence est que leurs intentions ont été affichées; les miennes sont restées, dans une large mesure, secrètes. Mais j'ignore quelle est la situation la moins désespérante.

109 (§ 23) *La forêt encore impénétrée des choses en mémoire, et qui attendent*

Je ne me représente pas ces « choses en mémoire » comme des chaises dans un salon vide, ou des malles dans un grenier. Les images que garde la mémoire, je ne les vois pas comme des photographies, ou des peintures, ces biens immobiliers du souvenir, ces représentations « oisives », comme dit à peu près Wittgenstein. S'il est vrai (comme je le dis dans la suite, plus loin dans le déroulement des chapitres, et aussi plus avant, puisque les insertions viennent linéairement après le « récit ») que ' le grand incendie de Londres ' est quelque chose (secondairement à son intention et définition principale, non dite) comme un « traité de mémoire », cela suppose une certaine réflexion sur la mémoire elle-même, que je n'ai pas vraiment commencé de mettre en lignes, à ce *moment* de ma narration. Les « choses en mémoire » ne sont donc, pour l'instant, que des « souvenirs », au sens ordinaire.

Pourtant, dans cette œuvre à dessein de fiction, je désire éviter la pente des « mémoires », le déroulement paresseux des « sorites », des « gloses » de souvenirs commentés et alignés les uns après les autres. Il ne me faut donc solliciter l'activité de mémoire que secondairement à l'autre, la principale, celle de la prose racontant ce qu'elle a pour tâche (obscure) de raconter. Je me heurte à deux difficultés.

Tout d'abord, le mouvement d'un souvenir, une fois mis en route, est difficilement arrêtable, et m'entraîne à tout moment dans des directions que je ne veux pas prendre, sous peine de voir le chemin de l'écrit entièrement soumis au hasard des embrayages dans les ' traces mnésiques », si j'ose m'exprimer ainsi. Une chose est de ne pas avoir de plan préétabli, une autre de me soumettre entièrement au hasard (aussi sémantiquement prédéterminé qu'il puisse être). Je ne conçois pas mon entreprise ainsi. Il s'ensuit que je considère les souvenirs avec méfiance, que je suis à tout instant tenté de les interrompre, de refuser leurs sollicitations.

Pas tout à fait indépendamment, le souvenir présente un autre risque, au moins aussi grave. Amené au présent, un souvenir (et ceci encore plus spectaculairement si je l'écris) s'affaiblit, se dénature, s'épuise. Une irruption accidentelle d'un souvenir profond est donc, si elle se produit contre la nécessité propre de la prose, une véritable catastrophe. Se souvenir d'un souvenir conduit à sa rapide dévaluation.

C'est pourquoi je tourne autour de ces « choses en mémoire, qui attendent », avec d'infinies précautions. Je ruse. J'expérimente des tactiques de diversion. Le présent et son silence nocturne m'enveloppent. Je me lève pour boire, je prends un livre, je ferme les yeux, je me concentre sur le silence, le vide, je dirige ma pensée vers des souvenirs déjà perdus, vers des instants à venir, même s'ils ne m'offrent plus guère de joies possibles (joie, assurance d'oubli).

Par la mémoire j'assure, parallèlement au temps qui me vieillit comme corps, comme pensée, ma destruction. Je m'efforce de mettre de l'ordre dans cette destruction, de la construire.

(du chapitre 3)

110 (§ 25) *Tournant le dos au reste de la pièce*

Le reste de la pièce, ce qui se trouve en arrière de ma tête, inaccessible à mon regard au moment de la description, y échappant, sera à jamais vide, puisque je ne me suis pas alors retourné. J'ai noté qu'il y avait « par exemple », le téléphone, la télévision, la cheminée. C'est encore vrai, même si le poste de télévision aujourd'hui est plus grand, plus moderne, équipé du « décodeur » qui permet à mon père de capter « Canal Plus » et ses nombreux films. Mais le déséquilibre descriptif est définitif. Je pourrais, me souvenant, ayant devant les yeux la pièce dans son état actuel (actuel au moment où j'écris ceci, qui est donc, selon les termes mêmes que j'emploie, séparé d'au moins trois ans de celui de la « description définie » arrêtée à mon champ visuel), me livrer à un autre exercice d'alignement de lignes énumératives qui restitueraient, au mieux que je pourrais, l'image (la topologie d'images superposées) de cette seconde moitié. Je prévois de le faire, mais plus tard encore, après des changements beaucoup plus graves.

Il y aura, alors, quatre « états » de description :
- celui qui constitue le § 25 de la présente branche (récit), la moitié visible de mes yeux à la table ;
- le même territoire revu et balayé selon le même mouvement du regard à l'instant (futur) où, dans la prose, je reviendrai sur les lieux ;
- à cet instant, j'achèverai le mouvement circulaire, je montrerai la pièce dans son entier ;
- je m'efforcerai, enfin, de retrouver en souvenir la moitié restée vide telle qu'elle était quand je la regardais pour en écrire ce que j'en ai écrit.

Il s'agit d'une expérience témoin, pouvant servir d'*emblème* à ma tentative de prose. Sa « constitution » abstraite est un *triple* :

278

- les deux moitiés sans suture de temps de la pièce dans son état futur (présent encore inactuel de la description circulaire encore non écrite);
- le *double* antagoniste de la description passée faite au présent du regard et de son symétrique (l'autre moitié alors restée non dite) imaginée au souvenir.

De ce « triple » (même dans son état actuel d'inachèvement, de non-complétion, puisque la description ultime n'est pas faite, ne le sera peut-être pas), je peux (en n'examinant que les conditions de sa « conception ») mettre en évidence la pluralité irrépressible de mondes dans laquelle mon lecteur, lecteur générique du ' grand incendie de Londres ', est placé par la *condition du présent* que j'impose à son appréhension de mon texte (tout ce qui est écrit dans cette *branche* garde la trace du présent de sa composition).

Ce n'est pas tant vers un futur à la fois informe et informulé que les mondes divergent (du moins divergent démontrablement; vers le futur ils ne se multiplient que « possiblement ») que vers le passé. Si j'admets, provisoirement, que la description entière de la pièce (supposée faite) et la description déjà posée ici de la moitié vue témoignent d'un même monde, c'est à deux mondes différents qu'appartiennent d'une part ces deux descriptions et d'autre part celle de la moitié aujourd'hui encore laissée vide, faite à partir de mon souvenir. Je ne chercherai pas à élucider les rapports de non-indépendance de ces mondes (ils sont liés, bien évidemment, mais la « logique » de leur concordance n'est certainement pas simple).

Ainsi, la condition de présent jointe à la *condition de véridicité* (que vous êtes pratiquement obligé d'admettre) font que mon livre se situe nécessairement dans une pluralité de mondes : leurs multiplications, leurs heurts autant que leurs convergences constituent un mode particulier de fiction arborescente; la progression, incisée et bifurquante, des lignes que j'ai choisie en constitue, abstraitement (indépendamment des justifications pragmatiques que j'ai fournies plus haut), une figuration.

A partir de cet exemple encore, une autre source de la prolifération des mondes peut apparaître : ma « description définie » de la pièce n'*est* pas la pièce, mais un prélèvement en mots de fragments vus; quelque chose de plus proche de *ce monde-là*, que j'ai regardé, pourrait être, par exemple, une photographie, prise du même endroit que le regard (l'expérience « modèle » peut aussi supposer cela : l'existence de deux photographies des lieux, aux moments concernés).

Ma description, « lacunaire », est compatible avec d'autres mondes photographiables, où les endroits blancs seraient remplis autrement, par d'autres objets, ceux que j'ai « oublié » de dire, ou d'autres qui n'ont pas été là, dans le monde de référence de mon souvenir. Entre la description et la ou les photographies possibles non contradictoires avec elle, considérée(s) comme image(s) stable(s) et pleine(s) du (des) morceaux de monde(s) décrit(s), il y a place pour des modifications, des ajouts, des corrections, des repentirs. Dans ' le grand incendie de Londres ', ce rôle est joué (selon l'analogie abstraite) par les *incises*.

111 (§ 32) *Ces paragraphes séparés les uns des autres par des blancs, une numérotation et un titre*

Le mode de présentation en blocs autonomes (une cuillerée de « gelée » de prose) accentue l'indépendance apparente première des fragments qui constituent ' le grand incendie de Londres '. La discontinuité de leur mode de composition (blocs isolés de temps prématinal) trouve là une *signature formelle*.

Séparés dans le temps par le blanc des journées incolores, ils se séparent aussi matériellement sur le papier. Quand, une fois allumée ma lampe et ouvert mon cahier à l'endroit où je l'ai refermé la veille, j'affronte, toujours aussi difficilement (et cela ne cesse pas, de moment en moment, malgré mes espoirs), l'angoisse récurrente et souvent infranchissable du « recommencement » (et si rien n'avance le jour est un jour totalement blanc, annulé et nul) entouré de noir épais, la tête dans la lumière électrique tronconique, je me retrouve en fait dans les dispositions mentales d'un début absolu.

Contre toute habitude et sagesse romanesque, je n'efface pas ces ruptures. Je les affiche au contraire.

La ligne de blanc (dans mon cahier ce n'est qu'une ligne mince de blanc, mais dans la version tapuscrite (que suivra ou non la traduction imprimée, si jamais je m'y hasarde, je ne sais) je change en même temps de page), la numérotation sont les procédés tout à fait ordinaires de fragmentation d'un texte (ils se renforcent), il n'y a rien à en dire de particulier.

La désignation en revanche, le *titre* du fragment, du *moment* de la prose, a une intention propre.

Comme vous n'avez sans doute pas pu éviter de le remarquer je reprends, pour ce titre, assez long et souligné (à la couleur rouge dans mon cahier), tout ou partie de la première phrase du paragraphe qu'il désigne (et, dans le cas d'une *incise*, comme celle-ci même, le *segment du texte où a lieu l'insertion*), et le début de la lecture du fragment est donc une répétition à peu près exacte des mots qui viennent d'être lus dans le récit. Le *moment* est donc presque entièrement dirigé vers sa suite; la répétition initiale *marque* un début, une attaque, l'existence d'un silence antérieur (c'est un véritable *marquage*, au sens de la théorie lussonienne du Rythme).

Je prends le mot *titre* dans l'acception suivante (empruntée plus ou moins exactement à Gertrude Stein) :

Un titre est le nom propre de son texte.

Si le titre d'un *moment de prose* est la reprise de son commencement, le moment lui-même, dans cette interprétation, n'est pas soumis à une vision unifiante qui le dépasse et le coiffe, qui peut être nommée extérieurement à lui; il est seulement le prolongement d'un germe, sa phrase initiale.

Mais ce « titre » long, plutôt inusuel en tant que titre, s'inspire aussi d'un vieux souvenir de lecture : dans des éditions « illustrées » de mes premières lectures (Jules Verne, Erckmann-Chatrian ou Boussenard), des gravures ou photographies pleines pages se situant parfois dans le livre à quelque distance des passages qu'elles devaient évoquer étaient ainsi *titrées* par fragments de texte, suivis parfois d'une indication de page.

Chaque *moment de prose* est aussi « moment » en cela; il a l'immobilité concentrée et « oisive » (comme dit Wittgenstein) d'une *piction* (ce mot-valise, fait de l'anglais « picture » et de « fiction », s'oppose à *image*). Il ne bouge pas.

112 (§ 40) *Des mûres à la crème liquide par une soirée de février*

Alors qu'au congélateur presque tous les fruits domestiqués s'effondrent, deviennent mous et flasques une fois privés du soutien des minuscules cristaux qui les ont soutenus pendant leur hibernation, la mûre, avec ses gros (ou petits) grains noirs, en sort intacte, presque plus nette, fraîche et consistante. C'est là une revanche du « naturel » sur le « culturel » qui me réjouissait.

Mes cueillettes préférées ont toujours été ces deux-là : l'azerole et la mûre. L'azerole représente la rareté, l'originalité extrême d'une survivance géographique et, par la préparation de la gelée, l'originalité seconde, redoublée d'une « mise en mémoire », comme celle qui transforme en prose les souvenirs.

Mais la mûre, elle, est partout : en Provence comme dans les Alpes, en Californie comme en Écosse; au bord des routes, entre deux vignes, dans les flaques de terre et de ruines des villes, après la chute d'une vieille maison. Ses buissons déchirants partout fleurissent, rougissent, s'emplissent de grappes noires; en hiver, squelettes bruns, sombres, avec accompagnement de corneilles, d'étourneaux. Partout, les cultures peignées, les routes nettes s'acharnent à les détruire, à les éradiquer; partout ils renaissent, de toute négligence, de tout découragement paysan ou cantonnier, de tout retour en friche. Il y a en la mûre de la ténacité sans emphase de la poésie.

La mûre est ma seconde cueillette. A sa recherche, je croise et recroise les sentiers qui innervent la garrigue, je marche dans les thyms et les lavandes, j'escalade les tas de vieilles pierres grises, les murs effondrés, les restanques; il y a des massifs inentamés depuis presque un demi-siècle, sur la pente de colline qui regarde vers l'est, au-dessus du village de Bagnoles. Les mûres, là, deviennent plus grosses, plus nombreuses; la ronce inépuisable s'épaissit, devient presque impénétrable, offre des grappes énormes au sang noir, qu'on ne peut atteindre sans verser, à son tour, le sien, en déchirant ses jambes et ses bras, où la ronce laisse sa trace pointillée, sa signature.

Personne ne me dispute ces récoltes, la ronce n'appartient à personne, est à tous. Les mûres impeccables qu'on voit de nos jours sur les marchés, en « barquettes » aussi chères que les framboises, et comme elles, sont des mûres d' « élevage », aussi fades que les truites de même dénomination. Et ces mûres rentabilisées poussent bien entendu sur des ronces sans épines; leur goût aussi est devenu sans épines, ne déchire pas la langue; il est doux et mou comme ces faux fromages infiniment pasteurisés, aux noms alléchants : « Chaumes », « St-Moret », « Coulommiers », en boîtes industrielles, destinés à la réduction des déficits du commerce extérieur. Ce sont des mûres à grand tirage.

La préparation de la gelée de mûres ne m'attire pas : il faut presser la masse des fruits longuement à travers un linge sacrifié pour obtenir un jus sans aucune de ces graines intérieures qui constituent la charpente intime du fruit, et j'ai toujours reculé devant l'idée de ce « pressoir » manuel : je ne bois pas de vin. Je préfère la confiture, dense, avec des fruits entiers. Une récolte, moyenne, trois mille mûres (un peu plus de trois kilos de fruits), grande colline noire tachée de rouge (il faut laisser un dixième environ de mûres rouges pour que la confiture ne soit pas trop visqueuse, ni trop sucrée) s'érode lentement et se fond avec le blanc du sucre, dans la bassine, sur le feu. Ce sont les plus belles de ces mûres qui, échappant à la cuisson, seront dignes du congélateur. Mais on peut aussi les manger le jour même, avec de la crème, du yoghourt ou du lait caillé ; de belles assiettées fraîches, en blanc et noir.

113 (§ 42) *Le gigantisme dinosaurien qui menace, elle en est certaine, l'humanité*

Pour mon père il ne s'agit pas, bien entendu, de gigantisme, mais d'un progrès, conduisant à une plus grande harmonie physique de l'espèce. Plus les garçons et les filles seront grands, plus ils seront, généralement parlant, beaux et harmonieux, ce qui sera tout à l'avantage des équipes de rugby, son sport préféré. (Il restera toujours assez de jeunes gens suffisamment petits pour les postes de talonneurs.)

Mon père attribue ce progrès (l'augmentation de la taille moyenne, dont il suit attentivement les indices visuels et statistiques) à deux causes principales (non indépendantes toutefois).

La première est de nature scientifique, « hygiénique » : une alimentation plus rationnelle, plus régulière, abondante, stimulante des papilles gustatives, et incitant à la recherche d'une dépense physique par enthousiasme des « esprits animaux » de la jeunesse : le lait, les fromages, les différentes variétés de yaourts y jouent un rôle essentiel. L'exemple décisif à ce sujet est celui des Écossais, Suédois et Hollandais qui, dans les années trente, étaient en moyenne d'une taille largement supérieure à celle des Français et plus généralement des Méditerranéens grâce à une alimentation fortement lactée (pour les Écossais à base de porridge) et, simultanément, peu alcoolisée (il fait exception pour le vin qui, pourvu qu'il soit bu modérément et ne soit pas « trafiqué », ne peut qu'ajouter ses vertus à celle du lait).

La seconde est de nature « sociale » : les pauvres sont petits, les riches sont grands. Quand la pauvreté diminue, l'alimentation devient meilleure, plus variée ; les loisirs sont possibles, le sport s'impose, les enfants sont plus grands que les parents, la population dans son ensemble progresse, les records d'athlétisme tombent.

L'exemple familial confirme son diagnostic : chaque génération dépasse la précédente (tout en maintenant par ailleurs une certaine avance sur la moyenne générale : avec un mètre soixante-dix-sept il était « grand » en son temps; ses fils l'ont dépassé et les fils de ses fils dépassent à leur tour leurs pères. Cela vaut aussi pour les filles). Il voit également avec plaisir que, si la population française dans son ensemble grandit, les femmes grandissent plus vite que les hommes, et cela lui semble aller aussi dans le sens du progrès.

Pour ma mère, bien au contraire, chaque centimètre gagné par l'humanité la rapproche de la catastrophe finale. L'homme n'est pas préparé à des changements aussi brusques. Après avoir vécu des milliers de siècles dans des vêtements de chair d'un mètre cinquante à soixante-dix tout au plus, il ne pourra pas sans dommage se faire des ourlets aussi importants; pour commencer, son squelette ne tiendra pas. Ensuite, l'augmentation en centimètres, s'ajoutant à l'augmentation en nombre des populations, créera des problèmes insolubles d'alimentation : qu'il y ait trop de bouches à nourrir est déjà grave; mais qu'en plus ces bouches soient énormes! L'appétit de mes neveux lui semble proprement monstrueux.

En même temps, et peut-être plus profondément encore, elle oppose au grandissement incontrôlé de la jeunesse des objections de nature esthétique. Il est impossible, pense-t-elle, que cette transformation brusque, chaotique, anarchique dans les tailles ne s'accompagne pas d'un déséquilibre dans les proportions. L'exemple des dinosaures, des ogres, de certains piliers toulousains ou lézignanais dans les équipes de rugby d'avant la Seconde Guerre mondiale lui revient en mémoire, et elle frissonne à l'idée que ses enfants et surtout ses petits-enfants vont leur ressembler.

Et elle est particulièrement inquiète pour les filles : ce qui est à la rigueur acceptable pour un aîné, comme François, est franchement dangereux pour ses sœurs. L'argument de mon père, soulignant que Marianne, par exemple, est parfaitement à sa place dans une équipe de volley-ball, ne la convainc pas du tout. Ils, elles se penchent pour l'embrasser et elle les imagine, là-haut, dans sa nuit, à découvert dans leur gigantisme, soumis plus que d'autres aux coups imprévisibles mais nécessairement catastrophiques de l'existence.

114 (§ 42) *La vue de ces lignes irréelles traversant l'écran deux mètres trente ou quarante au-dessus du sol*

Je ne regarde la télévision (sportive) que chez mes parents, dans la pièce minervoise dont j'ai décrit, au chapitre 3, une moitié; dans l'autre moitié (je lui tourne le dos pendant ma description du § 25), qui est proprement le territoire de mon père, se trouve le poste de télévision. Dès que j'aperçois, sur l'écran, un sauteur kilométrique (des jambes surtout) en train de se concentrer pour franchir une de ces barres presque immatérielles, fragiles, prêtes à chuter au moindre frôlement, souffle même, mon regard se porte immédiatement sur la poutre qui soutient le plafond de la pièce : en me tenant debout et en tendant la main je peux la toucher, ce qui veut dire que franchir la barre, pour le sauteur en hauteur, est franchir un obstacle situé à la même distance du sol du stade que cette poutre l'est du plancher; je le crois parce que je le vois, mais cette croyance ne pénètre pas mes muscles de spectateur, reste totalement froide, irréelle, comme abstraite (l'illusion est plus concevable dans les courses, même si la vitesse du coureur de cent mètres, ou du mile, m'est tout aussi inaccessible que le saut; je n'en *vois* pas l'impossibilité cinétique d'une manière aussi massive que pour la poutre).

Au même moment où mon regard, malgré moi, se porte vers la poutre, j'ai devant les yeux l'image, souvent réitérée et donc brouillée, délavée, mais encore sensible (plus une scène d'ailleurs qu'une image, puisque j'y suis en mouvement), de la cour du lycée de Carcassonne, vers 1942 (c'est une image composite, où se confondent plusieurs scènes semblables, sur deux ou trois années). Il y a deux poteaux métalliques maigres enfoncés dans le sol de ciment, et entre les deux un élastique (pas une « barre », matériel luxueux inaccessible à cette époque aux cours de gymnastique des écoles), placé à la hauteur de mes yeux. Je *vois* l'obstacle, je sens dans mes jambes la tension préparatoire, la course, qui, au dernier moment, celui du saut, place la ligne à franchir à ma droite. Je m'élève, retombe sur le sol dur. Inimaginable est pour moi un franchissement de l'élastique à l'horizontale, comme dans le « rouleau », encore moins un saut tête en avant, comme dans le *fosbury flop* (technique non encore inventée d'ailleurs en ces temps-là et position interdite par les règlements qui la considéraient comme « acrobatique », résidu d'une croyance proprement « magique » en des exploits tordus et déloyaux de saltimbanques), car l'atterrissage, dans ces techniques, suppose un accueil plutôt bienveillant du sol (les champions aujourd'hui ont droit à de douillets matelas) et je ne me serais jamais ainsi jeté de bon cœur sur la surface impitoyable de la cour de récréation. J'ai sauté, plus tard, quelques fois, sur des stades où du sable attendait de l'autre côté de la frontière du saut, mais je n'ai jamais réussi à oublier le ciment et pour cette raison mes membres ont toujours refusé le rouleau, californien ou « ventral ».

115 (§ 46) *Je ne me confronte pas à la bicyclette*

Je devrais dire : je ne me confronte *plus* à la bicyclette. L'abandon du vélo (aux environs de ma vingtième année) fut un choix occamien : ni roues, ni courses, un bipédisme pur.

En fait, j'ai été presque continûment cycliste jusqu'à ma venue à Paris (1950) ; d'abord à Carcassonne pendant les années de guerre, puis à Saint-Germain-en-Laye. Les routes, alors (les routes de l'Aude, puis les chemins de forêt à Saint-Germain), étaient presque uniformément vides de voitures ; en renonçant au vélo, je n'ai fait que reconnaître l'impossibilité d'une lutte individuelle contre l'automobile, pour laquelle je n'ai guère de sympathie ; pendant des années, j'ai été habitué à la plus grande liberté de mouvement sur les routes, et je n'ai pas pu me faire à la vigilance inquiète qui est devenue nécessaire, au perpétuel qui-vive du cycliste qui se sait gibier au même titre que le lapin, le hérisson ou le daim.

La notion de piste cyclable, de couloir réservé aux espèces en danger (à peine moins méprisables que les handicapés moteur) me fait frissonner de dégoût : en 1943, sur les routes des Corbières, on pouvait entendre un bon quart d'heure à l'avance le moteur rechignant d'un « gazogène » se traînant dans les côtes, et se pousser sur le bas-côté pour le laisser passer, avec quelque commisération. Les autos, alors, n'étaient guère plus inquiétantes que les bourdons ou les hannetons (qui eux, hélas ! ont presque disparu).

Un peu comme le cheval, qu'on croisait encore dans les vignes à cette époque, le vélo est devenu un animal sportif, un animal de loisirs (plus ou moins luxueux) ou d'exploits. Mais pendant les années sans combustible, les années des cartes de rationnement, il fut par excellence le véhicule du déplacement individuel, du ravitaillement, des vacances, des visites. Au sommet sans ombres d'une montée, en plein juillet de chaleur dans les Corbières, quelque part entre Saint-André-de-Roquelongue et Villerouge-la-Crémade (la « Brûlée »), nous nous arrêtions, mes frère-et-sœur et moi, sur le gravier au bord du goudron presque fondant, parmi les innombrables sauterelles au corps comme couvert d'un pollen brun, proche de l'argile brune et rouge des collines par la couleur; tout mouvement, tout pas les faisait par dizaines plonger dans l'air, ailes bleues, ailes rouges, bruissements, pour retomber parmi la poussière, les cailloux. Dans nos poings, elles s'efforçaient de toute l'énergie de leurs cuisses longues de soulever les doigts qui les retenaient. Je ressens encore dans la paume de la main la minuscule griffure à l'instant de leur détente, quand je les laissais repartir. Ensuite venait le bruit de l'air brûlant contre les oreilles, dans la descente.

En abandonnant le vélo, on livre toutes sortes de muscles à l'inactivité, qui jusqu'alors avaient prospéré, dans les jambes tout spécialement. Si par hasard aujourd'hui il m'arrive de remonter sur une bicyclette (cela m'arrive de plus en plus rarement), je me réveille le lendemain infiniment courbatu et dolent de partout. Sur la selle, le sol me paraît terriblement lointain et menaçant, et c'est d'une manière purement abstraite, sans aucun écho cinétique dans mes membres et ma vision, que je me souviens avoir fait des kilomètres « sans les mains », avoir descendu des pentes les pieds sur le guidon, ou autres plaisanteries. Le simple fait de ne pas mesurer la terre de la plante du pied m'inquiète.

Si donc je me déclare *marcheur*, il s'agit maintenant d'un choix *différentiel*, autant que d'une simplification dans mon être physique. En même temps que le vélo, j'ai aussi abandonné la course (la dernière forme de course dont je me sois débarrassé, par prudence cardiaque, et assez récemment, a été celle de la montée des escaliers, deux par deux et même trois par trois : survivance d'un temps, infiniment éloigné, où je courais ainsi, partout, tout le temps).

116 (§ 46) *J'atteins par la marche à quelque chose comme une possession du temps*

Dans l'immobilité, je ne possède pas le temps, c'est le temps qui me possède. Il en est ainsi dans tout déplacement par transports (trains, avions, automobiles); ne pas bouger, être bougé soi-même devant le paysage, c'est appartenir à chacune des minutes qui me déplacent; je n'ai pas la maîtrise du mouvement, ni du temps qui se coule en lui. Assis à ma table, ou couché, je me sens encore objet de transport : je suis transporté par la terre ; la terre est du temps qui m'emporte.

Mais la marche est du temps physiquement compté par mon corps ; mes jambes mesurent ce temps avec domination, le convertissant en espace de parcours ; la marche est une conversation avec le temps, comme la photographie, selon Denis Roche, est une « conversation avec la lumière ». Par la marche, j'imprime ma trace de temps sur cette terre, je marque le temps de mon attention, je le touche. Car mon calcul du temps en pas (qui accompagne presque toutes mes marches) s'apparente plus aux anciennes manières de compter, d'origine cosmique, lunes, jours et nuits, ou religieuse (cosmique encore, mais indirectement) comme les moments de la prière, vêpres, matines (moments de tension particulière, réglée, avec le temps), qu'aux divisions de plus en plus nombreuses, rapides, exactes et mécaniques qui se sont peu à peu substituées à elles, tuant jusqu'à la participation intime au temps qui donnait le sentiment du réel de la vie (et les montres même aujourd'hui sont de plus en plus des organes de substitution, à la place du temps : montres-calendriers, bientôt sans doute montres-agendas, secrétaires et répondeurs téléphoniques).

J'ai pour la marche un assez grand choix de vitesses et de modes de déplacement, dont chacun correspond à un choix de temps : les marches lentes, dans des espaces visibles pas ou peu familiers, qui demandent le regard, sont du temps lent, plein, épais, à l'écoulement ralenti ; ce sont des tranches de temps gratuites, sans but, sans exigences horaires, aux trajectoires hasardeuses. A l'extrême opposé, la marche la plus proche de l'annulation du temps est une marche rapide sur un parcours parfaitement connu, divisé par cette connaissance en sections de visible numérique attendues et par cela même déjà avalées ou presque par la prévision du mouvement à venir. Toute marche se situe entre ces deux limites, l'une du temps sans bornes presque infini, l'autre du temps divisé, réduit, presque nul.

La carte d'une ville, si c'est une ville où j'ai pu passer ne serait-ce que quelques jours (et j'ai absolument besoin d'une carte de cette ville, pour mes parcours, pour mes calculs), devient très vite une carte de temps au moins autant que d'espaces : et chaque lieu dans le temps devient multiple, puisqu'il change selon mon mode d'approche, selon l'itinéraire que je choisirai pour l'atteindre et le type de marche qu'un tel choix suppose. J'ai ainsi, de villes où je reviens à de longs intervalles de temps, un souvenir qui est moins visuel que cinétique ; j'ai une vision d'avenues, de rues, de monuments faite de pas, d'itinéraires, et de durées.

Mais je peux décider aussi de grandes marches d'espace, sur une route pas trop encombrée (comme les routes secondaires du Minervois). Le paysage alors s'enroule autour des bornes : les bornes blanches hectométriques, les bornes kilométriques blanc et rouge (ou blanc et jaune des départementales), séparées d'intervalles voisins : un peu moins d'une minute pour les unes, autour de neuf minutes pour les autres (les *highways* américains, où n'apparaissent, en vert, que les miles, n'encouragent guère un effort soutenu de vitesse). Je « mange », ainsi, vingt kilomètres en trois heures ; c'est ma ration, depuis des années.

117 (§ 46) *La contemplation oisive et rêveuse*

Ce qui m'attire particulièrement dans la marche, dans l'idée de marche comme moyen de locomotion privilégié (de me présenter, donc, comme piéton dans un monde d'automobilistes), c'est son *luxe*.

Être un marcheur, aujourd'hui, est une activité luxueuse ; ce sont, comme l'avait prévu Ricardo, les choses les plus ordinaires, les denrées les plus banales du monde, l'air, l'eau, le silence, les fruits à l'état de nature, qui sont maintenant, et deviendront plus encore, *rares* et *chères* ; le syllogisme des écoliers : tout ce qui est rare est cher – une chose bon marché est rare –, donc une chose bon marché est chère, est devenu, avec le temps, vérité ; est vérité si on le modifie en y introduisant la durée : tant de choses et de mots qui furent pauvres, humbles, méprisés sont devenus des signes désirables d'états passés et inaccessibles : chaumes, sauvage, cru, simples. Mon luxe à moi, c'est la marche : pour l'homme des siècles passés, n'avoir que ses pieds pour monture était un signe de dénuement, ou de sainteté ; mais choisir, aujourd'hui, délibérément, de ne posséder aucun de ces chevaux modernes que sont les voitures, pouvoir se le permettre sans dommage, c'est déjà (et cela le deviendra de plus en plus) un privilège. Cela signifie avoir assez de temps à soi, devant soi, pour traverser Paris en marchant jusqu'à un rendez-vous, disposer largement de ses horaires de travail pour que les moments des parcours puissent être décidés librement. Je marche avec d'autant plus de liberté, de passion, d'insistance que rien ne m'y oblige.

Je n'ai que peu à peu pris conscience de ce corollaire inattendu de mon choix de profession (l'enseignement universitaire en mathématique), mais je tiens maintenant mon état de marcheur comme un bien précieux.

Le regard extérieur posé sur mon choix ne le saisit que rarement. Au début, quand tout autour de moi les piétons disparaissaient et devenaient, avec plus ou moins d'enthousiasme et de conviction, automobilistes (je n'appartiens pas à la variété de marcheurs qui sont des marcheurs du dimanche, ou de vacances, ou de clubs de randonnées, et qui sont conducteurs dans la vie courante), quand, de plus en plus, mon retard à suivre l'exemple général (c'étaient, en France, les années de l'après-guerre, qui furent celles de l' « automobilisation ») devenait visible, et attirant les commentaires, je fus jugé excentrique. Ma vocation, fermement affirmée, et sans cesse plus fermement à mesure qu'elle devenait plus remarquable par sa rareté (sans atteindre cependant en France le degré d'étonnement parfois incrédule qu'elle causait aux USA), sembla un trait d'*original* (et ceux qui me connaissaient assez n'avaient aucun mal à rapprocher ce trait d'originalité de bien d'autres), ce qui d'ailleurs ne me déplaisait nullement.

Plus tard, et d'une manière sans doute plus erronée, au moment où certains traits antimodernistes et quelque disposition pour ce qu'on appelle aujourd'hui « écologie » commencèrent à émerger (particulièrement chez les universitaires), ma particularité non de piéton mais de non-automobiliste apparut moins étonnante, j'eus moins à la justifier, et je n'essayai pas de le faire, même au prix d'un contre-sens sur mes motifs. Les difficultés, croissantes et destinées à s'aggraver beaucoup encore, de la circulation dans Paris et sur les routes n'ont pas encore rendu évident le caractère luxueux (sur ce point) de mon mode de vie; mais je ne m'en plains pas. Ce luxe qui est le mien, et dont je profite avec délectation, n'est pas de ceux qui demandent l'ostentation. Il me suffit d'en être possesseur, et de le savoir.

118 (§ 46) *Une revendication passéiste*

Être non seulement marcheur mais piéton, autrement dit, refuser tout contact, autre qu'occasionnel, avec l'automobile, ne s'explique pas seulement par la triple conjonction de traits que j'ai évoqués dans les trois incises précédentes (§ 115, 116 et 117) : choix d'un bipédisme non mécanique; choix d'une gamme de vitesses favorisant une possession idéale du temps; choix d'une activité devenue luxueuse par l'évolution de la société.

L'insistance intérieure sur le personnage du marcheur, cette *persona* poundienne dans laquelle je me reconnais, l'accomplissement, par la marche, d'une sorte d'exploit, emblématique de la « cause » (ma descente piétonne du Mississippi, au cœur même du pays de l'automobile), ont une signification supplémentaire autre : je suis marcheur par *choix moral*.

Le marcheur (comme le nageur, le compteur et le liseur, je suis simultanément chacun d'eux) est un personnage moral. Comme l'ermite de Chomei, il revendique le plus haut degré possible d'autonomie physique :

> pour l'exécution des tâches quotidiennes, j'ai divisé mon corps en trois : mes mains sont mes domestiques, mes pieds mon véhicule; mes yeux me servent à la lecture et à la contemplation.

Il en est de même pour moi : mes jambes pour la marche; mes jambes et bras pour la nage; mes yeux pour la lecture; et les nombres, dans la tête.

C'est une position éthique éminemment individuelle, qui ne cherche aucune influence, ne prononce aucune condamnation de choix différents. Je marque, pour moi, mon désaccord avec la peut-être irréparable atteinte par l'automobile :
- aux paysages;
- à l'air respirable;
- aux villes;
- aux rapports humains.

Je signale, d'une manière quasi clandestine, sans ostentation, presque indéchiffrable et sans danger, mon opposition.

Mais ce n'est pas, je dois y insister, une affirmation passéiste. Je ne crois pas véritablement à la supériorité intrinsèque des modes de vie anciens, à l'excellence du passé en soi : j'ai de l'admiration pour les gratte-ciel, les disques compacts, les lasers (dans leurs utilisations médicales et pacifiques), j'approuve l'opération de l'appendicite sous anesthésie, je ne désire pas particulièrement lire à la bougie devant un feu de bois. Je désapprouve simplement l'envahissement du monde par l'automobile individuelle. Certains jours de grands encombrements rageurs, guetté à un feu rouge par une meute de conducteurs parisiens aigres et agressifs, je me laisse aller, en marchant, à la pensée d'une ville interdite aux voitures ; pas à toutes les voitures, seulement aux voitures privées utilisées à des fins privées ; j'autorise, par la pensée, des autobus (de préférence à la londonienne, à deux étages), des taxis, des ambulances, des voitures de police ou de pompiers, quelques livraisons. Je sens alors l'air soulagé, les feuilles des arbres respirantes, les citoyens amènes. C'est une vision, en somme, assez républicaine et presque hugolâtre. J'étends, toujours marchant et en pensée, ma réforme à la totalité du monde habité. J'autorise les avions des lignes régulières, les autobus, les trains, je rétablis les lignes transatlantiques. Je vois, avec les yeux du réformateur, la rue de Rivoli semée de piétons et de bicyclettes, avec çà et là un autobus tranquille, quelque taxi calme ; mais je me garde de songer aux moyens économiques et politiques de mes réformes. En attendant, je vis selon cette idée ; je n'y ai aucun mérite (je ne cherche aucune espèce de salut) puisque, comme je l'ai déjà dit, je peux me le permettre, émotionnellement, physiquement, esthétiquement et socialement.

119 (§ 47) *Je dis la mer, pas l'océan*

Pas la rivière non plus ; ni la piscine ; ni l'eau douce, ni l'eau javellisée. La mer ; la mer surtout ; et, entre toutes les mers, une. Pour le marcheur horizontal comme pour le marcheur ordinaire que je suis, cette préférence (non fanatique, il m'arrive de nager ailleurs) est un choix, d'abord, différentiel. Ce n'est pas seulement l'action physique de nager qui m'importe, mais celle de nager quelque part où cet acte s'accorde avec une disposition intérieure.

J'ai appris à nager en rivière, dans l'Aude, pendant la Seconde Guerre mondiale ; je n'en conserve pas un mauvais souvenir ; mais la rivière (même si elle n'est pas rendue impénétrable par la pollution domestique ou industrielle, comme c'est le cas aujourd'hui presque partout), et surtout celle de mes débuts (je n'ai pas connu la Volga, par exemple), est une étendue d'eau trop limitée pour le déploiement calme d'une longue immersion méditative, telle que je la décris (au § 47) ; de plus, elle est généralement en mouvement, et ce mouvement, qu'on se place dans ou contre le courant, ou en oblique par rapport à lui, dérange obligatoirement (il faut en tenir compte) la sérénité indispensable de la nage (dans ma conception); de plus, il est pratiquement impossible, sauf exception (les torrents, généralement glacés si limpides, et ne permettant que des brasses de quelques mètres, et dangereuses), de voir le fond, de sentir sous soi une masse épaisse et pénétrable d'eau (pénétrable par le regard), une chair d'eau offerte, livrée, accueillante, protégeante; la rivière « porte » moins, certes, mais surtout elle emporte plus qu'elle ne porte, elle est trop semblable à soi (au moi qui s'y baigne), fugitive, passante, momentanée.

La piscine, elle, est trop marquée par sa finalité didactique, hygiénique et sportive. Sans oublier le risque d'encombrement, qu'on ne peut éviter qu'en se soumettant à des horaires invraisemblables avec des résultats incertains. Bien sûr, au temps de la jeunesse, c'est un irremplaçable lieu de découvertes et de rencontres, mais il y a bien longtemps que mes entretiens avec l'eau natatoire échappent à ses considérations.

Comme le marcheur, le nageur a aussi son double mécanique qui est, cette fois, le rameur. Inutile de dire que je ne pratique pas plus l'aviron que la bicyclette. Et, si j'ai autrefois passé de nombreuses heures sur un vélo, franchi d'innombrables (quoique modestes) cols, descendu d'interminables descentes, je n'ai, en revanche, jamais, ou presque, tenu une rame, une pagaie ou même une perche de « punt » entre mes mains. Parmi les rêves sportifs de mon père, c'est le seul pour lequel je n'ai pas été obligé au moindre renoncement intérieur, n'ayant jamais commencé même à y penser. Sans doute, si j'avais été (mon rêve à moi, mais rêvé trop tard, bien trop tard) étudiant à Oxford ou à Cambridge j'aurais, très naturellement, avironné, mais tel que je suis depuis toujours, j'ai une impossibilité quasi vertigineuse à affronter l'eau de près sans y être plongé (je n'aime pas non plus beaucoup être dessous, sous la surface); poser le pied sur une barque, grimper et m'asseoir dans un canot sont des aventures d'équilibriste pratiquement au-dessus de mes forces; les mouvements erratiques de ces morceaux de bois creux flottants me donnent presque le mal de mer (que je n'ai pas dans les « vrais » bateaux), j'ai toujours peur de tomber, trempant mes vêtements, ce qui fait que je serais presque tenté de le faire, comme Gribouille, afin d'aller tout de suite au pire (l'eau dégoulinant des manches, des jambes de pantalon, emplissant les poches) et me débarrasser de cette obsession.

Mon aversion s'étend aux hors-bords, voiliers, planches à voile et à surf, pédalos et autres catamarans. Parmi les choses creuses inertes et flottantes qui sillonnent les eaux, je ne fais exception (en dehors des ferrys, paquebots, hovercrafts et autres autobus des flots) que pour les péniches; j'ai longtemps rêvé d'une descente du Rhin en péniche ou d'un voyage le long du grand canal des Deux-Mers, chef-d'œuvre de Riquet et chanté par Charles Cros.

120 (§ 47) Les bateaux innombrables en Méditerranée

Le refus du bateau (à l'exception de ceux qui servent de moyen de transport public, que j'aime et estime), le choix d'un déplacement dans l'eau sans aide, par le seul exercice de mes jambes et de mes bras, est, comme le choix de la marche par opposition à l'automobile, un choix éthique.

La mer, avec quelque retard sur la terre, est à son tour envahie par l'équivalent et prolongement de la voiture individuelle, le bateau à moteur et à possession privée, pour ne pas entrer dans trop de détails de nomenclature (j'exempte le voilier, pour les besoins de la démonstration). De plus en plus les ports, s'ils n'abritent pas les pétroliers ou les navires de guerre, deviennent des parkings à yachts et autres autos aquatiques du même acabit; de plus en plus les nageurs et les pêcheurs disparaissent, chassés par les marées noires, les hélices, et les usines à poissons (les poissons eux-mêmes ont de sérieux problèmes de survie).

En ce qui concerne les nageurs, dont je suis, la quasi-totalité des eaux leur est, de plus en plus, interdite, comme la quasi-totalité des routes et des chaussées urbaines aux piétons. On leur accorde, au mieux, ces équivalences de trottoirs que sont les « baignades autorisées », plus encombrées en été que les piscines. C'est dire que la nage en mer, comme je la décris ici, ma conception personnelle de la nage en mer, est devenue presque impossible. Les « dents de la mer » ne sont pas les requins des films horrifiques (Jaws, I, II, ou n), mais les dents mécaniques des conducteurs sur autoroutes maritimes, avec leurs rotors, palettes et autres broyeurs éblouissants.

Ma position morale de nageur, à la différence de ma prise de parti piétonne, devient donc de plus en plus quelque chose de théorique, dont l'effet de réel est repoussé vers le souvenir. Et il est de fait que je ne nage plus guère dans les conditions indispensables que j'ai définies. Retrouver l'eau méditerranéenne supposerait un effort de recherche des quelques endroits où il est encore possible de le faire (la Yougoslavie, par exemple, à ce qu'on me dit); mais je n'y parviendrai désormais que rarement.

Je n'en demeure pas moins ferme dans ma définition de moi-même comme nageur ; à cette nage impossible, embrassant la mer vastement et seul, mon souvenir brassé et rebrassé, recomposé par le ressassement, donne une vertu plus grande encore qu'aux temps de son expérience vécue. Elle s'ajoute à la marche, elle donne aux marches longues de garrigues qui me sont, toujours, permises une sensation supplémentaire : nageur de l'air, dans le vent, le cers violent qui descend de la montagne Noire en automne et aborde les jetées d'argile des garrigues finissantes, je m'imagine porté par les nappes sans cesse froissées du vent comme en des vagues venues de l'horizon profond, bleu. Je deviens ainsi, parfois, marcheur-nageur.

Dans ma reconstitution utopique et imprécise du monde, quand je rétablis, par la pensée, un aménagement du territoire favorable aux piétons (voir § 118), je ne manque pas, aussi, de nettoyer la mer, de la rendre de nouveau propre à la nage ; j'accélère l'obsolescence des pétroliers, je fais renaître les troupeaux poissonneux, je repeuple les roches, les crevasses de crustacés, de murènes et de poulpes ; les grands paquebots aux rangées d'yeux hublots rayonnant dans la nuit passent de nouveau sur l'horizon ; l'eau est claire, le sable propre. De nouveau, j'avance doucement vers le large, brasse à brasse, comptées, dans la main chaude.

En marchant j'imagine ce futur imprégné de passé (mais pas seulement retour au passé, j'insiste) ; je l'imagine altruistement, bien évidemment, puisque, quoi qu'il arrive, je n'en verrai rien. Mais j'aurais été fidèle à cette vision.

121 (§ 47) *Une brasse calme, longue, pas rapide, je bouge d'à peu près ma longueur*

Dans la nage, mon arc de vitesses possibles est encore beaucoup plus limité que dans la marche (§ 116) : d'une brasse paresseuse, presque immobile, je peux passer à une allure nettement plus rapide par brasses plus courtes, attentif à la coïncidence des élans et des respirations, le menton au bord extrême de l'eau (je n'aime pas m'y enfoncer), mais de toute façon je reste loin des huit ou neuf kilomètres/heure que je peux espérer en marchant ; et ce n'est pas un effort que j'aime soutenir très longtemps.

Néanmoins, ma nage a la même finalité plus conceptuelle que pratique que la marche : la possession contemplative du temps. La nage est, aussi, du temps physiquement compté au moyen du corps; selon une modalité propre au déplacement horizontal en surface salée, qui est liée à l'unité de mesure : la brasse effectuant dans l'eau une avancée, un glissement que j'imagine, que je sens être *de toute ma longueur*; quand je compte une brasse, au moment où mes mains, rejointes à l'extrémité du temps de la coulée, vont s'ouvrir pour une nouvelle impulsion (accompagnant celle des jambes), je compte un intervalle de temps dont l'équivalent d'espace est ma taille, le mètre quatre-vingt-cinq de ma hauteur; je grimpe d'un mètre quatre-vingt-cinq sur le mur chaud, souple, horizontal et bleu sombre de la mer.

Ainsi, par la nage, j'imprime ma trace de temps sur l'eau, aussi peu durable que du temps, mais un instant visible, en creux, dans les feuilles d'eau que je sépare de mes bras. Plus encore que le pas, sur la terre, mon pas de mer, la brasse, est véritablement un « compas » de temps, une manière microcosmique de dénombrer le temps par l'instrument que je possède en propre, mon corps; d'ailleurs, cet intervalle et sa distance parcourue s'associent encore à un état physique d'une autre manière, puisque chaque brasse ainsi achevée, et comptée, l'est dans le temps d'une respiration (ce qui ne se produit pas dans la marche, où il n'y a aucun lien nécessaire entre le cycle des pas et celui de l'air). Dans la nage, la participation intime au temps (avec le ralentissement du pouls qui en résulte, son harmonisation avec le pouls, avec la respiration propre de l'eau) est en somme encore plus parfaite; ses moments sont des moments où j'existe, des « *moments of being* », qui ont l'évidence du réel de la vie.

Il se trouve aussi, à la différence de la marche, que la nage n'a jamais de variante utilitaire, elle est entièrement et uniquement un exercice de contemplation du temps : je ne vais à aucun rendez-vous, je n'ai des bornes horaires que très larges, rien ne m'oblige, rien ne m'attend. Ma nage n'annule jamais le temps, il est toujours plein et pleinement absorbé : par ma pensée, par ma vue, par mon esprit qui compte, par mon cœur.

Mes nages ont toujours été des nages dans un creux de terre, un arc de cercle d'eau ample, spacieuse, mais la terre toujours visible, assez proche. Je me dessine une carte de mer comme d'une ville, sans immeubles et sans habitants, avec des rues arbitraires et changeantes, mes parcours. Distance et temps y ont le même nombre, celui des brasses nécessaires pour arriver à tel endroit de l'eau, pour s'y tenir immobile, dans un temps nul parce que sans mouvements. Dans le soir, quand le soleil décline sur le paysage terrestre de collines, de vignes, de terrasses, de villas, la terre peu à peu pénètre l'eau, s'avance, et vient sombrement à ma rencontre. Le bord est de sable, rarement, plutôt de galets, ou de roches. Quand je me mets debout, sorti de l'eau, après ces heures intenses de l'eau, je sens encore le poids de la mer sur mes bras, sur mes cuisses; longtemps j'avance comme si encore je nageais.

122 (§ 47) *Je peux crawler, quelques mètres, ou dos-crowler, mais sans plaisir*

Pas seulement sans plaisir; le choix de la brasse, et, dans la brasse, pas la brasse de compétition, où on avale l'eau sans cesse, sortant puis rentrant la tête en imitant, sans espoir de réussite, le cachalot, est un choix délibéré, qui correspond à la nature de mes nages, à leur esthétique autant qu'à leur éthique.

Des quatre nages reconnues par les comités olympiques (qu'on retrouve dans les épreuves du genre « quatre fois cent, quatre nages »), à savoir le crawl, le dos (crawlé) la brasse (coulée) et le papillon, seul le crawl peut prétendre à quelque utilité en dehors des piscines, et, dans les piscines, en dehors des couloirs de compétition; il peut servir à se déplacer assez vite pour franchir une distance, à gagner le plus rapidement possible le lieu d'une noyade, par exemple. Mais je doute qu'on puisse profiter du paysage marin en se déplaçant d'une telle façon.

C'est pourquoi mon choix de nage signifie à la fois une décision sur la nature de mon emploi de ce mode de locomotion (un confort de visiteur, en quelque sorte), mais en même temps un refus, celui de l'effort de nature sportive; ce refus s'apparente à d'autres, déjà signalés: refus de la course, abandon de la bicyclette (moins net toutefois, dans ce cas, car le vélo peut servir à des fins touristiques, quand on est bien entraîné; il est, disons, un ustensile semi-sportif). Je ne nage pas le crawl (ni les autres) non parce que je ne sais pas, mais parce que je ne veux pas le faire.

Il y a, il est vrai, une autre nage de nature, je dirais, naturelle et de maniement agréable; elle est à peu près abandonnée aujourd'hui, où la nage est devenue une affaire purement pédagogique présportive, parce qu'elle n'a aucune variante noble (c'est-à-dire donnant lieu à distributions de médailles et établissements de records départementaux, nationaux, européens, olympiques ou mondiaux): c'est l'*indienne*, que j'ai vue autrefois nager par de jolies jeunes filles, mais il y a bien quarante ans de cela. Je ne l'emploie guère moi-même, non par mépris, mais parce que ma conception de la nage suppose un regard le plus dégagé possible, et que l'indienne, de toute façon, supprime une bonne moitié du décor.

Ce rôle *différentiel* de la brasse parmi les nages m'oppose, cette fois, non pas au monde comme il tend à aller, mais à une partie de ma famille : la tentation sportive, encouragée de toujours par mon père, qui fut un rugbyman et qui admirait aussi les grands sports individuels, athlétisme et natation, suscita très vite en moi (en dépit de mon intérêt très vif pour ces sports, mais comme spectateur et, en ce qui concerne les deux derniers, comme me fournissant des quantités appréciables de nombres à mémoriser, les records) une réaction de rejet, une résistance passive à la suggestion de l'entraînement et de l'effort de compétition. Mon frère Pierre, lui, y succomba un temps, et fut un champion universitaire de natation tout à fait prometteur; quand il s'interrompit pour passer plus de temps à la biologie qu'à la fréquentation des piscines, les espoirs de mon père se reportèrent sur la génération suivante, celle de ses petits-enfants. Et parmi eux, effectivement, l'aîné, mon neveu François, apparut remarquablement doué. Il commença, lui aussi, une carrière de nageur, qu'il finit par interrompre, pour les mêmes raisons que son père (renforcées d'une certaine aversion pour l'exaspération croissante, d'une génération à l'autre devenue très sensible, des aspects les plus repoussants de l' « esprit de compétition » dans la tête et les manières des apprentis champions (certains athlètes américains en donnent, bien souvent, le triste spectacle)). J'ai compris, bien sûr, ses raisons; mais je n'ai pu m'empêcher de ressentir quelque sentiment de regret; car j'aurais bien aimé l'accompagner aux Jeux olympiques; j'aurais eu un excellent prétexte pour un tel voyage, que je ne ferais très certainement jamais.

123 (§ 48) *Je n'ai pas cherché à faire de l'Arithmétique un terrain de recherches, me réfugiant dans l'algèbre*

Faire de l'Algèbre était protéger l'ancien sentiment pur du Nombre, musical, rythmique, esthétique autant que philosophique de la tradition antique en lui réservant dans ma vie une place ludique, sentimentale, obsessionnelle et surtout non professionnelle, cela est vrai.

Mais il est vrai également que l'algèbre, particulièrement dans ses excroissances modernes, est une manière généralisée, impérialiste, boulimique de « s'occuper » des nombres, en ce qu'elle a étendu considérablement le champ des objets de pensée que l'on peut raisonnablement désigner ainsi. « Faire de l'Algèbre », dit à peu près Bourbaki dans l'Introduction du Livre de son Traité consacré à cette branche de la Mathématique, « c'est essentiellement *calculer* (c'est moi qui souligne) », autrement dit (c'est toujours la pensée bourbakiste qui s'exprime) effectuer des opérations dont le modèle est celui des quatre opérations de l'arithmétique élémentaire.

En refusant l'Arithmétique comme domaine de recherche, mais en « restant », en somme, dans son voisinage algébriste (je ne prétends nullement ici à une analyse « fine » des parentés de « structures » mathématiques; je m'en tiens à l'intuition « écolière » des choses), je ne la fuyais pas tout à fait, je ne perdais pas les nombres de vue. Par ailleurs, l'Algèbre, par son histoire et l'origine même de son nom, peut être considérée comme plus « tardive » que l'arithmétique, pierre précieuse de la mathématique grecque. Il existe une parenté indéniable entre l'opposition temporelle entre Algèbre et Arithmétique dans l'histoire des Mathématiques et celle qui, dans l'histoire de la poésie, différencie radicalement la métrique des langues romanes de celle des Anciens (grecs ou latins). Algébriste (même modeste) et continuateur (en intention) des troubadours, je maintiens une distance révérencieuse vis-à-vis des lumières, pour moi trop éblouissantes, de l'Antiquité (j'ai la même admiration un peu froide à l'égard des Classiques).

Restant ainsi, même de manière furtive, dérivative, périphérique, « dans les nombres » au cours de mes études, puis de ma recherche en vue du doctorat, j'évitais, assez systématiquement, de franchir la frontière de ce que, pour simplifier, j'appellerais le monde géométrique. Là encore, je le répète, il s'agit d'une image élémentaire, d'une distinction presque scolaire, assez enfantine au fond; mais elle a beaucoup joué : ma pensée, ma figuration des objets mathématiques est, indiscutablement, uni-dimensionnelle, séquentielle, discontinue. Je n'ai pas la moindre imagination des « figures », dans l'espace (de quelque espèce qu'il soit, et Dieu sait si la variété est grande) ni même dans le plan (qui est par ailleurs le *lieu* où j'écris). Je n'ai, véritablement, « saisi » le sens des grands théorèmes de la géométrie ordinaire, euclidienne, que du jour où j'ai lu, avec éblouissement (la mathématique, en effet, peut procurer des éblouissements), le petit livre merveilleux de l'algébriste Emil Artin (un des « pères » de l'algèbre moderne) intitulé *Algèbre géométrique*, qui offre une « clef » algébrique, une « clef » de nombres, donc, aux mystères de la géométrie. J'ai été, alors, « enchanté » par le « théorème de Pappus », ce résultat, dit « difficile », cette merveille de l'ingéniosité raisonnante de l'Antiquité tardive, et je m'en souviens avec une jubilation qui dépasse, largement, l'intérêt (mathématique) somme toute assez limité de ce résultat.

Cette « joie secrète », en effet, venait du plus lointain de mon amour des nombres, me justifiait à mes propres yeux de m'obstiner dans cet amour. Je pourrais trouver d'autres exemples, qui mettent en jeu des régions beaucoup plus « difficiles » de la mathématique, mais ce n'est pas du tout la « profondeur » mathématique qui m'intéresse ici ; ce qui compte, c'est le lien intérieur ainsi révélé entre eux : la mathématique, pour moi, est d'abord nombre, ne m'est vitale que comme nombre ; et il en est de même de la poésie.

124 (§ 48) *Je n'aime pas tous les nombres, il y en a même que je déteste franchement*

Si je fais mienne la parole de Ramanujan c'est bien sûr, à ma manière, pas vraiment mathématique, et je la restreins beaucoup ; modifiée, l'affirmation devient : « Certains nombres entiers sont mes amis. » Cela implique que d'autres me soient indifférents (la plupart des très grands nombres, par exemple, sur l'existence desquels j'ai toujours eu des doutes, que l'arithmétique prédicative d'Edward Nelson (un chef-d'œuvre de scepticisme en mathématique) a récemment renforcé, en leur donnant comme une justification technique, sérieuse) et que j'ai même une liste de nombres que je considère comme des ennemis.

Mon paysage des nombres diffère assez fortement de celui de François Le Lionnais, le président-fondateur de l'Oulipo, tel qu'il apparaît dans son livre le *Dictionnaire de nombres remarquables*. Dans cet ouvrage, les raisons d'intérêt d'un nombre (et ces nombres ne sont pas tous entiers) sont essentiellement d'ordre mathématique : de la vaste armoire à lectures du président furent ainsi extraits, pris dans des ouvrages courants aussi bien que dans des articles rares, des théorèmes, anecdotes ou réflexions de mathématiciens fort divers des propriétés de certains nombres qui sont, dans l'esprit du compilateur, l'énumération de leurs « titres de noblesse », justifiant leur apparition dans ce *Debrett* du nombre (cela tient, d'une façon assez disparate, bien dans l'esprit et la méthode générale de l'auteur, à la fois du récit généalogique, du pedigree, de la « vie brève » et de la chanson de geste (les exploits, les « res gestae » étant les théorèmes où le nombre en question intervient comme personnage)).

Si, à mon tour, je me lançais dans une entreprise du même ordre, les « raisons » mathématiques seraient présentes, mais pas exclusivement; et, surtout, elles seraient très largement soumises à une autre « logique », à une stratégie de choix plus décisivement esthétique (l'aspect esthétique n'est pas absent de l'entreprise de Le Lionnais). Il est clair, par exemple que le 12 a un sens dans mon grand registre de nombres, qui lui vient de l'alexandrin; que le 6 a sa place parce que c'est le nombre de la sextine.

Mais la pénétration de mon lieu de nombres par la poésie va beaucoup plus loin que la désignation. Je ne m'imagine pas, je ne rêve pas les nombres dans l'isolement; je les saisis (comme Queneau d'ailleurs) en suites, en séquences. Ils constituent des familles qui ont leurs airs de ressemblance, une histoire ou une partie d'histoire commune. Ce serait, banalement, le cas des nombres pairs, ou encore celui des nombres premiers. Un nombre quelconque, 17 par exemple, reçoit avant tout un éclairage de nature familiale (il est de la famille des nombres premiers, où il « naît » après 13 et avant 19); mais il a dans sa « généalogie » d'autres ancêtres que les nombres premiers : nombre des syllabes d'un haiku, il *suit*, dans une autre descendance, 3 et 5 (nombres respectifs de vers du haiku et du tanka) et précède 31 (nombre des syllabes du tanka), (c'est, dans son début tout au moins, une sous-séquence de celle des nombres premiers, mais sa signification est tout autre); par ailleurs, sa propre biographie (dans ma mémoire) contient des événements qui n'appartiennent qu'à lui (dans ce cas précis, celui de l'entier 17, il s'agit avant tout d'*un* événement du passé, de mon passé, dont je ne parlerai pas maintenant) et colorent ma réaction émotionnelle à son égard.

Ainsi, mon rapport aux nombres ne reste pas immobile; étant un rapport à la fois sentimental et esthétique, où se mêlent les élucubrations combinatoires et les circonstances de la vie privée, il peut passer de la fascination à l'exécration ou au mépris, jusqu'à l'oubli même; il y a des nombres qui sont devenus vides, comme des visages qu'on ne reconnaît plus.

125 (§ 48) *Je passe une grande partie de mon temps à compter*

Une des notions du nombre (il s'agit toujours des ancêtres de tous les nombres, de l'aristocratie des nombres, les entiers) fait des entiers les *noms* de collections d'objets, considérées du seul point de vue de leur grégarité, de leur masse : des noms de troupeaux d'objets. Ou plus exactement de familles de tels troupeaux, qui pour être affublés du même nom doivent pouvoir échanger entre eux leurs membres, sans répétition ni omission : si *neuf* désigne neuf moutons, il désigne aussi neuf pommes, ou neuf anges. Cette conception, éminemment bizarre, qui nous vient de Cantor, et à laquelle certains historiens des Mathématiques, tournant les Grecs par l'avant, par l'antérieur, ont voulu donner des origines extrêmement reculées, faisant de nos ancêtres des cavernes des arithméticiens (comme M. Jourdain était prosateur) plus modernes que Pythagore, ou Euclide.

J'ai la plus extrême méfiance pour ces entiers-là : les nombres, dans mon œil intérieur, sont plutôt des personnages debout sur une ligne noire et indéfiniment étendue à partir de son origine, le Humpty Dumpty des nombres, 0. Mais ces personnages ne sont pas seulement des étiquettes, des titres, des noms de tribus, de clans écossais (Mac-un, Mac-huit, Mac-mille), ils ont un corps, une architecture, des capacités étendues de transformation, un visage et des membres, leurs propriétés ; ils ont une histoire, il leur est arrivé plein de choses, il leur en arrivera d'autres (la démonstration du Grand Théorème de Fermat, par exemple, ou de l'Hypothèse de Goldbach, amènerait, dans la vie des nombres, de sérieux bouleversements ; il y a des choses, des accouplements qu'ils ne pourraient plus, comme aujourd'hui, laisser entendre qu'ils peuvent se les permettre : ainsi, en admettant que « Goldbach » soit établi, il deviendrait impossible d'imaginer un grand gros nombre pair, dissimulé dans les brumes de la distance et refusant d'être somme de deux nombres premiers, alors qu'il est en ce moment envisageable, monstre prétentieux, que peut-être nous allons débusquer dans le sentier d'un imprévisible calcul). Quand je *vois* un nombre, et quand je le sollicite pour un de mes innombrables dénombrements, ou jeux mentaux de distrait et de solitaire, il m'apparaît avec toutes ses idiosyncrasies (dont certaines sont mathématiques, d'autres esthétiques, d'autres encore proviennent de nos rapports personnels, de nos aventures communes); si donc je lui confie, provisoirement, une collection d'objets comptés de ma vie (des pas entre deux stations d'un parcours dans un paysage, les briques dans une portion de mur ensoleillé, les jeunes filles agréables aperçues entre deux arrêts éloignés d'une ligne d'autobus), c'est pour donner à cet assemblage en soi informe de « choses » toute la richesse de divisions, recompositions, dispositions ou partitions que *ce* nombre est en mesure de leur conférer, momentanément, et pour la satisfaction de mon esprit.

Les organisations et parentés ainsi établies dans mes collections de vie (celles que j'assemble à mesure que je bouge, pense et respire), dans les séquences que je crée ou révèle dans le monde des événements et des apparences, leur donnent une vivacité bien supérieure à la monotone opération obsessionnelle du comptage, de l'énumération et de la vérification de bi-univocité (sept cailloux, sept nains : premier nain ici, premier caillou là; deuxième nain ici, deuxième caillou là... ne bougez pas s'il vous plaît). Pour prendre un bref exemple : quand je monte un escalier, je compte les marches, c'est une chose que je fais. Il y a des correspondances infinies d'escaliers entre les étages de maisons différentes, qui se prêtent à bien des interprétations fictionnelles. Les trois étages du 16, rue Dauphine qui séparent le sol de la cour de l'appartement de Claude Roy comptent ainsi, respectivement, 23 marches pour le premier, 25 pour le deuxième, 28 pour le troisième : si on enlève le 20 commun aux trois étages, il nous reste la suite 3, 5, 8, où on remarque que $8 = 3 + 5$. On se souvient alors que ce décompte est fait en négligeant deux nombres de préétages, ceux des marches qui conduisent au début véritable de l'escalier : une pour franchir la porte, deux ensuite pour pénétrer véritablement dans la maison. Bien sûr, $1 + 2 = 3$ et $2 + 3 = 5$. On voit alors apparaître le début d'une célèbre séquence, celle de la suite dite de Fibonacci, génératrice du *nombre d'or*. Vous imaginerez aisément tout le parti qu'on peut en tirer en ce qui concerne l'histoire de cette maison, de son architecte, et de ses habitants.

126 (§ 49) *Je lis chaque jour, je lis le jour, je lis la nuit*

Lire est un luxe, mon plus grand luxe peut-être.
Pourquoi peut-être? Parce que marcher, nager en mer (autrefois), compter, sont aussi des luxes et je ne sais pas trop au fond s'il en est un

plus luxueux que les autres, plus important, en tant qu'activité luxueuse que les autres.

En écrivant *luxe*, je ne veux pas trop marquer l'aspect économique du problème; en ce qui concerne les livres, il est en fait assez secondaire : je n'achète presque jamais des livres chers, je ne suis pas bibliophile ni amateur de premières éditions des auteurs que j'aime, je ne possède pas de bibliothèque (voir plus loin, dans le § 49, à ce sujet).

Mon luxe, dans la lecture comme dans les autres activités similaires (à la parenté soulignée ici, en cet autoportrait, volontairement, épinglée en somme, et revendiquée), est d'abord un luxe du temps : je choisis de dépenser ainsi une portion énorme du temps qui m'est donné sur terre, et je fais tout ce qu'il m'est possible de faire pour m'autoriser cette dépense, sur mon budget de minutes.

Luxe aussi, et corollairement, en ce sens que c'est une activité largement inutile, socialement parlant (je ne lis pas seulement par finalité professionnelle, ni même professionnelle au sens large, en y incluant l'activité de poésie, que je ne considère pas comme telle (mais pas non plus comme une activité de luxe)); c'est une activité inutile, dépassée même pour beaucoup (donc, pour les mêmes, preuve d'un choix archaïsant, passéiste), (comme d'ailleurs la marche au temps de l'automobile, la nage au temps des bateaux à moteur, compter au temps des calculatrices); une activité ostentatoirement contraire à l'esprit de l'époque.

Si le luxe, pour être luxe, doit être montré (c'est une condition, il me semble, du luxe des bijoux, par exemple), je me rends compte que, bien que mon activité de lecture soit avant tout affaire entre moi et moi, j'ai une certaine difficulté à ne pas être vu, quand je le suis, comme, précisément, *Homo lisens*, homme de lecture, et de lecture en livres : je ne me déplace pour ainsi dire jamais sans au moins un livre, que je tiens à la main ou, à défaut, dans un sac plastique (généralement d'éditeur ou de librairie). Le livre, mon luxe, fait donc partie de mes vêtements, au même titre que la casquette et les souliers.

Si luxe de temps, c'est aussi, dans ma représentation de la lecture, que c'est une durée brillante, passionnante, excitante, chère, que celle de la prise de possession d'un livre par les yeux; le temps de lire est un temps choisi, un temps qui a de l'éclat, de la couleur, ce n'est jamais un temps ordinaire; il m'est offert enviable à la vitrine de mes jours, et je n'y résiste guère; je me précipite avec fébrilité vers l'achat de ce temps (l'acquisition du livre) et sa dépense, bien entendu, comme toutes dépenses de ce type, aux *dépens* généralement d'autres activités (travail, réponse aux lettres, échanges avec mes semblables), je prévois ce temps, j'aménage la possibilité de sa dilapidation, je me le refuse dans une crise de remords vertueux (je ne peux pas me le permettre, me dis-je, car j'ai ceci à faire, car j'ai promis cela avant la fin de la semaine; et pourtant me voilà, dans cette librairie, devant ces rayons, je vais succomber encore); c'est dire la grande parenté qui existe entre cette passion luxueuse (toutes les passions ne le sont pas) et d'autres, qui supposent aussi dépense, gaspillage même de désirs, d'anticipations (associés ou non à la dépense proprement dite, celle de l'argent) : la passion des vêtements, des voyages, certaines passions érotiques de luxe (en ce sens, qui est celui du temps, du moment, de la fébrilité du moment plongeant aussitôt dans le révolu).

127 (§ 49) « *Homo lisens* »

Pour entrer plus avant dans cette catégorie anthropologique, il faudrait dire : *Homo lisens*; homme qui lit (il y a, parallèlement dans la phonie, l'*homme qui rit*, l'*Homo ridens*, « parce que rire est le propre de l'homme » (à l'exception du Cheshire Cat, qui est plutôt *catus surrisens*), (le héros de Hugo, ainsi, a ce trait humanoïde perpétuellement imposé à ses traits, ce qui le rend monstrueux aux yeux de tous, difforme, mais au contraire *formosus*, de forme belle, intérieurement)); homme en tant qu'il est liseur, de même que l'*Homo faber* est homme en tant qu'il fabrique les outils qui, faisant fonction d'organes extérieurs au corps, non liés nécessairement à lui, lui donnent une appréhension accrue du monde matériel; et, pareillement, l'*Homo lisens* est homme en tant qu'il fabrique cet outil qu'est le livre, organe extérieur au corps de la pensée, donnant à la pensée une prise accrue sur le monde.

Cette définition de l'homme s'ajouterait aux autres, non exclusivement, celles qui impliquent la vie en société, le langage articulé, la division du travail ou la prohibition de l'inceste; il faudrait se demander quels liens peuvent exister entre les différents traits caractéristiques, universels même si on en croit certains, s'il en est qui conditionnent les autres. En ce qui concerne le caractère de liseur, on discuterait la question de savoir si tous les hommes sont liseurs; l'évidence va dans le sens du non, mais on pourrait dire aussi qu'il s'agit d'une potentialité, que tous les hommes ont en eux de lire, comme ils ont en eux la possibilité de la pensée conceptuelle, de la vie sociale, de la parole, même s'il est des muets, des idiots et des ermites. Et il y aurait même de bons esprits pour argumenter contre l'antériorité du langage par rapport à la lecture, en attirant notre attention sur la lecture des traces laissées au sol par les bêtes que suivent les chasseurs, qui lisent les indices, tels Zadig ou Shingakook dans *le Dernier des Mohicans*, déchiffrant le passage du Huron ravisseur dans la page de sable du cours d'eau. Et Robinson lui-même ne se livre-t-il pas à une « lecture » du pied de Vendredi ?

Quoi qu'il en soit, si je me reconnais *Homo lisens*, c'est comme *Homo lisens* de *livres*. Il y a là une sous-variété, relativement récente, de cette espèce, sous-espèce pleine ou non de l'espèce humaine. Car jadis on lisait le manuscrit, demain, nous dit-on, on lira l'écran de l'ordinateur (curieusement, dans l'état actuel des techniques prévisibles, c'est à une lecture immobile que l'on reviendrait, c'est-à-dire à une régression, sur ce point, au stade du manuscrit médiéval ou de l'incunable dont la masse et l'encombrement ne permettait guère le déplacement, avant l'invention du « livre de poche » par Aldo Manuzio dans la Venise de 1500). Et aujourd'hui même il y a le Journal, qui est un anti-livre.

Si donc je me définis comme homme lecteur de livres, il y a là non seulement une constatation existentielle, mais une revendication différentielle : je mets le livre au-dessus des autres formes d'écrit, et je le mets au-dessus des images de toutes sortes. Cette position, il n'est guère besoin d'y insister (je l'ai déjà fait longuement pour la marche, et les développements peuvent se transcrire aisément), est de nature à la fois esthétique et éthique ; je suis lecteur de livres, d'abord de livres, par morale. Et je suis aussi, pas indépendamment, avec mes propres moyens, fabricant de livres : j'en écris.

Une situation un peu paradoxale de ce livre-ci, ' le grand incendie de Londres ', m'apparaît alors : c'est que je l'écris, l'effectue, l'imagine (dans les imaginations murales que j'ai évoquées au chapitre 1) comme *manuscrit* avant tout, plus que comme livre imprimé. Et c'est pourquoi sans doute, alors que son existence est maintenant assurée par le franchissement de l'étape minimale que je m'étais fixée, j'ai une telle difficulté à envisager les modalités d'une publication. Je me dis qu'il est trop difficile, qu'il est trop massif pour trop peu de lecteurs (je me mets à la place d'un éditeur), je me dis qu'il faut que j'attende d'avoir achevé d'autres branches, qu'il nécessite une mise en livre spéciale, peut-être privée, à nombre d'exemplaires limité, décidé par des considérations numérologiques ; je me dis tout cela, et peut-être ai-je seulement du mal à le voir *livre*, tout simplement.

128 (§ 49) *Je lis vite*

La question de l'allure, de la vitesse, est importante : en fait elle est relative ; si je lis vite, c'est par rapport aux normes habituelles de la lecture silencieuse humaine : une lecture mécanique électronique, aujourd'hui, est infiniment plus rapide ; de la même manière, marcheur ou compteur je suis rapide, même si ma marche est escargotière par rapport à l'allure d'une Mercedes et mes dénombrements ridiculement lents par rapport aux machines à calculer. Disons qu'ayant fait le choix d'un registre lent (la lecture, comme la marche, la nage ou le calcul mental), lent en soi, je me situe dans la rapidité à l'intérieur de ce registre.

Pendant très longtemps, je ne lisais lentement que la poésie ; que je ne lisais d'ailleurs qu'en l'apprenant par cœur, ce qui était à la fois une multiplicité de lectures des mêmes mots et une lenteur extrême (même si j'apprenais, alors, rapidement). Ce n'est donc pas uniquement parce que les autres lectures que celle des romans sont des lectures de travail (au sens large) que l'allure en est différente : c'est que, au fond, elles ne sont pas vraiment lectures : la poésie, je l'absorbe plutôt que je ne la lis (si je ne peux l'absorber passionnément, je ne peux presque pas la lire, c'est pourquoi je suis un mauvais lecteur en vue de jugement), je l'absorbe pour la transformer en la mienne propre. Les mathématiques, la philosophie, les livres de pensée sont plus départ de réflexion, intervalles de compréhension, préparation de déductions, d'analyses, que lectures. Et j'ai eu un mal extrême, puisque la lecture (comme je le dis, de romans) était une habitude d'enfance très ancienne et très ancrée, avec ses modes de déroulement et surtout sa vitesse, à me mettre à lire, quand j'ai commencé à avoir besoin de le faire, ayant décidé de devenir mathématicien, le traité de Bourbaki.

Je lisais, comme toujours, une page rapidement, je comprenais, mot après mot, chacun des mots, mais je ne saisissais littéralement aucun sens dans ce que je lisais ainsi. Et il m'était impossible de ralentir. Pendant un long moment, me réfugiant dans mon autre mode d'appréhension du livre, celui de la poésie, je m'étais mis à apprendre le texte par cœur (je sais encore, aujourd'hui, certains passages du *Livre de topologie générale*, chapitre premier, première édition (la seule belle, le texte ayant été ensuite détruit par excès de pédantisme estoufo-gari)) ; je ne comprenais pas mieux, mais au moins je pouvais évoquer les lignes du texte pour les réfléchir ; très longtemps, j'ai travaillé ainsi, ce qui n'a pas assuré des progrès rapides dans ma carrière de chercheur.

J'ai fait parfois, depuis, l'expérience d'une lecture lente de roman. Le résultat est le même, je n'y comprends rien.

129 (§ 50) *Une cinquième passion, comme en arrière des quatre autres, comme signe, figure de leur parenté : la passion de la solitude*

Une autre image, moins abstraite bien que lointaine, s'incise ici : aux quatre coins du monde, de la page du monde selon les Navahos, quatre couleurs, pour les quatre points du ciel et les quatre âges : ⋅

EST	noir	enfance
SUD	bleu	âge adulte
OUEST	jaune	mort
NORD	blanc	résurrection

Remplaçant, à mon usage, la colonne des âges par une colonne de passions, je disposerais le noir pour la lecture, le bleu pour la nage, le jaune pour la marche et le blanc pour les nombres ; la passion de la solitude au centre, mais sans couleur.

Les traits caractéristiques de mes autres passions (luxe, morale, vitesse, différence) trouvent leur origine en elle, et elle les offre de manière paroxystique.

Ce que je m'efforce désormais de faire, c'est d'occuper entièrement la solitude, le temps de la solitude, dans la prose, et de convertir en lignes sa passion incolore et sans patrie.

Je cherche à donner à mes lignes noires les quatre axes de mes passions ; l'axe de luxe qui est la gratuité absolue de la narration, la situation différentielle de n'être ni poésie, ni roman, ni autobiographie, l'allure forcée par la menace, par l'approche de la lumière du jour qui met fin à chacun de mes *moments,* et la vertu morale qu'est l'obstination (ne pas cesser, ne pas renoncer ; s'obstiner).

Comme tout procède de l'*axiome de solitude,* tout en ce chapitre a tendu vers son passage à l'explicite, qui est là.

Il s'ensuit, c'est une conséquence formelle, que les incises, décrochant du texte du récit en leurs points, ne se suivent pas indépendamment, mais poursuivent une voie parallèle, qui accompagne les quatre passions et donne leurs quatre humeurs respectives. Le portrait s'en colore diversement.

Dans la *Nuit des Chants* navaho, je retiens le moment, qui est pour moi celui du centre de solitude, atteint sur le sol d'une peinture de sable, peinte par le chaman. Je me la représente dans la couleur, le jaune qui est pour moi celle de la marche (et non celle de la mort), un peu (dans ma vision) comme les petites collines de pollen que Wolfgang Laib dispose sur le sol de ses « peintures » de poudre :

> sur la piste marquée de pollen fasse que je marche
> avec des sauterelles à mes pieds fasse que je marche
> avec la rosée à mes pieds fasse que je marche
> avec la beauté fasse que je marche
> la beauté devant moi fasse que je marche
> la beauté au-dessus de moi fasse que je marche
> la beauté au-dessous de moi fasse que je marche
> la beauté tout autour de moi fasse que je marche
> dans le vieil âge errant fasse que je marche
> dans le vieil âge errant sur la piste de la beauté

130 (§ 50) *Je ne suis pas misanthrope*

Je diffère vivement sur ce point de mon maître, l'auteur de *Pierrot mon ami* : relisant il y a peu ce roman dans la lenteur, sous la pression de la nécessité (le mot « pression » vise la nécessité, non la lecture ; mais si j'ai lu plusieurs fois *Pierrot*, je l'ai toujours lu à ma manière, c'est-à-dire rapidement), (un « commentaire m'était demandé, de « lecteur » oulipien, pour une visite télévisée du livre), cette divergence m'a frappé ; et je ne l'ai vraiment perçue là, dans ce roman de bout en bout pourtant vif, enchanteur, qu'à cause de la lenteur obligée de ma lecture, de l'attention critique qu'elle me demandait. La misanthropie est là, en dessous, comme masquée par l'enchantement ; et le ralentissement de la vision la fait ressortir, comme une image dans le tapis. Je me demande pourtant si le regard lent, le regard critique, le regard armé de grossissements, d'agrandissements, de plans fixes sur la page, ne vient pas faire oublier une vérité du livre, qui est que le livre est d'abord ce qu'il apparaît dans le déroulement rapide, sans outils d'excavation, de la lecture de lecteur gratuit.

Quoi qu'il en soit, la misanthropie de Queneau éclate si l'on fait un parallèle (comme la construction romanesque y oblige, quand on la regarde de près) entre deux « scènes de repas » : l'une entre humains, l'autre entre animaux (Pierrot appartient aux deux, mais il n'est ni homme ni bête, plutôt ange); c'est peu dire que les deux scènes se ressemblent; elles sont calquées l'une sur l'autre et de leur confrontation naît cette évidence, signe de misanthropie : que les animaux sont nobles et naturels, les humains vulgaires et ignobles (et donc naturels).

Moi, je serais plutôt du côté de Pierrot : sans jugement, sensible à l'excellence animale et indifférent à la vulgarité humaine.

Je n'ai pas non plus le moindre optimisme philanthropique; je n'ai pas d'opinion ni d'intérêt pour la nature humaine, je ne suis pas moraliste. Je suis incapable de penser « la nature humaine est ceci cela »; ni que « moi-même, appartenant à l'espèce humaine, suis ceci cela ».

Autrement dit, mon autoportrait commencé ici, dans ce chapitre, n'est qu'un autoportrait au sens strict, n'est pas le portrait déguisé de « tout le monde », ou allégorique d'un type, d'un sous-genre, d'une sous-espèce. Ce que ' le grand incendie de Londres ' est (indépendamment de ce qu'il est se conformant à sa définition programmatique non dite), autobiographie de pensée, par exemple, n'est absolument pas revendiqué par moi comme éclairage sur le genre humain.

Celui qui est décrit, l' « artiste absent », dans le titre du chapitre, est un individu totalement particulier, ne signifiant que lui-même, ne « faisant fonction » de personne. Aucune leçon d'ordre général ne peut en être extraite, aucune leçon d'aucun ordre ne peut en être extraite; il n'y a pas de leçon, mais une description définie. Je me livre à une enquête de nature historique sur moi-même, sans téléologie, en m'appuyant à peu près exclusivement sur un état, changeant et momentané, du souvenir, qui est document d'un passé révolu en vestiges ayant survécu d'une manière contingente; il n'y a pas de sens de l'histoire individuelle (sinon extérieurement et après coup, quand une vie est prise comme exemplum, symbole, allégorie), (dans bien des autobiographies, l'enquête historique sur les événements historiques du souvenir est abandonnée pour le deuxième mode de relation au passé, celui de l'allégorie : ce sont des « vies de saint » de soi-même (même s'il s'agit de « pécheurs »)), et le passé que j'évoque, que je

« crée » (non au sens que je l'invente, mais au sens de la constitution d'un *plasma de choses ayant eu lieu et réagissant ensemble, en suspension dans le temps, maintenu par la cohérence de la description, contigu à un passé de même nature, et venu de lui par un faisceau de changements),* est sans leçons pour le futur.

Dans « artiste absent », l'absence est donc aussi absence de tout jugement.

131 (§ 50) '*Le grand incendie de Londres*' devient indispensable à ma survie de solitaire

Il s'agit bien d'un renversement : l'entreprise du ' grand incendie de Londres ' m'a tout d'abord permis simplement de passer la solitude, de convertir le passif de cette passion (souffrance) de solitude imposée en actes passants; plus élémentairement, de passer le temps, de l'employer aux heures les moins effaçables, puisque celles du réveil; alors, quand le jour s'approche, une tâche précise, entre des limites de temps nettes (du réveil à la pénétration du jour, défini par un certain état des lumières sur mon bureau) simplifiait le temps.

Et dans la mesure où ce temps-là, cessant de brûler d'angoisse, de désespoir, tenant l'angoisse, le désespoir, à distance de lignes noires avançant sans espérance, par pure obstination, devenait *plein*, il décidait du reste des journées. La tâche du ' grand incendie de Londres ' permettait, ensuite dans les jours, d'avancer un peu de bribes de travaux (le ' projet ' minuscule dont j'ai parlé), donnait comme une impulsion de mouvement aux heures qui suivaient son interruption (pas nécessairement par d'autres formes de « travail », mais aussi pour marches, lectures, nombres, mes habitudes vitales qui s'étaient, avant ce recommencement par la prose, presque trouvées détruites (je ne bougeais presque plus)).

Et dans la mesure où, ainsi, un peu, peu à peu, je me retrouvais approchant de la fin des jours, de chaque jour, je pouvais nourrir l'espoir d'avaler aussi les heures les plus difficiles, celles des soirs; de les investir et passer dans une autre passivité de lignes, celles de ce que j'ai nommé « branche du soir » (je n'y suis pas encore réellement parvenu, sinon sporadiquement; l'obstacle du soir est le plus lourd sur le chemin d'indifférence active; peut-être cela me restera, jusqu'à la fin, impossible, ou seulement présent comme devant être atteint, sans jamais l'être, une limite proche mais interdite).

Dans l'imagination d'une pluralité de mondes possibles, dont Lewis s'est fait une spécialité philosophique, je puise cet exemple, qui éclaire ma situation devant cette « branche » de mon livre, voulue pour les heures du soir, et si éloignée toujours : on se représentera la répétition de notre monde, à la suite, dans l'identité translatée des lieux et des temps, non pas comme dans l'hypothèse du retour éternel, recommencement au bout d'un temps fini, mais réapparition à ses débuts de notre monde, après son épuisement, son achèvement dans une durée infinie ; si on se représente l'échelle de temps de notre monde comme linéaire, instant après instant sur une droite orientée, le « nouveau » monde, le même, recommencerait après la fin du premier, à l'infini du temps. Je vois ma « branche du soir », celle où je rejoins Alix dans le futur antérieur de son Projet, notre passé annulé et révolu, comme située dans ce monde après l'infini du temps terminé ; et c'est *là* qu'il me faudrait aller pour l'écrire.

Il est arrivé ensuite que la plénitude du travail de la prose, obligeant à la solitude, et dans la mesure où aucune vie nouvelle partagée ne m'était possible, est devenue synonyme de solitude, définition et détermination d'une forme de solitude.

Rendant le temps plus « étroit » (une sorte de problème policier de « chambre close », dont la solution idéale est l' « homme à deux dimensions » que je me sens devenir en ces heures (je pense au roman de John Dickson Carr que Jean-Claude Milner nous fit lire plutôt qu'au « *Thin man* » de Dashiell Hammett)), la prose me pousse à me conformer à ma définition restreinte, écrivant ces lignes, pas plus épais qu'elles.

Ainsi, pénétrant par arborescences, par fourches acides, dans les couches de neige, de feuilles d'encre des réminiscences pour les détruire (destruction par le souvenir noté), j'avance à rebours vers les temps où il ne restera rien : la véritable solitude.

(du chapitre 5)

132 (§ 51) *Mon idée de la prose a beaucoup été influencée par...*
le célèbre traité de Bourbaki

Pour m'en tenir ici au problème de la digression, de l'impossibilité
de me limiter à un récit linéaire, qui est à l'origine de la *stratégie des
insertions* à laquelle je m'exerce, je me suis tourné spontanément vers
les *Éléments de mathématiques* de Nicolas Bourbaki, à la fois parce
que c'est, de ce genre d'ouvrages, celui que je (ou plutôt que j'ai)
maîtrise (maîtrisé) le mieux (quand la mathématique était ma préoc-
cupation dominante), et parce que son ampleur, l'immensité de son
ambition (il a échoué) (il ne pouvait qu'échouer) présente des
analogies assez claires avec la vastitude de mon propre *Projet* (que je
voulais, seul, amener aux dimensions de cette cathédrale collective et
anonyme).
Le « traité », en effet, annonce un plan d'ensemble, et, pour la mise
en œuvre de ce plan, tient ferme (ou s'efforce de tenir ferme, ou
affecte de tenir ferme) un fil conducteur, qui est la mise en place en
des ' livres ' parallèles et successifs (une succession autant ou plus
chronologique (état des rédactions) que logique) des « structures
fondamentales », sur laquelle s'appuie (s'appuiera, s'appuierait) la
suite, une mythique « deuxième partie » où les Mathématiques véritables, celles où interviennent simultanément toutes ou partie des
« structures », celles où ce qui se passe de profond dans la Mathématique, ses « résultats », doivent enfin se révéler dans leur splendeur
illuminée par l'intention initiale (le « projet » bourbakiste).
Or, si on le regarde après coup, comme cathédrale à la fois
engloutie, en ruine et inachevée, on se rend compte que le présent
bougeant de son « histoire », l'ordre de mise en route et d'aboutissement des fragments réellement entrepris de l'œuvre, déborde, éclate
de partout dans le « traité » et résiste à toutes les tentatives, comiques

presque de dissimulation, sous les espèces de la réfection, de la réécriture perpétuelle, des remises en chantier incessantes des chapitres achevés (l'exemple le plus éclairant à ce sujet étant le chapitre premier du livre de *Topologie générale*, où la splendeur et limpidité de la version initiale a disparu peu à peu, masquée et étouffée par une mauvaise graisse d' « additions »).

J'ai décidé, en commençant ' le grand incendie de Londres ', de me défendre autant que possible contre ce désastre-là, en acceptant d'avance la présence du présent dans ce qui est le récit d'une « logique » propre à cette prose, son intention, laissée non dite : « Le ' grand incendie de Londres ' est... » Une fois la partie « linéaire » du livre, dans chacune de ses « branches », écrite, je n'y toucherais plus.

Il s'ensuivait que tout le déroulement extra-linéaire, tout le débordement bifurquant de mon « sujet », devait recevoir, en chaque lieu du « récit », une solution « locale ».

J'ai réfléchi, dans ce cas encore, à l'exemple de Bourbaki : le poids essentiel de ce qui, dans mon ouvrage à moi, est confié aux « insertions » repose dans les « éléments de mathématique » du vieux maître sur les « exercices ». Certains de ces *exercices*, qui sont des résultats annexes excédant ou détournant le raisonnement principal, se suffisent à eux-mêmes : exemples, contre-exemples, théorèmes particuliers. Dans la « transposition » dont je parle (qui n'est pas beaucoup plus qu'une image et une suggestion), ils correspondent aux « incises ». Certains autres, que l'on retrouve de paragraphe en paragraphe, de chapitre en chapitre, composent, eux, un développement parallèle parfois assez étendu; c'est là que j'ai puisé le modèle des « bifurcations ».

Il y a, malgré tout, une différence assez grosse entre les exercices bourbakistes et mes insertions : les exercices, contrairement aux énoncés des propositions et théorèmes du texte, ne sont pas pourvus d'une solution. Le lecteur doit trouver lui-même les démonstrations; il peut ainsi, dit Bourbaki avec son caractéristique sadisme d'ancien élève des classes préparatoires aux grandes écoles, « vérifier qu'il a bien compris le texte ».

Mais en fait la différence est moins radicale qu'il pourrait y paraître à première vue : car dans mes insertions aussi il y a pour le lecteur, s'il le désire, quelque chose de l'*exercice* : le silence est laissé sur le « pourquoi » de l'incise, ou de la bifurcation; un « pourquoi » dont la réponse tend à éclairer ce vers quoi tend le *récit* : son achèvement et le dévoilement de ce qu'il est.

133 (§ 51) *C'est ainsi que je désignerai désormais les fragments unitaires numérotés*

Chaque *moment* qui a son unité de lieu et de temps (lieu immobile et temps non discontinu), je le conçois (c'est une visée à la fois esthétique et éthique) comme une *station* de temps méditatif.

La présence du lieu joue (c'est un des liens essentiels que je tenterai d'établir entre *méditation* et *mémoire*) son rôle de « lieu de mémoire », à partir duquel (tel « beau détail ») la restitution du parcours est facilitée.

Il s'ensuit une concentration de présent en ces fragments : les « moments » de prose ont un *accent* de présent (ont en intention pour le moins), un accent intérieur, un « *instress* » (Hopkins). L'*instress* du présent de leur écriture constitue une condition de leur unité ; le passage d'un moment à un autre est discontinu en ce sens, contre la continuité en même temps voulue du *récit*.

Le « concentré » du présent et de ma présence à ce que je suis en train de découvrir à dire a des implications de durée : durée méditative (qui ne peut être très longue) ; durée de prose (assez courte, même dans la vitesse parfois).

Je les ai voulues dans la nuit prématinale ; cela me conduit parfois à des tricheries comme un arrêt d'horloge dans une assemblée délibérative (imitation collective de jeux enfantins) : volets fermés, je résiste au jour, à la lumière insinuante ; le non-temps journalier, je l'ignore.

Ces moments sont des moments de méditation, donc de mémoire, où tout exercice de la réflexion, de l'intelligence, de l'imagination est subordonnée à la mémoire ; ils sont des moments de « *non-being* » de ' non-vie ' ; ou ' non-être '. Ce n'est pas tout à fait ça, dans la version française ; traduisant plus littéralement, je trouve « non-étant » ; mon état en ces moments est un état de « non-étant ». Je préfère à la fois cette traduction du terme « *non-being* », comme traduction, et aussi comme terme, pour désigner ce que je suis en la succession concentrée des instants qui tendent au « moment de prose ». Car le bi-mot anglais, qui vient de Virginia Woolf, ne révèle pas entièrement, à cause de la plasticité naturalisante de l'anglais-langue, l'état philosophiquement paradoxal auquel je m'assimile.

Les « moments » sont entièrement retranchés à ma vie, si ma vie est celle qui est la mienne en dehors d'eux. Ils sont pourtant autre chose qu'une altérité absolue, je n'ai pas changé, je ne suis pas un autre; seulement, autrement moi, autrement le même; à côté de moi-même. Dans la mémoire, même si pas toujours au sens strict, dans le souvenir.

L'effort de la méditation qui conduit au moment dans la prose n'est pas cependant un effort de restitution morale de soi à soi comme est la méditation de la tradition; la dimension éthique n'est pas absente; mais à la fois profane, vernaculaire et uniquement orientée vers ce « non-étant » qui est « non-moi ».

La réflexivité elle-même (ce « moment » sur les « moments ») ne les change pas. La lampe brûle et s'affaiblit. Le téléphone sonne, je ne réponds pas.

134 (§ 52) *1961, et quelque chose que je dirai peut-être; et peut-être pas*

Il y a là un appel non à une insertion de l'un ou l'autre type, mais à une *branche* future possible, pas vraiment prévue (je me défends de prévoir jusque-là) mais envisageable; dont le centre, l'unité, serait en partie événementielle, et liée à l'année 1961.

Sur cette « branche » pèse une incertitude double : incertitude sur sa nécessité même; incertitude sur ce qui y serait raconté, sur le « quelque chose », lié au rêve, qui y est présent.

A mesure que j'avance, et ici, au « moment » de cette incise, j'ai déjà derrière moi non seulement tout le « récit », mais une bonne partie des incises et des bifurcations de cette branche (du moins jusqu'à la profondeur 2 (le récit et la première insertion en lieu du récit) la possibilité des branches futures prend de la consistance, même si l'ordre et le contenu de ces branches demeure flou).

Dans le remplissage de la grande feuille mentale que j'ai toujours devant moi en composant mon livre, je procède de la manière suivante : la feuille imaginaire est sur le mur d'une grande pièce circulaire. Chaque *moment* occupe une portion du pourtour sur une seule ligne, de manière que, les moments étant séparés par des points suivis d'un blanc, et les chapitres signalés par des interruptions plus substantielles de la ligne noire, le dernier moment, le 98, se trouve situé (dans le sens de parcours de la lecture de la feuille) *à gauche* de l'«Avertissement» (écrit d'une autre écriture ou dans une autre couleur), le moment numéroté 1 étant, lui, à sa droite (on a donc effectué un tour complet). Tout le *récit* de la *branche 1* tient donc sur une ligne unique, définissant la *profondeur 1*.

Viennent ensuite, sur la deuxième ligne, et donc à la *profondeur 2*, une couche initiale d'*insertions*, numérotées (comme vous voyez si vous lisez en cet instant) de 99 à 196, composée de soixante-cinq *incises* et de trente-trois moments en *bifurcations*, dans cet ordre, avec une certaine répartition calculée des incises entre les chapitres du récit, des longueurs en ce qui concerne les bifurcations. Sur la *Feuille Mentale* (ou *Modèle*: FM), deux couleurs distinctes, et distinctes du noir de la ligne de récit, sont utilisées, et des fils partent des lieux de départ de chaque insertion; les fils des incises ne se croisent pas.

A la *profondeur 3*, qu'y aura-t-il? Voilà qui n'est pas tout à fait clair encore.

Quelles données doivent être accommodées pour la représentation sur la FM (Feuille Mentale ou Modèle)? (Le problème de la réalisation livresque est autre encore.)

- La deuxième ligne noire, celle du récit de la deuxième branche, que je me propose d'écrire, comme la branche 1 (récit), en chapitres successions de moments, de même nombre total et numérotés, eux, de 197 à 294; au-dessous de cette ligne de la branche 2 viendrait, à nouveau, une «couche» d'insertions, avec les numéros d'ordre 295 à 392.

- Les autres insertions de la première ligne noire du récit qui n'ont pas trouvé place dans la couche de profondeur 1. Les insertions de cette couche ne sont pas, en effet, les seules possibles; je peux presque imaginer qu'une possibilité ou nécessité même d'insertions nouvelles existera jusqu'à la fin de la composition du livre, en chacun des moments déjà pourtant «insérés».

- Les insertions nouvelles naissant dans les insertions déjà écrites.

J'envisage de limiter à six la profondeur entre deux lignes successives de récit; et d'imposer un nombre maximum de moments à chaque «couche», celui (98) qui est précisément nécessaire pour les «récits». Les couches 3 à 6 seraient, ainsi, lacunaires. Quant aux fils de liaison, ils pourraient franchir des distances importantes.

J'imagine, alternativement, la «pièce» contenant l'imagination visuelle de mon «livre» comme un écran géant d'ordinateur, une écriture lumineuse avec des flèches, et des possibilités, alors de déplacements.

J'en suis bien loin.

135 (§ 53) *Je reste fidèle à mon idée ancienne et première de la prose*

Il y a comme une fascination ascétique (toujours le désir érémitique) dans la prose de la mathématique; et, bien sûr, étant donné le moment de mon contact avec la mathématique, le traité de Bourbaki en représente le modèle (déjà maintenant « historique »). Il s'agit tout autant d'une éthique que d'une stylistique de la prose; car le style de Bourbaki, son pseudo-classicisme appliqué de bon élève des classes de préparation à Polytechnique, a des racines essentiellement scolaires : il s'agit d'une idée du bien-écrire appuyée à la fois sur les grands auteurs littéraires et sur Descartes; il faut écrire ainsi si l'on veut s'opposer aux risques de confusion et aux débordements de l'imagination romantique (je me limite volontairement à cette opposition des classes de première des lycées d'autrefois, car je doute qu'aucun des mathématiciens de cette génération ait jamais lu un surréaliste).

La manière bourbakiste de faire les phrases s'attache, assez consciemment je crois, à un tel idéal de clarté boileauesque : énoncer clairement ce que l'on conçoit bien (assez vite d'ailleurs, la masse des « matières » à traiter aidant, l'intime conviction d'avoir, une fois pour toutes, « bien conçu » fut considérée comme suffisante pour la luminosité de l'énonciation; bien à tort, hélas!). Dans mes débuts (du Projet et de la prose), je ne commençais qu'avec peine à me détourner (mathématiquement, j'entends) de mon « bourbakisme » de jeunesse (comme j'avais abandonné, au profit de Bourbaki précisément, mon surréalisme adolescent), et certains passages du « traité », que je connaissais par cœur (le « mode d'emploi », ou l'introduction au livre de *Topologie générale*), jouèrent pour moi le rôle que (d'après mes souvenirs scolaires) Stendhal attribuait au Code civil et Claudel à la phrase : « Tout condamné à mort aura la tête tranchée. »

En même temps, et c'est là une disposition d'esprit dont je n'ai jamais réussi à me débarrasser (peut-être une pente naturelle vers le scepticisme), j'étais sensible au comique involontaire de cette immense prétention. Parler des Structures Fondamentales de l'Analyse (n'en jetez plus, la bouche est pleine) sur un ton voisin de celui des Oraisons funèbres de Jacques Bénigne Bossuet (ton qui, curieusement, comme l'a remarqué David Antin, est aussi celui d'André Breton) (et plus tard celui de Philippe Sollers) ne peut, à la longue, et pour peu que la fascination s'affaiblisse, que conduire au fou rire. Dans le même ordre d'idées, la parenté évidente entre les stances cornéliennes et le célèbre distique des wagons de métro (« Le train ne peut partir que les portes fermées / Ne pas gêner leur fermeture ») suscite quelque distance par rapport à la prosodie classique considérée comme absolu.

Je dis « distance », je ne dis pas « rejet » : un contre-amiral est encore un amiral (et il est même subordonné au premier, en plus). J'ai conçu principalement une certaine méfiance amusée envers les éblouissements causés par cette prose sévère et pure, mais je ne l'ai pas pour autant entièrement abandonnée comme source d'inspiration, au moins gymnastique.

En somme, je m'en sers comme d'une espèce de « Langage Cuit ». Les patrons métriques des vers séculaires, les dictons, les proverbes, les comptines, les formes simples ou élaborées, anciennes ou modernes, les poèmes mêmes que l'on admire peuvent servir à des états de poésie en apparence totalement sans lien avec eux. Il en est de même pour la prose, surtout la prose de fiction.

Mais le choix ici de *ce* modèle, de *cette* prose, qui n'est ni celle de Victor Hugo, ni celle de Proust, ni celle de Henry James (pour me limiter à trois exemples pas invraisemblables en ce qui me concerne), est très clairement déterminé par ces instants actuels de narration : ceux où il se trouve que la prose de mathématique est celle qui m'occupe absolument (je ne m'exerce qu'à elle) à la fois comme lecteur et comme imitateur (le mathématicien que je m'efforce de devenir) quand vient le rêve d'où surgit le roman (et la décision, et le projet).

Il signifie aussi que, puisqu'un tel support m'apparaît comme nécessaire, je n'ai pas un accès direct à ce que je dois dire; il ne me suffit pas de le penser; je suis fort éloigné de l'idéal « objectiviste »; je me place dans le souvenir des gestes prosaïques de la « déduction », tels que j'ai appris autrefois, plus ou moins efficacement, à les faire, quand je suis devenu mathématicien. Un mécanisme me soutient.

136 (§ 53) *Quelque chose qui serait un projet (un futur), un projet d'existence*

Dans un projet d'existence, n'importe quel projet d'existence, il n'y a pas, en fait, de réponse autre que pragmatique à l' « à-quoi-bon généralisé » : du temps passe. Tout projet, particulièrement un projet formel d'écritures, comme le mien aujourd'hui, qui a survécu à toute valeur (au Projet, je donnais de la valeur, et il s'opposait, alors, à l'*à-quoi-bon*), occupe le temps, l'ordonne, gomme ses vides. Chaque heure en détermine une autre, la pousse, l'avale, l'annule.

Si je me cherche (et je ne me cherche pas vraiment) quelque réponse organisée à l'*à-quoi-bon généralisé* aujourd'hui, je ne trouve que le scepticisme ; je me déclare sceptique, à la manière antique, celle de Sextus Empiricus ; je recherche le calme ataraxique dans la lecture et la « suspension du jugement ».

Mon scepticisme est essentiellement peu profond philosophiquement, je ne cherche pas la possibilité philosophique de le vivre, simplement (couvercle sur la bouilloire des pensées désespérantes) la protection d'une affirmation pour moi-même : ne croire à rien, pour ne pas croire que la mort.

C'est une attitude volontariste, qui a pour corollaire une stratégie de vie que j'ai longtemps pratiquée de manière spontanée, non réfléchie et non systématique : je l'appellerai l'*évitisme*. J'évite le temps par des tâches, calcul, description et recherche de sonnets dans les bibliothèques, ceci, ces lignes noires que je pousse, puis recopie ; j'évite le monde et ses restes : je ne réponds pas aux lettres, je ne réponds pas au téléphone, je marche, je reste seul, j'agis minimalement.

Il est vrai qu'en tout cela je ne suis ni réellement « consistant » ni absolu. Peut-être n'est-il pas possible de l'être, sans tomber rapidement dans les conclusions mêmes de l'*à-quoi-bon total*, mais par un autre chemin, par inanition en quelque sorte. Mais dans cette incohérence probable (je ne l'interroge pas vraiment) est la possibilité précisément de mon existence sceptique actuelle. Je vis un scepticisme modeste, je ne me laisse pas entraîner dans le piège de la dénégation passionnée de mes contradictions.

La version « évitiste » du scepticisme (qui ne peut, j'en conviens, que provoquer le haussement d'épaules énervé du philosophe (je pense à l'agacement des gardiens du temple wittgensteinien, les Tweedledum et Tweedledee de l'érudition wittgensteinienne, Hacker and Baker, devant l'interprétation kripkéenne comme « puzzle scepti-que » d'un passage décisif des *Investigations* (je ne vise par là que la réaction spontanée, épidermique, pas l'argumentation de ces émi-nents adversaires philosophiques ; loin de moi l'idée de me comparer à eux, en tant qu'être réfléchissant et pensant ; je le répète, mon scepticisme n'est que très paresseusement « pensé »))), ma version propre du scepticisme est, en fait, finalement assez proche de celle que recommande, en une célèbre formule, Coleridge au lecteur de fiction : « *willing suspension of disbelief* », cessation volontaire de la non-croyance. Je trouve cette position éminemment sceptique : entrer dans le roman (et plus généralement se placer devant le poème, et l'œuvre d'art) dans ces dispositions, c'est (et l'emploi du mot « sus-pension » comme dans le principe sceptique de la « suspension du jugement » me semble caractéristique) exactement en vivre la lecture comme je vis ma vie quotidienne : en cessant volontairement de ne pas croire, en décidant momentanément, et pour un temps limité, de croire le rien. Le monde sceptique est un monde de l'incroyable, on ne peut y entrer que par fragments courts de temps délimité où cette impossibilité à accepter que les choses, que les mondes sont, sera mise entre parenthèses. Et c'est ainsi qu'on pénètre dans un monde romanesque, que le monde romanesque des grands romans impose sa force de conviction, non en ce qu'il est copie exacte ou révélation d'un monde qui serait le réel nôtre, mais parce que en y plongeant on se laisse aller à consentir, avec le sentiment intime d'être maître de ce choix, à l'invraisemblance générale de toute vie.

137 (§ 53) *Tout souvenir écrit s'évanouit. Il ne reste que sa trace devenue noire*

Parmi les images que proposent les biologistes pour l'explication des phénomènes de mémoire, j'ai retenu celle-ci, qui me plaît bien : chaque souvenir, ou séquence de souvenirs, comme une trace dans le cerveau, est semblable à un arrangement de cristaux de neige sur un sol. Les souvenirs sont des poignées de neige qui sans cesse tombent dans le cerveau, s'entassent. Il y aurait une certaine orientation à ces entassements, et les souvenirs les plus anciens seraient les plus profondément enfouis.

Se souvenir serait creuser dans cette neige, déranger l'ordre, fouiller, et les couches de mémoire ne se reformeraient jamais exactement, il se créerait d'autres arrangements, et les seuls souvenirs intacts seraient ceux auxquels on ne demande jamais rien.

Il y a dans cette métaphore neigeuse quelque chose qui me gêne, c'est l'épaisseur, la tridimensionnalité obligatoire, le poids même de ces couches que l'intuition saisit cependant comme infiniment légères, plumes infimes, copeaux minuscules. Et je verrais plus volontiers quelque chose comme un palimpseste, une encre de souvenirs sans cesse raturant et ajoutant, suscrivant sur la même page ; et, cette fois, l'accès à un souvenir apparaît comme un coup de gomme, une lecture-effacement. (Et il s'y ajoute le sentiment irrépressible pour moi qu'un souvenir ramené au jour en efface d'autres, écrits en quelque sorte au même endroit sur le même coin minuscule de papier.)

Dans l'une ou l'autre de ces représentations, se souvenir tend à détruire le souvenir ; et cela d'une manière beaucoup plus rapide et radicale chaque fois que le souvenir franchit les frontières du corps, pour être amené au jour de la parole ou de l'écriture (plus nettement encore dans le cas de l'écriture, qui tend à substituer une trace autre, durable différemment, à la première). Se souvenir à l'intérieur de soi, en pensée, en rêverie, même si c'est une action qui érode, corrode, trouble, déplace, affaiblit l'objet sur lequel elle s'exerce, en même temps le préserve (plus pâle, plus trouble, contaminé d'autres souvenirs, et du souvenir de lui-même, mais cependant préservé) d'une autre destruction, qui est destruction « pour toutes fins pratiques », celle de l'inaccessibilité. Le souvenir souvenu redevient accessible, du moins plus accessible. Je peux plus aisément le rejoindre, même si, ce faisant, je ne cesse de l'altérer.

Mais l'accessibilité du souvenir raconté, ou décrit, est d'un tout autre ordre. Plus certaine, elle s'accompagne pour moi d'une conviction absolue : le souvenir propre n'existe plus ; il est sorti de son lieu d'origine ; si je l'évoque, ce que j'évoque c'est sa trace externe, les sons de son récit constituant une trace nouvelle dans ma pensée, qui se substitue complètement au souvenir-trace originel ; ou encore les signes écrits qui le notent. La dénaturation est alors d'un tout autre ordre.

Et dans ce cas, dans ce cas seulement, le souvenir devient vraiment quelque chose du passé, un objet reconnu comme une survivance, un vestige, un reste, un fragment d'un passé conservé. Alors que tout souvenir que je garde en moi est toujours virtuellement présent, ne peut être saisi comme passé que par un acte de pensée, une réflexion.

Le rêve alors serait un souvenir sans trace, qui ne peut être perçu, pensé, dans l'état de veille qu'une unique fois, mais à cause de cela même non mémorisable, s'évanouissant ainsi irrémédiablement d'un seul coup; ou bien raconté, transcrit, et de ce récit de cette transcription devenant semblable à un souvenir sorti de soi, aussi éloigné d'un véritable souvenir que les autres. L'unique rêve que j'ai conservé dans mon souvenir, celui dont je parle ici, est donc dans une situation paradoxale.

138 (§ 55) *La Nature qui s'oppose au logicien de Hintikka*

Prenant volontairement *à la lettre* la métaphore wittgensteinienne de « jeu de langage », Jaakko Hintikka, étoile de la seconde génération des disciples finlandais de l'auteur du *Tractatus*, a proposé d'interpréter « jeu » selon la théorie mathématique des jeux précisément, telle qu'elle fut définie par le grand von Neumann, inventeur des ordinateurs. Dans cette conception, énoncer des propositions sur le monde, c'est faire un « coup » dans un « jeu sémantique », et la valeur de vérité de ces propositions sera calculée dans ce jeu. Comme l'écrit Hintikka : « toute tentative de vérification d'une proposition P se heurte à la résistance d'un adversaire subtil, malveillant et acharné, qui peut être identifié à la Nature ».

J'ai découvert par hasard ce texte de Hintikka dans un fort volume cartonné, « *Contemporary Philisophy, a New Survey*, edited by G. Flistad, volume 1, *Philosophy of Language Philosophical Logic* », qui vieillissait doucement dans une armoire du Centre national des lettres où je me trouvais, pour une réunion de la commission de Poésie. Je m'en emparai résolument.

L'idée d'affronter l'ennemi polymorphe, le Réel, en y mettant les formes, en l'obligeant au respect de certaines règles ludiques, n'est pas neuve, et la proposition de Hintikka n'en est qu'une variante insolente et sophistiquée. Chevalier moderne, au lieu d'affronter la Mort en combat singulier dans une partie d'échec, Hintikka défie la Nature avec les armes de la Logique des prédicats; la démarche est la même.

Il s'agit chaque fois d'imposer un ordre imaginaire au sale mélange de l'inerte, de l'informe, à l'enchevêtrement menaçant du Réel. La

Danse macabre, la Danse médiévale des morts en offre un autre visage, un jeu géométrique cette fois. Les squelettes dansants des morts, entraînés le long des trajectoires entrelacées de lignes, tout effrayants qu'ils soient, ne sont qu'horreur enjouée face à la masse inimaginable, irreprésentable, des cadavres vrais dissous par la mort vraie ; si la mort dessine une courbe, c'est plutôt celle qu'imagina Peano, courbe continue dont la représentation graphique remplit point par point la surface entière d'un carré. Le dessin même de cette courbe, tel que l'imagina Sterne dans *Tristram Shandy*, emplit de noir la page où s'engloutit le « pauvre Yorick » ; c'est ainsi que j'imagine le chemin de toute descente aux Enfers, dont aucune bobine de fil ne permettra de remonter. L'invention d'un Enfer minoén labyrinthique est une des variantes les plus anciennes du Chevalier Logicien de Hintikka.

On avait offert autrefois à Alix l'enregistrement sur bande magnétique d'une danse, due précisément à quelques joyeux wittgensteiniens finlandais, la Wittgensteiner Polka. La musique est une musique de polka, et les paroles sont les célèbres paroles finales du *Tractatus*, « *Wovon man nicht sprechen kann, darüber musz man schweigen* » : ce dont on ne peut parler, il faut le taire ; une parfaite Danse de Mort contre le Silence.

Mon ennemi à moi dans cette déduction poursuivie au moment de l'évanouissement du rêve, c'est l'oubli. C'est bien en fait, comme la Nature de Hintikka, un adversaire « subtil, malveillant et acharné » ; et je doute fort qu'il accepte de jouer selon les règles du jeu formel que je lui propose, ' le grand incendie de Londres '. A tout moment, l'oubli réel, pervers et polymorphe s'oppose à ma tentative de destruction raisonnable, d'effacement ordonné.

139 (§ 55) *L'enchevêtrement des trois termes indéfinis est remplacé par l'entrelacement des mêmes termes définis*

Cette *incise* est de nature nouvelle : elle fait un lien (d'entrelacement) entre le *moment* qui la suscite et un moment ultérieur, le moment 86, intitulé « Entrelacement, Élucidation ». Par le « chemin » divergent de l'incise, on peut, comme dans un jeu de l'oie ou un Monopoly, changer de « case », court-circuiter tout un long parcours de lecture. Et on peut même revenir en arrière (ainsi, dans l'incise suivante, accrochée au § 56, un retour est possible vers le chapitre 3, et la préparation de la gelée d'azerole).

Enchevêtrement comme *entrelacement* sont, dans cette prose, deux figures de lignes, qui se ressemblent en cela, emmêlement de lignes narratives, mais diffèrent dans leurs moyens : l'*entrelacement* des lignes *dessine* une figure, sa figure propre, identifiable, qui permet de suivre chacun des fils qui la compose. Dans l'*enchevêtrement*, au contraire, chaque fil, chaque trajet est inextricablement mêlé à chaque autre ; l'image définitoire peut être celle de la pelote de fil qui s'oppose au tissu ou encore (§ 138) celle de la courbe de Peano, qui est fil unique en un sens mais dont l'enchevêtrement est tel que sa représentation noircit entièrement un carré. Si on s'intéresse à la topologie de la chose, les courbes enchevêtrées sont inclassables, irreconnaissables en types, à la différence des courbes entrelacées, dont la description en types des *nœuds* (cordes) donne un exemple (qui a eu son heure de gloire en sciences humaines, pour avoir passionné le docteur Lacan).

Dans ma « déduction », le passage de l'enchevêtrement initial à l'entrelacement a sa marque, qui provient du glissement d'articles de l'indéfini au défini : *un* projet, *une* décision, *un* rêve s'enchevêtrent ; *le* Projet, *la* décision. *le* rêve s'entrelacent. L'entrelacement résulte de la rigidité de la désignation. Dans la progression de la séquence assertive, les deux modifications d'importance ne sont pas indépendantes : la première implique la seconde, et le mode de cette implication est celui de l'émergence des figures de lignes sortant du chaos de l'emmêlement dans ordre.

L'entrelacement, cependant, est aussi une abstraction de l'enchevêtrement, et en ce sens il y a appauvrissement (dans l'image de la courbe opaque de Peano s'opposant, par exemple, au nœud borroméen, l'appauvrissement « quantitatif » apparent est illusoire, on le sait, puisqu'il y a toujours « autant » de points, une infinité « égale » de points dans les deux cas, mais la « perte » est ailleurs) : l'entrelacement, même complexe (et il peut être d'une extrême complexité, donnant l'illusion immédiate d'un enchevêtrement), est, en un sens, « bien peigné », apprivoisé, tranquille ; l'enchevêtrement est « hirsute », pour employer la distinction dantesque ; plus difficilement pénétrable il peut, dans son obscurité même, saisir plus intensément l'attention (la broussaille d'un buisson féminin « hirsute » peut, ainsi, être plus violemment érotique qu'une brosse douce, qu'une main herbeuse bien rangée).

C'est pourquoi, dans la stratégie esthétique du roman, qui devait dire le rêve, la décision, le projet, il ne devait pas être oublié qu'il s'agissait d'abord d'*un* rêve, d'*une* décision, d'*un* projet, donc que, avant de se trouver liés par entrelacement aux origines de la narration, ces trois termes avaient été enchevêtrés. Dans chaque blanc des figures de l'entrelacement devaient luire sombrement ces chevelures basses sur des grottes hirsutes qui habitent les silences.

Bien sûr, le passage aux entrelacements était aussi rendu nécessaire par la visée de mathématisation, qui s'en accommode mieux que du magma des fils désordonnés.

140 (§ 56) *Une austérité parfois érémitique*

La sévérité d'existence nécessaire pour la préparation au Projet impliquait, en somme, le devoir de solitude. C'est dire que la tentation érémitique qui a toujours été la mienne trouvait là une sorte de justification. Je pouvais m'abandonner à son désir sans le penser seulement comme une aspiration privée de principes ou une fascination dangereuse : ne plus regarder au fond du puits de solitude mon propre visage déjà retranché du temps, mais au contraire créer ma règle de vie, ses exigences, librement contraint, faire effort seul.

Être un ermite occupé (pas seulement contemplatif ou jardinier ou marcheur) avait en outre une nécessité pragmatique. C'est que la mise en œuvre du Projet et du roman représentait une somme considérable d'efforts : des lectures, de la compréhension de raisonnements difficiles, des recherches en bibliothèques, écrire, beaucoup écrire. Or, je n'ai jamais travaillé naturellement, je n'ai jamais écrit joyeusement, facilement.

A tout instant je suis prêt à me laisser aller à la distraction : de la lecture, de la rêverie, des pensées amoureuses. Pour le moindre travail, pour la moindre ligne, il me faut franchir une frontière invisible de refus en moi, de dégoût, de désir de fuir, de remettre, à plus tard, à demain, à toujours. Commencer me demande des dépenses épuisantes d'énergie, d'exhortations, de reproches à moi-même. Les conditions favorables d'une mise au travail sont si rares que je me demande parfois comment j'ai pu, parfois, y parvenir.

C'est une constante de ma vie, à laquelle je ne chercherai pas d'explication. C'est une constante assez désespérante parfois car les années qui passent n'amènent aucune amélioration, ne rendent pas mes tâches plus faciles, au contraire : je me suis souvent imaginé qu'une certaine régularité de mobilisation intérieure, qu'une accumulation de moments, de journées victorieuses amenant une sorte de réflexe, un entraînement, des habitudes, j'en viendrais, avec l'âge, à un affaiblissement simultané des attraits de la distraction, à quelques années lumineuses, où je ferais tout ce que j'avais décidé, prévu de faire, dans le temps que j'ai prévu de consacrer à ce que je devais faire. Cela ne s'est pas produit, cela ne m'arrivera jamais, je le sais bien.

Il y a une exception, partielle et apparente, à cette situation générale de difficulté : la poésie. Souvent j'ai pu, je ne dis pas écrire ou travailler de la poésie, mais tout simplement assembler de la poésie dans ma tête, je ne dis pas sans effort, mais du moins sans l'effort supplémentaire, décourageant, d'avoir à faire effort pour commencer cet effort. J'ai été, je suis encore parfois capable de concentration intense et brève, purement intérieure, mentale, pour un instant de poésie. Je n'écris pas de la poésie; quand je l'écris elle est déjà entièrement décidée par la voix intérieure lisant ce qu'elle sera sur une page pensée.

Mais les conditions mêmes, l'intensité, la brièveté, la discontinuité de ce travail de poésie constituent un obstacle supplémentaire sur la voie de toute autre forme d'activité; car il est évident que je ne peux concevoir la prose, ou la mathématique, sans un support de papier, et je ne peux pas avoir recours au papier *après* la composition du moment de récit ou la section calculatoire ou démonstrative (le cas de la mathématique est intermédiaire : je peux *voir* le calcul, imaginer intérieurement la démonstration, mais pas les termes de leur écriture; dans le cas de la prose, elle n'*existe* qu'à l'instant de devenir ligne noire sur ma feuille, il n'y a pour ainsi dire rien avant). Et c'est pourquoi j'ai extrêmement longtemps, et avec désespoir, vérifié pour moi-même la maxime ovidienne : « *quisquis tentabam scribere versus erat* »; dès que j'essayais d'écrire, j'arrivais à de la poésie.

141 (§ 58) *Il est difficile, formé par la mathématique, de se résigner, tel Merlin, à parler obscurément*

Il y a, dans le personnage de Merlin, moteur de la vieille prose du *Lancelot*, un paradoxe, qui est un des paradoxes possibles de la prédiction. Merlin, nous dit-on, parle « par obscures paroles », dont on ne peut comprendre le sens que lorsque les événements qu'elles annoncent sont « advenus ». Mais, alors, pourquoi prédire ? Cet état paradoxal de Merlin est, au fond, celui d'un événement, d'une situation historique. Si une situation historique a quelque chose à dire du futur, c'est obscurément, pour n'être saisie que par le futur, à un moment où, la prédiction implicite contenue dans l'événement passé s'étant accomplie, elle n'a plus la moindre importance.

Pourquoi, dans ce cas, Merlin se laisse-t-il aller à parler, et à parler obscurément. La réponse peut être morale : « Mon savoir de l'avenir ne peut rester innocent que si je ne joue pas avec lui pour agir sur le monde. Si j'agis comme je n'ai pas vu dans le temps que je devais agir je perdrai mon honneur et, ce qui est pire, la certitude. »

Le paradoxe de Merlin est un paradoxe temporel inverse, dual, de celui qui agite la science-fiction depuis les origines, celui des voyages temporels (que la science-fiction examine presque toujours « du point de vue du retour », vers le passé, mais qui ne sont pas moins étranges en ce qui concerne la prédiction). Mais c'est aussi je crois une des conditions de la narration : la narration, il me semble, doit contenir des « Obscures paroles » qui sont des prédictions du sens qu'y trouvera le lecteur. Mais elle ne doit pas dire le tout de ce futur en clair. C'est là une exigence morale autant que stratégique.

Un mathématicien écrivant les théorèmes nouveaux d'une théorie est dans une situation purement merlinesque. Car le sens de ce qu'il dit, il ne peut le dire au présent, s'il n'est pas vide. Il doit avancer, dans le plus de clarté possible, traînant avec lui l'obscur du sens profond de ce qu'il énonce et démontre, qui ne se révélera peut-être (et certainement s'il s'agit d'un résultat « profond ») que longtemps après que son texte sera lu et admis par ses lecteurs.

Mathématicien travaillant sur le formel poétique je suis, moi, dans une contradiction redoublée : ceux qui peuvent comprendre ce qui est dit n'ont aucun intérêt pour ce qui est dit, ne lisant pas la poésie, ou, à l'extrême, lisant la poésie (ou toute autre œuvre d'art) précisément pour ce qu'il y a en elle de non formel, de non calculable (et sont donc tentés non seulement de négliger de telles recherches, mais de les récuser). Et ceux qui pourraient, devraient, voudraient s'y intéresser ne possèdent pas les outils nécessaires à la compréhension. Les choses formellement et mathématiquement les plus simples leur semblent invraisemblablement mystérieuses, difficiles. Les plus bienveillants, qui me lisent comme poète, vont jusqu'à admettre ce que je dis par confiance, me croient sur ma bonne mine, mais admettraient n'importe quel raisonnement faux du même genre (et cela s'est vu, du temps de la pataphysique kristévienne).

Il s'y ajoute encore une difficulté autre : que la lecture formelle ne répond pas à la question dite essentielle de la poésie, à laquelle la poésie répond en elle-même, à laquelle il ne peut pas être vraiment répondu en se plaçant « en dehors ». Cette question n'est pas : « Qu'est-ce que la poésie? », mais plutôt : « Pourquoi la poésie? » La mathématique n'y répond pas. Et si la poésie répond (je pense que la réponse de la poésie à cette question est dans la poésie elle-même), elle répond comme Merlin; obscurément, et au futur.

142 (§ 60) *Le savoir du rêve était comme eau et savon dans le lavoir bleuissant*

Voilà une phrase emblématique d'un certain mode de « déduction » à l'œuvre dans cette séquence.

Je vois, et je vois bleu. Je pense à Desnos :

« Jamais l'aube à grands cris bleuissant les lavoirs / L'aube savon perdu dans l'eau des fleuves noirs / L'aube ne blanchira sur cette nuit livide / Ni sur nos doigts tremblants (ou « sanglants »; je cite de mémoire; je cite ce dont je me souviens à cet instant d'écrire) ni sur nos verres vides »

Je vois bleu, et savon, je vois l'eau bleuissant, de savon et d'aube (c'est ce que voit Desnos); je le vois pour mon propre compte à partir de ces alexandrins, parce que je vois aube et savon bleus dans le jardin de la maison où j'habitais, enfant, pendant la guerre, à Carcassonne. Les vers de Desnos sont « effecteurs » de ce souvenir, et ce souvenir est supporté par eux. (Les vers, comme les musiques, sont des effecteurs privilégiés de la mémoire.)

Je vois ce jardin et le lavoir sous un arbre de Judée. Je le vois sortant de la nuit. Je vois l'aube de la nuit d'où sort, chaque matin pour moi, la prose.

Le savoir du rêve aurait été la prose du roman.

Il ne s'agit, bien sûr, pas d'une déduction mathématique ou logique. Mais ces cheminements ont une grande cohérence formelle, ils se ressemblent, on peut extraire de leurs exemples des règles explicites de fonctionnement.

Par ailleurs, ce n'est pas un mode d'enchaînement qui m'est purement personnel. J'ai retrouvé de tels enchaînements, extrêmement serrés, dans la poésie des troubadours. Des axiomes d'amour, des « déductions » de l'*Amors*, ne sont pas obtenues simplement par des cheminements de pensée; la « pensée » de ces dires de l'amour doit s'appuyer sur des vers, sur des patrons, sur des ressemblances rythmiques intervenant dans la poésie. Ce sont, souvent, des « syllogismes métriques ».

La pensée ordinaire, orale, courante, fonctionnait autrefois beaucoup ainsi : les adages, les dictons, les proverbes jouaient le rôle des vers dans le Grand Chant des troubadours. A l'extrême, on a la « pensée-kyrielle » : « petit poisson deviendra grand-père-Lachaise-Persée-et-Andromède- ... ».

Ailleurs (chez Bergamin, par exemple, sous une forme extrême, très médiévale), c'est la « citation » qui joue le rôle de « propositions auxiliaires », intermédiaires, ancillaires, dans la prose se déroulant.

La décomposition lexicale, l'étymologie, le raisonnement par vocables-valises, qui occupent une place si voyante dans de nombreux textes philosophiques, appartiennent à la même famille de « démonstrations ».

On peut y joindre de nombreuses variétés de gloses, de scholies, de commentaires.

Bien sûr, le modèle mathématico-logique, soutenu par de nombreux siècles d'expériences et de raffinements, occupe une place privilégiée dans ces jeux plus ou moins formalisés de langage. Mais la poésie (et une partie de la prose, au moins) ne peut guère se dispenser des autres modes, dont je viens d'évoquer quelques-uns.

143 (§ 61) *Le passage du W au M de « La Vie mode d'emploi »*

W
–
M

W se reflète en M dans la page, de part et d'autre de la ligne les deux lettres se font face.

Dans *la Vie mode d'emploi*, le W, signature du « souvenir d'enfance », à travers un nom, *Gaspard Winckler*, se retrouve comme signe de l'échec d'un projet, celui du héros, Bartlebooth (principalement « sous l'attaque résolue... secrète et subtile, de Gaspard Winckler », précisément).

...il va être huit heures du soir, assis devant son puzzle, Bartlebooth vient de mourir. ...quelque part dans le ciel crépusculaire du ...puzzle, le trou noir de la seule pièce non encore posée dessine la silhouette presque parfaite d'un X. Mais la pièce que le mort tient entre ses doigts a la forme, depuis longtemps prévisible dans son ironie même, d'un W.

Ce que le W annule, le projet bartleboothien, peut, dans son exposé des motifs, abstrait, apparaître comme un projet de prose avec contraintes :

> trois principes directeurs : le premier... d'ordre moral : ...ce serait... un projet, difficile, mais non irréalisable, maîtrisé d'un bout à l'autre et qui en retour gouvernerait, dans tous ses détails, la vie de celui qui s'y consacrerait. Le second... d'ordre logique : ...excluant tout recours au hasard, l'entreprise ferait fonctionner le temps et l'espace comme des coordonnées abstraites... le troisième... d'ordre esthétique : inutile ...sa perfection serait circulaire : ...parti de rien, Bartlebooth reviendrait au rien, à travers des transformations précises d'objets finis.

Image dans le tapis, figure, le projet, qui écrit Bartlebooth en lui-même comme allégorie du projet, « choisit chaque mot, place chaque virgule, met le point sur chacun des *i* » du roman.

Il s'agit là, sans aucun doute, d'une métaphore de l'Oulipo, de toute écriture sous contrainte ; mais il s'agit aussi d'un constat d'échec (au moins pour le personnage du récit) du projet de la contrainte, impossibilité de son achèvement.

La *figure* de cette impossibilité, dans *la Vie mode d'emploi*, est le Méandre : « un petit port des Dardanelles près de l'embouchure de ce fleuve que les Anciens appelaient Maiandros ». On nous dit que le fleuve Méandre fut le fils d'Océan et de sa sœur Thetys, déesse de la fécondité de la mer ; il fut le frère des trois mille fleuves du monde ; parmi eux tous, Méandre est celui qui hésite, qui tarde devant sa fin inévitable : rejoindre son père Océan et sa mère la mer, pour se mêler à eux, dans l'air « chargé de crépuscule » (*into the dusk-charged air*).

Le M, le M de Méandre, le M de Mort, miroir du W, laisse dans le puzzle de Bartlebooth le « trou noir » de sa signature, ce que la contrainte, ce que toute contrainte essaie à la fois de dire et de taire, en disparaissant.

C'est cet ensemble d'images et de déductions d'images que j'évoque, pensant les langues imaginaires surgies du rêve, de la langue ' adamique ' du rêve.

144 (§ 61) *Je serais un traducteur, doublement*

Concevoir ma tâche de créateur du Projet, d'écrivain du roman comme une tâche de traducteur suppose une conception particulière, étendue, de la traduction.

La langue dans laquelle on traduit, selon cette conception, n'est pas la langue d'arrivée, elle-même, la propre langue du traducteur, mais cette langue réfléchie dans le miroir de la langue autre, celle de l'original ; la langue originelle transmettant au texte traduit non ses mots, objets irréductibles, mais ses ordres, ses constructions, ses arrangements. Il en résulte dans la langue d'arrivée quelque étrangeté, quelque bizarrerie, quelque trouble ; mais c'est précisément cela qui, par son irruption dans la langue du traducteur, la force à regarder au-delà d'elle-même, à reconnaître et admettre l'*étranger*.

J'envisageais l'immigration du *Projet* dans *le Grand Incendie de Londres* ; et réciproquement.

L'histoire ancienne de la traduction compte d'innombrables exemples de ces naturalisations sans assimilation mimétique et réductrice, enrichissant les langues d'accueil de leurs singularités (la Bible, par exemple).

Le traducteur lui-même se regarde dans l'autre langue, se voit autre, n'en retourne pas le même ; les autres langues vous changent, comme aimer dans un idiome étranger.

Un tel mode est celui qui donne le plus intensément l'idée de lointain. L'acclimatation parfaite du récit étranger, du vers étranger, à l'habituel contemporain dans la langue traduisante crée une déperdition évidente, non de ce qui peut se trouver dans le récit originel lu dans sa propre langue, dans le poème originel lu dans ses propres sons, qui sont d'une certaine manière de l'habituel contemporain au départ du texte, mais de ce parfum particulier des œuvres traduites, parce qu'elles sont traduites, qui est en lui-même voyage, exotisme, étrangeté. Mon roman aurait eu une étrangeté de Projet, mon Projet, une étrangeté de roman. Je ne voulais pas abolir ces distances, au contraire y insister, leur laisser quelque chose d'irréductible, leur identité.

Dans le mode de traduire dont je parle, le résultat, le livre ou le poème traduit, n'est ainsi pas tout à fait seulement un récit, un poème de la langue d'arrivée, mais une chimère. Toute grande traduction est une bête fabuleuse, qui dit : « Je vous écris d'un pays lointain. » J'opposerais à l'injonction poundienne, « *Make it new!* », qui définit une classe indispensable de traductions (je ne suis pas en train de les récuser), cette autre, d'essence fort différente : « *Make it strange! make it alien!* » ; traduis étranger! traduis autre!

J'éclairerai encore cette idée de traduction d'un autre exemple, qui ne concerne plus la distance de langues contemporaines différentes (la traduction d'anglais en français, aujourd'hui) mais la distance d'une langue à elle-même dans le temps. Traduire Chrétien de Troyes, Thibaut de Champagne ou Guillaume de Machault; traduire le *Lancelot en prose* ou Marie de France en prose, en poésie purement contemporaine, selon les habitudes de vers ou de récit qui sont les nôtres, voilà une manière de faire qui me laisse de l'insatisfaction. Bien sûr, cette insatisfaction est moins grande que s'il s'agit d'une de ses traductions innombrables, écrites non dans un état ancien de langue, ni dans un état contemporain, mais dans une des versions les plus désuètes de la prose ou de la poésie d'il y a cinquante, ou cent ans. Mais je rêve cependant d'autre chose : la coexistence, dans le texte, qu'il soit vers ou narration non versifiée, d'un état extrême contemporain de langue (ce qui pourrait être écrit aujourd'hui par quelqu'un écrivant) et de marques pas moins extrêmes d'archaïsme, laissant la fracture des siècles visible, audible, dans une immédiateté sans excuses.

145 (§ 62) *Le « Projet » est alors l'éloge inverse de l'ombre (dans la métaphore du palindrome)*

La métaphore du palindrome, appliquée à l'ombre, lui donne la lumière. Il y a *l'éloge de l'ombre* (un essai, japonais, sur l'esthétique, sur une version japonaise de l'esthétique, intervenant dans la discussion de la photographie, poursuivie entre Alix et moi), et l'éloge de la lumière apparaît, de par la métaphore, éloge inverse.

Mais il y a, aussi, une circonstance de la discussion de l'*élucidation*, avec Alix toujours (à un retour de Londres, des photographies de Londres tirées, émergées, recomposées) (mon portrait en « éminent victorien », la parenté de l'esthétique victorienne et de l'éloge de l'ombre), une composition poétique sous ce titre, *Ombre, éloge inverse*, née de ces photographies, de cette discussion, et de la lecture du *Prototractatus,* de Wittgenstein. Donnant à certains passages du *Prototractatus* une « traduction » en ' lumière ', en vision de la lumière, je m'efforçais à la compréhension de cette image, liant métaphoriquement le Projet et le roman palindromiquement, ombre et lumière, la lumière effacement palindromique de l'ombre, l'ombre trace palindromique de la lumière (il y a un sens au parcours) :

I,4 c'était une sorte d'accident, et il se trouvait
    que la lumière, s'accordant à cette chose
    déjà, qui existait, existait, déjà, entièrement, elle-même

I,6 de la lumière, ou non-lumière, des uns
    il n'est pas possible de déduire
    lumière, ou non-lumière, les autres

II,7 Si toute chose se comporte comme si la lumière avait un sens
    alors la lumière avait un sens

III,1 les trajectoires, frayées, dans le noir, de la lumière
    cela va sans dire dès que nous savons
    que chaque lumière va, frayant, dans le noir

III,3 Deux images, quand elles se contredisent, le disent.
    semblablement, d'une image, si elle est déduite d'une autre.
    il est clair qu'elle le montre

III,5 toute lumière, si elle en contredit une autre, s'annule.

Parfois s'approchant l'idée que la non-lumière n'est pas l'ombre (le double mouvement palindromique).

Il y a, enfin, la proposition photographique d'Alix, dans son *Journal*

« viens de développer une bobine de photographies des ' protohaïku ' de Jacques; que j'ai dactylographiés; qui me semblaient prendre sens à être photographié dans une blancheur quasi japonaise.

» Je suis allée voir des choses japonaises (des illustrations pour le Genji); je suis revenue en traînant le long de la rue des Francs-Bourgeois, rêvant des protohaïku sur du très beau papier monochrome avec cependant des ombres luisantes ou sombres... la courbure du papier délicat comme l'aile d'un insecte : choses précieuses; choses naturelles;... les photographies comme laquées dans leurs plis également de chaque côté; éloge de la lumière; ombre; éloge inverse. »

146 (§ 62) *Toujours, traduisant*

Sous l'image de la double langue, mathématique et poésie, me partageant (ce n'est qu'une image; mathématique, poésie ne sont pas des langues), s'est toujours jouée pour moi l'analogie avec une difficulté linguistique réelle, qui est d'ordre familial : la langue de mon père, le provençal, abandonnée et presque oubliée au long de sa vie, le choix de l'anglais par ma mère comme langue d'élection et de profession (avec l'immense étrangeté attractive que lui donna la guerre).

Mais ce qui pour moi était parfois gêne, interrogation, incertitude, bizarrerie (qu'est-ce que le français, pour moi, *au fond*? je ne l'ai pas *choisi*; si j'avais pu choisir, j'aurais choisi autrement peut-être : le provençal? l'anglais?), était pour Alix une véritable angoisse, à couper le souffle : n'être dans aucune langue, jamais.

Quelle était sa langue maternelle? le français, sans doute; mais quel français? le français de l'Ontario, minorité entre toutes minoritaire, même pas français du Québec.

Et sa langue paternelle? l'anglais? oui, mais l'anglais d'un homme d'origine canadienne française, né et élevé aux États-Unis, ayant, par choix, retraversé la frontière pour devenir canadien, apprendre le français (une sorte de rejet, donc, de sa langue maternelle à lui); et, de plus, sourd.

En outre, la profession diplomatique choisie par Arthur Blanchette avait fait d'Alix, enfant, bougée du Mexique à l'Égypte, de l'Égypte à l'Afrique du Sud, puis à la Grèce, puis seulement enfin au Canada, une personne sans cesse déplacée du monde anglophone, avec les heurts d'accents que cela suppose. Elle avait, en anglais, un accent très particulier, pas étranger, pas localement identifiable, que quelqu'un, un jour, décrivit comme la voix, devenue adulte, d'un *kindergarten* de l'Empire britannique d'autrefois. J'étais, moi, infiniment sensible à sa voix, à cet accent unique, mais c'était pour elle une souffrance constante; elle se sentait « sans origine ». Curieusement, son accent français, un accent de lycée français à l'étranger, étais moins insolite ; mais elle ne s'entendait pas dans cette langue. Elle aspirait à l'anglais, à l'anglais de Londres, de Cambridge.

D'origine divergente, nos rêves linguistiques, ainsi, convergeaient vers l'Angleterre. A Cambridge, la ville philosophique, nous approchions ensemble de cette langue réelle, aimée (et pour Alix haïe autant qu'aimée), où nous étions, toujours, en état de traduction. L'anglais était la langue de notre rencontre, de notre échange, de notre jouissance, de notre mariage (dire qu'il y aurait du temps ensemble, tout le temps d'avant la mort, et le dire en anglais). Mais elle restait, toujours, une langue non entièrement nôtre, dans la distance, dans l'étrangeté, irréductible.

Toujours, nous traduisions.

147 (§ 63) *La préparation du titre*

Quel est le titre de cette incise ? *La préparation du titre*. (Il y a un livre de logique, de Raymond Smullyan, dont le titre, en traduction française, est : *Quel est le titre de ce livre ?* Question : « Quel est le titre de ce livre ? » Réponse : *Quel est le titre de ce livre ?* On peut penser à une maison d'édition dont le nom serait « La Maison d'édition ». Dialogue : « Je viens de publier un livre – Quelle est la maison d'édition ? – La Maison d'édition, » (il existe une maison au nom presque identique au Danemark, Husets Vorlag). La boucle logique est plus trouble, mais plus perverse, il me semble, car la réponse semble non impossible comme dans le cas standard (la réponse à la question est une question qui répète la question elle-même), mais à côté, irrémédiablement une non-réponse, tout à fait à côté. Le titre de l'incise présente est, lui, à côté, mais de biais ; c'est-à-dire qu'il ne s'agit pas de la préparation du titre de l'incise (objet de l'incise), qui fournirait son titre à l'incise, mais de la préparation du titre du roman, *le Grand Incendie de Londres*, sur laquelle l'incise apporte des éclaircissements supplémentaires. Voilà une parenthèse explicative assez longue, qui aurait presque pu faire une incise.)

Je suis resté persuadé, pendant toutes ces années (assertion 28) que De Foe avait écrit un livre intitulé, en anglais, *The Great Fire of London*. C'était faux ; en cherchant vainement ce livre dans les œuvres de De Foe, et pour cause, je m'en suis d'abord arrêté à la perplexité de mon faux souvenir : où avais-je bien pu prendre l'idée que De Foe avait écrit un « grand incendie de Londres » ? Et j'ai trouvé une réponse partielle : les notions et descriptions de l'incendie comme « grand incendie de Londres » se trouvent, bien entendu, dans le Journal de Samuel Pepys, archétype du « Journal » au sens moderne. J'aurais pris le titre là, et, on ne sait trop pourquoi ni comment, j'aurais opéré une conflagration mentale qui aurait dépossédé Pepys au profit d'un De Foe, auteur, publié, d'un autre « Journal », celui de la « peste ».

Plus récemment, travaillant, à Londres, sur mon chapitre 6 (le suivant dans ce récit) « situé » dans Londres (et il est naturel que Londres achève cette branche de mon livre), j'ai découvert qu'il y avait bien un récit, intitulé *The Great Fire of London*, un temps attribué à De Foe, mais dû en fait à quelqu'un d'autre (et il figure, par erreur, dans une édition des œuvres de l'auteur du *Crusoe*, datant du début du dix-neuvième siècle (je ne l'ai pas encore lue, et ma connaissance de l'événement historique me vient de Pepys)).

En même temps que cette révélation de la British Library (qui laisse cependant bien de l'obscur sur la préparation du titre), j'ai fait une constatation extrêmement troublante qui m'a désarçonné, donné une angoisse irraisonnée, momentanée et absurde : quelqu'un, un Anglais contemporain, a écrit un roman dont le titre est *le Grand Incendie de Londres* (ou plutôt, *The Great Fire of London*; le Grand Incendie de Londres n'est qu'une traduction vraisemblable du titre anglais). Aussitôt, je me suis vu dépossédé de mon titre par la publication, que j'imaginai immédiatement comme immédiate, de la traduction française du roman de cet usurpateur, qui m'empêcherait de m'en servir moi-même (alors que je n'avais pas alors, que je n'ai toujours pas décidé de la publication du mien). Rien n'est venu et mon angoisse s'est apaisée (mais je n'ai rien fait de ce qu'on peut faire pour « protéger » le titre et, au moment de la tapuscrisation de mon texte manuscrit de cette incise, mon angoisse réapparaît, car il me semble que l'auteur de ce « great fire of London » menaçant est ce même Peter Ackroyd dont je viens de voir le dernier roman présenté dans le *Sunday Times* comme faisant partie de la *Shortlist* pour le Booker Prize de 1987, ce qui ravive mon inquiétude quant à l'éventualité d'une traduction de son œuvre précédente); sa soudaineté et son absurdité me rappellent des circonstances semblables, dans un domaine tout différent : au moment de porter chez l'éditeur Gauthier-Villars le texte de ma première « Note aux comptes rendus de l'académie des Sciences », je fus frappé d'une évidence, dans la nuit qui précédait ce jour marquant mon entrée dans la communauté

mathématique (je me le représentais ainsi) : les résultats que j'énon-
çais avaient déjà été trouvés et publiés quelque part ; je n'étais qu'un
plagiaire et j'étais perdu. Dans le cas du ' grand incendie de Londres ',
au fond, ma « découverte » (l'analogue en prose du « théorème » de
théorie des catégories qui figurait dans ma *note*) était, avant tout texte,
le *titre*. De ce titre je m'étais fait, je me sentais, après toutes ces
années, propriétaire.

148 (§ 64) *Ce qu'il est se conformant à sa définition*

Je cherche à préciser l'énoncé d'une sorte de théorème d'existence :
l'existence du ' grand incendie de Londres ' résultant, impliquée
strictement (aussi strictement qu'il est admissible en ce domaine) par
une définition laissée implicite, mais prescriptive pour moi écrivant,
impérative : ' le grand incendie de Londres ' est ce qu'il est s'il se
conforme à sa définition et si cette définition n'est pas dite avant qu'il
soit achevé.

S'il est donc, comme je le prétends aussi, chute du *Grand Incendie
de Londres*, c'est d'une autre façon : quelle est la différence entre ces
deux modes d'existence ? Le premier est axiomatique, au sens oulipien : une contrainte, sa définition non dite, détermine formellement
le livre, en crée à mesure l'architecture, l'enchaînement des sections
(branches, chapitres, moments, récits, incises, bifurcations), leurs
dispositions et contraintes propres (la famille des sous-contraintes,
qui est le « déploiement » de la contrainte initiale, du « premier
axiome »).

Le second mode d'existence, explicite, est subordonné au premier :
il est un des résultats de la contrainte cachée mise au début du tout ; la
définition du livre comme « chute » du roman est donc à la fois
partielle (ce n'est qu'une existence seconde qui est dite) mais obscure,
puisqu'il y manque au moins ses « raisons » ; et il en est de même pour
la *condition d'écriture au présent*, dans cette branche, également
déterminée par la définition, et sans elle et l'explication de sa
détermination, apparaissant comme indépendante du reste.

De la définition-axiome, enfin, résulte immédiatement une *thèse*,
qui n'est pas une thèse sur le monde mais sur ce livre, sur l'entreprise
de narration et de fiction qu'est ce livre. Et cette thèse est une thèse
nécessairement invisible, si la définition elle-même l'est.

Il y a bien antériorité de la définition, et non équivalence : la définition ne résulte pas du fait que le livre *est* chute du roman, ni de ce qu'il est (au moins partiellement) au présent. La thèse, elle, permettrait de dire la définition, mais ce serait une déduction vide : la définition résulterait de la thèse comme en étant un cas particulier ; mais cas particulier d'un cas général en lui-même laissé sans illustration autre, d'assez faible valeur donc en sa généralité. C'est pourquoi je n'ai pas en fait dit : ce livre est l'illustration d'une thèse, que voici (laissant la définition de la thèse, comme la définition retenue, inexpliquée). La nécessité des contraintes déductibles de la définition, en particulier celles qui amènent à la chute du roman antérieur et au mode d'écriture, s'en serait trouvée gravement affaiblie.

Et la thèse même, en fait, dans sa généralité, si elle était énoncée seule et d'abord, et la définition présentée comme le résultat d'une particularisation, serait insuffisante. Mais là je m'arrête, il ne m'est guère possible de dire en quoi.

149 (§ 66) *L'image d'un Ur-roman*

Le Grand Incendie de Londres était une image : image de quelque chose qui n'était pas roman au sens ordinaire (d'une manière fort différente, ' le grand incendie de Londres ' n'est pas non plus un roman, au sens ordinaire, mais un *récit* avec *insertions*), mais un prédécesseur, une origine, aussi obscur que le rêve et la décision, *cela* qui s'ajoutait au rêve, à la décision et à ce dont le *Projet* lui aussi était image (il y avait donc, au même ' endroit ', un Ur-Projet) pour annoncer le roman.

Il s'ensuit que le Grand Incendie de Londres sans soulignement *n'est pas* un certain nombre de choses :

- il n'est pas un prélude, un porche, un portique au roman ; il n'est pas, comme le roman de Szentkuthy mentionné dans l'« Avertissement », « prae », *ce qui est avant* et serait écrit comme tel ; il n'est pas avant le roman par une antériorité de récit, par une explication de buts et de circonstances ;

- il n'est pas une première ébauche, un état préliminaire bouleversé, amplifié ou concentré par une rédaction ultérieure, définitive ;

- il n'est pas un ensemble de plans, d'esquisses, de brouillons, de matériaux préécrits ;

- il n'est pas intention de sens ou de récit intérieurement conservée et réfléchie avant l'acte même du roman.

Comme le rêve est énigme (§ 68, assertion (24)), le ur-roman est énigme, et le Ur-projet. Le roman, avant tout, est chute de l'énigme (§ 74, assertion (69)) ; avant tout chute de l'énigme qu'est le Ur-roman. Pour que le roman soit chute d'énigme en mystères (assertion (70)), il est nécessaire qu'il y ait cela que je nomme ur-roman. Ni l'énigme du rêve ni l'énigme du Projet ne chutent directement dans la narration, dans les mystères de la narration. Et comme le mystère du roman propose un ' déchiffrement ' non de l'énigme du *Projet*, mais d'une image de cette énigme (assertion (68)), il est nécessaire que le rapport du ur-roman au roman soit celui d'objet à image.

Le ur-roman (comme le ur-projet) est un objet mental, objet mental d'une collection d'objets, collectivisation de ces objets, qui ont un statut d'objets formels.

150 (§ 91) *Dans la sublimité de la 'drabness'*

En employant les mots *'drab'*, *'drabness'*, j'évoque plus que les simples *'* entrées lexicales *'* :
- *drab* : terne, fade
- *drabness* : caractère ou aspect terne ou morne ; fadeur.

Dans une histoire de la littérature anglaise que j'ai lue autrefois, C.S. Lewis désigne du nom de *drab poets* ces poètes qui sont venus juste avant l'âge d'or élisabéthain, avant Sidney, Marlowe, Shakespeare, dans ces années difficiles (pour la poésie) qui séparent Wyatt et Surrey de leurs grands successeurs. Dans la succession traditionnelle des âges, héritée des Anciens, l'âge d'or, l'âge d'argent, l'âge de fer, il faudrait placer, au début, un âge bon à oublier, ni splendide ni terrible : l'âge du *'drab'*.

Dans un poème d'un de ces poètes, le prolifique George Gascoigne, une comparaison banale, de la poésie au chant et de l'instrument poétique au luth, prend brusquement un tour inattendu : car George Gascoigne demande à la dame à laquelle il adresse son poème, amoureux selon toutes les conventions d'époque, de prendre son luth avec elle sous son édredon, dans son lit, afin de le réchauffer. Certes on pourra voir là une évocation, à son tour banale, de quelque imagination érotique. Mais l'éditeur du poème (moderne) fait remarquer que les chambres, dans ces années 1550, étaient en hiver si froides que les instruments risquaient de se désaccorder et qu'en conséquence les dames, habituellement et réellement, couchaient avec leur luth pour le protéger ; ce qui fait que la comparaison, quelle que soit son intention seconde, est d'abord clairement réaliste :

> *But thou my lute, be still, now take thy rest*
> *Repose thy bones upon this bed of downe*

Thou hast discharged some burden from my brest
Wherefore take thou my place, here lie thee downe.

Dans les chambres glaciales d'une époque, d'une langue saisie par la
' *drabness* ', l'instrument poétique, faible, monocorde, monotone et
métrique, risque à tout instant de se désaccorder.

Il y a cependant un sublime propre à la *drabness*. Chez les grands
rhétoriqueurs et leurs disciples anglais préélisabéthains (les poètes
qualifiés de ' *drab* ' par C.S. Lewis sont des ' rhétoriqueurs '), le
bourdonnement métrique, bien souvent, domine; mais il arrive que le
mètre les emporte au-delà : « La voix, dit Louis Zukofsky, n'est pas un
mètre / Mais quelquefois un mètre est une voix. »

Au milieu même de la splendeur dorée élisabéthaine, l'ami de sir
Philip Sidney, Fulke Greville, est souvent *drab* dans sa poésie comme
il semble l'avoir été dans sa vie, mais il est pour moi un très grand
poète. Il y a tout un courant ' drab ' dans la poésie anglaise qui peut
inspirer (comme on le voit tristement aujourd'hui chez les *tls-eliot
poets* lointainement encouragés par le plus médiocre Wordsworth) les
pires moments d'une poésie de « pelouses et chou bouilli », mais qui,
en se naturalisant dans la prose, ne cesse pas de susciter de l'excellence, en Barbara Pym par exemple.

151 (§ 91) *Les voix anglaises font une averse douce sur mes
oreilles*

La douceur résulte aussi, tout simplement, du niveau moyen des
sons émis : il est bas. Pour prendre un exemple à l'extrême opposé, je
me souviens d'une réflexion entendue un jour à Rome. C'était il y a
quinze ans peut-être; j'étais à Rome avec Florence et nous devions
déjeuner avec nos amis Giorgio et Ginevra. Il était toujours très
difficile d'arriver à une décision ferme de cet ordre (un rendez-vous
pour déjeuner) avec Giorgio et Ginevra, et la chose qui aurait
certainement pu se régler la veille (nous nous étions vus la veille)
nécessitait apparemment un coup de téléphone (un au moins) matinal; Ginevra appela donc, et je répondis; elle proposa plusieurs
solutions (en fait elle se les proposa à elle-même et à Giorgio puisque
ni Florence ni moi ne connaissions aucun des restaurants envisagés)
et elle me dit ceci, que j'ai retenu (c'est tout ce que j'ai retenu) : Est-ce

qu'on parlera ? J'ai retenu la question, sans doute, parce que sur le moment je ne la compris pas. Mais le sens de la question était : si on veut, au déjeuner, à la fois manger et parler, soutenir une conversation alors il faut choisir le restaurant en conséquence ; car dans la plupart des restaurants romains, le volume sonore est si élevé qu'on ne s'entend pas d'un côté à l'autre d'une table.

L'averse douce des voix n'est pas, non plus, le silence ; le silence obtus et hostile de certains cafés de Normandie ou de la Bretagne profonde, intérieure ; plutôt un certain équilibre contenu, contrôlé et modulé des voix qui, même dans les pubs aux moments inquiets de la fermeture proche, ne franchissent pas avec agression les frontières de votre espace mental, se font entendre mais se laissent ignorer si on y tient.

De plus, comme je ne suis pas anglais, comme l'anglais, qui est ma langue d'élection, n'est pas ma langue ordinaire de communication, je ne suis pas obligé d'entendre, en prenant ' entendre ' au sens, passé, de comprendre. Je peux entendre (au sens présent) et ne pas entendre (au sens ancien) ; c'est comme je veux ; ma compréhension des voix est sélective. Les conversations de bistrot ou de restaurant en France me sont plus difficiles à écarter, à la fois parce qu'elles sont plus bruyantes (sans atteindre, et de loin, l'énormité romaine, où le bruit, le bruit seul, assourdit) et parce que, dès qu'une certaine intensité et proximité des sons est atteinte, il n'est pas en mon pouvoir (sans effort sérieux d'isolement intérieur) de ne pas savoir ce qui est dit.

Or (et là est le confort de la situation), quand je le veux, je le peux, sans trop d'efforts ; il y a là une différence essentielle, pour moi, entre l'anglais et l'américain, l'« *american-english* », comme de plus en plus disent les linguistes : l'anglais ordinaire, moyen, sans trop de marques provinciales ou sociales (aussi bien du « côté populaire » que du côté « aristocratique »), m'est généralement compréhensible sans variation particulière d'attention ; après quelques heures à Londres, quand j'y reviens, je me promène dans les voix anglaises aussi aisément que dans la rue parisienne : que l'anglais n'est pas ma langue se marque pour moi de manière purement négative : pour le français, je n'ai pas besoin d'une intention de comprendre. Mais pour comprendre l'américain, j'ai besoin de faire effort.

Il y a donc aussi dans la douceur distante de l'anglais entendu cet élément différentiel : je suis bien en Angleterre, pas aux USA. Cela fait partie de mon impression de luxe : j'entends parler anglais, je suis en Angleterre (j'ai une impression du même ordre quand, dans une gare, je reconnais à la voix des haut-parleurs que je suis entré dans les territoires influencés par la Méditerranée romane). Et j'en suis

moralement satisfait, en plus, ayant irraisonnablement mais fermement un préjugé d'ordre éthique en faveur de la discrétion vocale
(l'une de ces qualités « moyennes » que revendiquait Gertrude
Stein).

152 (§ 91) *Une poignée de pièces anglaises*

J'aurais certainement, si je l'avais osé, au moment du passage des
monnaies anglaises à la norme décimale, joint, par une lettre au
Times, ma voix au concert des gentlemen grincheux et school-masters
passéistes, pour déplorer cette triste évolution ; non comme signe du
déclin de l'Empire britannique et du Commonwealth, ou comme
menace aux valeurs irremplaçables de l'insularité et de la britannicité
mais, d'une manière beaucoup plus égoïste, parce que je perdais, par
cette réforme, une source inépuisable de calculs mentaux : le maniement des farthings, halfpennies, pence, shillings, florins, half-crowns,
crowns, pounds et bien entendu guineas (ce shilling additionnel dans
la livre qui faisait du *customer*, du client, un *guinea-pig* (les cochons
d'Inde, qui étaient les animaux favoris des expériences de laboratoire)
pour les boutiquiers, payant cinq pour cent de taxe de snobisme),
(l'absence, vicieuse, dans le système de pièce de dix shillings accrois-
sait l'intérêt arithmétique) permettait de jongler avec des congruences
encore plus agréables que celles du calendrier (où l'année bissextile
joue le rôle de la guinée).
J'ai subi de plein fouet la douleur de la décimalisation, dont je vois
le germe dans le déclin de l'Angleterre commerçante au cours de l'ère
Victoria, au profit du capital financier de la City insensible aux beautés
et vertus des livres de compte en livres shillings et pence chez les
marchands de drap. Ce n'est pas par hasard que le Premier ministre
de fiction qui préside à cette époque est le héros de Trollope,
Plantagenêt Palliser, dont le rêve est précisément celui de cette
« taylorisation » monétaire que je déplore vivement.
Il en reste encore un petit peu ; il y a quelque charme résiduel aux
pièces heptagonales actuelles, la 50 pence et surtout la 20 pence, qui a
une vague allure d'élégance à l'ancienne ; il y a surtout ces pièces
d'avant la réforme encore en circulation, les shillings et florins
survivants, ayant certes perdu presque toute leur valeur, non seulement à cause de la dévaluation générale de la livre par l'inflation

mais par dégradation supplémentaire tombés à seulement 5 et 10 nouvelles pence respectivement au lieu de leur statut noble ancien 2,4 fois plus élevé. Il leur reste une dernière consolation, bien mince, celle de ne cesser de désarçonner les étrangers qui tentent de découvrir leur valeur par lecture; on les voit ainsi, sortis de l'avion à Heathrow et s'efforçant d'acquérir un billet de métro pour la Picadilly Line, les soupeser et scruter vainement sans parvenir à déchiffrer leur secret. Mais je regrette que la Monnaie britannique n'ait pas eu le courage de conserver aussi les half-crows anciennes, en leur donnant comme nouvelle valeur, proportionnelle, douze pence et demi.

153 (§ 92) *La haute forme arrondie de la salle de lecture*

C'est un gâteau cérémonieux, une sorte de *wedding cake* creux, dévoré subrepticement par une Alice arrivée en avance au goûter de la Reine avec le Lapin; nous, les lecteurs minuscules, sommes posés sur l'assiette qui soutient la croûte encore intacte du gâteau, et parlons par murmures pour ne pas réveiller les personnages endormis du conte.

Chaque tranche du *wedding cake* a une épaisseur angulaire de pi sur dix-huit; il y a donc vingt tranches, autant que de shillings dans une pound d'autrefois. Le *glass dome*, la coupole de verre, est le *topping* de crème du gâteau; et là chaque section est divisée en trois parties inégales, de valeur angulaire respectives un, deux et un (l'unité étant donc de pi sur soixante-douze, soit cinq degrés d'arc); ceci représente en fait la division en carreaux de la couche la plus extérieure de la tranche, car il y en a trois, concentriques, (la plus centrale n'a qu'un seul ' *pane* '; la deuxième deux, et la dernière, dont j'ai parlé en premier, trois).

La couleur est un bleu assez pâle avec quelque propension au vert. Les tranches sont marquées d'une ligne dorée. A mi-hauteur du corps de la pâtisserie, en dessous d'une autre ligne bleu et or horizontale, on lit :

MDCCCLVII

1857, date de la confection.

En dessous de cette ligne, la croûte de la salle, vue de l'intérieur, est faite de trois hauteurs de livres marquées par deux balcons, couleur pudding au gingembre et chocolat. Il y eut un temps sans doute où la *reading room* se suffisait de ces trois étages denses de livres et où les gentlemen amateurs et curieux de lecture pour laquelle la bibliothèque avait été *established* au siècle précédent grimpaient allégrement aux échelles semblables à celles des navires de la marine de Sa Majesté pour atteindre les reliures brunes convoitées, malgré leurs gouttes, leurs *whiskers*, leur « *portly* » *countenances* et leur *florid complexions*, dues à d'abondantes libations de port et de stout (il y a encore, Dieu merci, de tels gentlemen à la British Library, mais ils doivent attendre les livres à leur place sagement, sans jurer).

Il y a du silence ici, il y a de la *privacy*; la salle ne semble jamais excessivement encombrée de lecteurs et de mouvements. Aucune impatience n'est apparente; aucun sentiment d'urgence, aucune frénésie de recherche. On lit paisiblement, avec dilettantisme, en amateur.

Il est vrai, hélas! il est vrai qu'à chacun de mes voyages je constate que les livres mettent de plus en plus de temps à me parvenir, que de plus en plus de livres n'arrivent pas, avec des excuses exquises et « *reasons for non-delivery* »; des grands pans du savoir, des collections entières sont exilés dans de lointains magasins et mettent vingt-quatre, quarante-huit heures ou plus à vous atteindre. Et dans les couloirs qui mènent à la North Library je vois avec une inquiétude croissante les progrès, fixés photographiquement, de la construction de la nouvelle salle de lecture de St. Pancrace; je vois se rapprocher le moment où nous, lecteurs, serons à notre tour exilés comme les livres. Le « *wedding cake* » se verra envahi par le musée, démantelé peut-être. La bibliothèque s'en ira sans espoir de retour et ce sera la fin de « mon » Londres.

154 (§ 93) *Ce que je désigne sous le nom générique de « prose des Anglaises »*

Je me suis constitué, sans la moindre intention critique (ni comme « thèse » d'histoire littéraire ni comme clef de déchiffrement théorique), une « généalogie » de cette prose qui représente la contribution la plus originale de l'Angleterre à la fiction romanesque, la moins universelle en apparence, la plus insulaire, la moins transmissible à d'autres langues.

Sans distinguer ici entre les différentes « lignes » de cette prose écrite par des Anglaises (et qui n'est qu'une partie de la « prose des Anglaises », puisque, comme je l'ai dit, on peut écrire cette prose sans être soi-même anglaise (il y a même, en dehors de Henry James (qu'une telle désignation aurait rendu pour le moins « *uncomfortable* ») et Trollope, des non-Anglais dans cette « famille »)), (sans m'occuper, donc, de la « double ligne » principale reconnue par John Bayley (avec pertinence, il me semble) que, pour simplifier, on peut étiqueter « ligne Jane Austen à gauche », et « ligne Emily Brontë à droite »), sans distinction donc entre ses différentes sous-espèces, je leur donnerais comme « père », à la fois moral et stylistique, le docteur Johnson, à la fois le Samuel Johnson du Dictionnaire et le docteur Johnson semi-mythique de Boswell.

Une des premières Anglaises (en mon sens), Fanny Burney, a écrit du vivant même du docteur et j'ai retenu (du « *common reader* » de Virginia Woolf, il me semble (je réitère ici mon avertissement antérieur : je ne vérifie pas ces assertions ; j'écris au présent, selon mon souvenir, et mon souvenir est ce qu'il est)) l'anecdote emblématique de cette filiation : ayant publié, anonymement, son roman *Evangelina*, encore jeune fille, elle eut la surprise d'entendre un jour à la table de son père, le docteur Burney, l'éloge de son livre par Johnson lui-même ; et elle en fut si surprise et heureuse qu'elle s'enfuit dans le jardin et se mit à danser autour du mûrier.

Il y a dans la « leçon » du docteur Johnson quelques « ingrédients » qui, mélangés en proportions variables, constituent les fort différentes « potions » romanesques de ses « filles » proches ou lointaines : précision, exactitude, position morale, indépendance de ton et de jugement, mesure, esprit (« *wit* »), absence d'hésitations, d'*acedia*, curiosité, lectures.

Si je dis que les proportions d'emploi sont variables, on comprendra qu'un spectre assez large de confitures prosaïques, de « *prose preserves* » (comme on dit « *strawberry preserves* »), puisse en résulter. L'inévitable intervention morale dans le cœur des personnages peut être celle de l'aiguille (Jane) ou de la tisane (Maria Edgeworth).

(Je ne saurais mieux décrire la position edgeworthienne, sans doute moins connue de mes lecteurs que celle de Jane Austen, sa contemporaine, que par un passage d'une lettre de Sylvia Townsend Warner : engagée dans son deuxième roman, *Mr. Fortune's Maggot*, un chef-d'œuvre, elle écrit (son premier roman, *Lolly Willowes*, avait eu un certain succès) :

« J'aurais presque préféré ne pas avoir de chance la première fois. Peut-être ce sentiment me vient-il de mon éducation, nourrie par les *Contes moraux* de Miss Edgeworth :

» – ʼ Non, Henry, répondit son papa, l'air triste. Je ne te jetterai pas de bouée. Tu as déjà eu un cerceau, un filet à papillons et une orange; l'indulgence d'un père te les a accordés. Mais maintenant, ô imprudent garçon, c'est fini. Adieu. ʼ

» Henry disparut sous les flots. Et ceci termine le conte intitulé » LES TROIS SOUHAITS ».)

La différence, parfois extrême, entre les résultats de l'enseignement johnsonien (et elles le subissent toutes, étant presque toujours filles de clergyman ou assimilés) est d'ordre familial : il y a des filles sages, obéissantes, et sans esprit critique; et il y a des filles moqueuses, insolentes, sensibles au charme paradoxal de la pomposité grognon du vieux Doctor. Les voies narratives dans lesquelles elles s'engagent sont nécessairement contrastées.

155 (§ 93) « *Clergymen of the Church of England* »

C'est le titre d'un petit livre de Trollope, rassemblant quelques articles publiés dans la *Pall Mall Gazette* à la fin de sa série des six « Suites pour violoncelle » romanesques que sont ses romans « religieux », les Barchester Novels. (Le livre est fort décevant, car il s'agit non de récits-portraits mais de portraits abstraits politico-théologiques, et la pensée abstraite n'est pas son fort; je les ai lus cependant avec plaisir dans l'édition originale (en fort mauvais état) à la place Z 16 de la North Library Gallery.)

L'Église anglicane est un réservoir inépuisable :
- de romancières par ses filles (qui, ne pouvant être elles-mêmes clergymen, devaient se réfugier dans le mariage avec des « curates » ou des « rectors » et parfois, heureusement, dans le roman);
- d'excentriques, à cause du caractère inévitablement ennuyeux, isolé, décevant, décourageant, invraisemblable, et en même temps protégé, de cette « profession », si on peut dire. Une incroyable variété de « hobbies » se révèle à quiconque étudie les biographies des clergymen de l'époque victorienne (et plus tard!) : botanistes, chasseurs de papillons, missionnaires-explorateurs, théologiens minutieux et grognons, photographes (combien de photographes! la photogra-

phie semble avoir été un refuge béni face à la vague ' *drabness* ' de la divinité anglicane). Les neuf dixièmes des English Eccentrics furent des clergymen.

J'ai une tendresse toute particulière pour le grand-père maternel de mon romancier de prédilection, Anthony Trollope. C'était, bien sûr, un clergyman, le révérend Milton ; et cet homme doux et paisible, dont la fille fut l'intrépide et remuante Frances Trollope, avait un hobby-passion : il avait conçu la haute ambition de construire, à l'usage et avantage des générations futures, la diligence de l'avenir, la *diligence inrenversable*. Il y passa le plus clair de ses jours, expédiant le plus rapidement possible les tâches annexes, fabrication des sermons et éducation des enfants. Il concevait, dessinait sans cesse de nouveaux prototypes, qu'il faisait exécuter par quelque artisan de ses connaissances et qui, après un essai infructueux et un retour inglorieux de la boue d'un chemin de campagne, rejoignaient leurs prédécesseurs abandonnés dans le jardin du presbytère.

Il est évident que le thé tiède des convictions théologiques anglicanes ne pouvait que pousser les serviteurs appointés (souvent fort modestement) de cette Église (du moins ceux qui évitaient le double écueil du glissement hétérodoxe, soit vers le luxe liturgique catholique soit vers l'évangélisme grognon, féroce ou hypocrite de la « *low church* ») vers les arcadies simultanées de l'excentricité et du scepticisme.

Ce scepticisme sous-jacent et omniprésent est ce qui me les fait considérer avec tendresse. Peu de fanatisme politique ou religieux chez ces excentriques ; leur fanatisme du hobby est le plus souvent inoffensif ; de la bonté parfois, de l'indifférence parfois, de la bonté indifférente la plupart du temps. Le scepticisme général, dissimulé au monde par prudence, par indifférence même, n'en était pas moins déchiffrable au regard aigu des petites filles anglaises lettrées qui se tenaient là, à hauteur de leurs coudes, pendant qu'ils préparaient leurs inventions inimaginables dans le calme de leur « *study* », futures romancières.

Et c'est là, je crois, que la « prose des Anglaises » a pris son génie de la « *drabness* », quintessence des dimanches anglicans et pluvieux.

156 (§ 94) *Ma passion de Londres*

Il n'y a pas si loin de la passion à la manie. Mon amour de Londres et des choses anglaises, livres et paysages, n'est guère autre chose qu'une *anglomanie*; et mon autoportrait pourrait bien devenir un *autoportrait en anglomane*.

Ma première crise d'anglomanie est maintenant plutôt distante dans le temps et la géographie car elle se produisit, selon mes souvenirs, pendant le printemps de 1941. J'avais un peu plus de huit ans à l'époque et je jouais, avec quelques camarades de mon école, dans un bois isolé et frais des environs de Carcassonne, nommé *Gaja*. Ce souvenir est à la fois distinct et agréable (il n'y en a pas tellement dans une vie, avec ces deux caractères simultanément), et c'est pourquoi j'aime à y repenser.

C'était le printemps, mais assez tard dans le printemps; le bois était un bois de pins et nous jouiions à un jeu de notre invention : une discussion politique animée entre dirigeants des puissances mondiales en guerre (mélangés de quelques généraux); cette discussion devait précéder une passionnante bataille entre les armées.

J'avais choisi de jouer, verbalement, le rôle de Winston Churchill. Personne n'avait mis en doute mon droit à ce rôle, parce que ma mère enseignait l'anglais au lycée. Personne ne voulait jouer le rôle de Hitler ou de Mussolini (il fallut désigner des volontaires).

J'ai fait quelques discours véhéments dans ce bois et, bien que je sois assez loin d'approuver ce que mon héros d'alors a fait avant 1940 et après 1941, je suis encore aujourd'hui fier de mon choix.

Ce fut le début de mon anglomanie.

(Mais certainement pas le dernier mot de mon portrait en anglomane.)

157 (§ 94) *Je monte au deuxième étage d'un 11*

J'ai découvert avec plaisir, récemment, l'antiquité relative respectable de cette ligne d'autobus, qui est au moins aussi vieille que moi, puisqu'elle apparaît dans un roman d'Elizabeth Bowen, *To the North*, qui a paru l'année de ma naissance, 1932.

Dans ce roman, une orpheline, Pauline, rend visite à son oncle de Londres, Julian. C'est une écolière adolescente et inconfortable, que l'oncle ne sait pas trop comment occuper; il la laisse volontiers seule avec sa *housekeeper*.

« Pauline était restée seule dans l'appartement, attendant le retour de Julian. La vie ne lui semblait pas très amusante; l'après-midi, ponctuée par les voix des petits réveils et horloges un peu partout, avait été plus que longue. Il est vrai qu'elle était sortie un moment avant l'heure du thé; elle avait demandé à Mme Patrick, la gouvernante, s'il lui paraissait convenable, pour une jeune fille de son âge, de prendre le bus. (Elle savait ce qui pouvait arriver à Londres et on l'avait prévenue de se méfier particulièrement des infirmières.) Mme Patrick, pensant également aux infirmières, répondit que cela dépendait essentiellement de la ligne d'autobus. Après réflexion, elle recommanda le 11.

» Le 11 est un autobus entièrement moral. Bondissant de Shepherd's Bush, dont personne n'a jamais entendu dire quoi que ce soit de mal, il traverse une phase de bohème innocente dans Chelsea, ramasse quelques clients des magasins Peter Jones, tourne dans Pimlico Road (trop occupée pour la moindre lascivité), s'approche des écuries royales, fait un signe de reconnaissance à Victoria Station, Westminster Abbey, le Parlement, bourdonne avec révérence devant Whitehall et, après son unique contact (effleurement à peine) avec le vice, sur le Strand, plonge vers Liverpool Street à travers la noble et sérieuse architecture de la City. A l'exception d'un bout de Strand, le trajet du 11, estima Mme Patrick, était aussi moral qu'un dimanche après-midi. Comme une jeune personne ne peut pas être trop prudente, elle n'aurait pas approuvé le 24, qui descend Charing Cross Road. Pauline rougit, elle avait entendu parler de Charing Cross Road. »

158 (§ 96) *Kew Gardens*

Ce n'est pas faire preuve d'originalité bouleversante que d'admirer *Kew Gardens*. J'aime en premier lieu leur accessibilité multiple –, par le métro, par le bus, par la Tamise; à pied même, dans une longue marche depuis Chelsea, par Putney; je les incorpore ainsi aisément à Londres, à ma géographie propre de Londres, à cette partie de la ville que j'ai reconnue moi-même par trajets, par mouvement, que je sais situer non seulement sur la carte mais dans un ensemble de souvenirs circulatoires, de traces cinétiques, de visions bougeantes. Je me vois sortir de la station de métro, descendre du bus sur le pont, débarquer de l'avant du bateau qui remonte la Tamise.

En arrivant par l'eau je sens le mieux la plage d'herbe et d'arbres embrassée par un coude de fleuve, pénétrée de mouettes autant que des nombreuses variétés de canards luxueux, aux couleurs inhabituelles, aux démarches inédites, qui y habitent, gavés d'admiration et de biscuits; je les ai presque toujours traversé par beau temps, par presque beau temps (ce que je préfère de loin), avec des nuages venus de loin et découvrant Londres devant eux pour la première fois, hésitant à quelques virgules de pluie, et une lumière patiente, sans éclat, sans brillance, respectant les distances et les non exubérantes couleurs.

Tout y est confortable : le confort des plantes dans les serres, de chaleur, de vapeur, d'humidité, mais aussi des toilettes familiales des visiteurs, s'accordant sans peine, par un siècle d'habitudes devenues comme héréditaires, aux arabesques de fer forgé blanc des passerelles et aux grands draps de verre qui s'élancent, entourent, divisent, protègent.

Et surtout le confort des arbres, des innombrables arbres, d'innombrables et infiniment diverses et rares essences, les pieds dans l'herbe, tranquilles, chacun avec son exact espace nécessaire, ou seulement pour son hygiène propre de vie, mais pour son bien-être d'individu privé, distinct, son bien-être moral, en somme.

A vrai dire, à peu près (et honteusement) ignorant en botanique, je ne sais quels sont, parmi ces arbres, ceux qui peuvent être considérés comme des princes dans leur royaume, par leur rareté, par exemple; je les regarde d'un œil égal, chacun pour soi, après avoir pris connaissance de leur nom, qu'ils portent sans dissimulation, sur une carte de visite noire (il y a leur nom et leur nationalité). Je ne connais pas non plus le principe d'organisation de l'espace des jardins, sinon que les membres d'une même famille y sont souvent proches; mais cela ne nuit pas à mon plaisir, au charme de leur compagnie. Je ne suis pas hérissé par le didactisme bébête qui prévaut dans bien d'autres endroits, dans le riche arboretum de San Francisco, par exemple, au milieu du Golden Gate Park. On peut traverser Kew Gardens sans savoir ce que ça coûte, en quoi la richesse végétale y est incomparable et exceptionnelle; cela se voit, se sent, d'une évidence qui peut parfaitement demeurer en arrière-plan.

J'aime par-dessus tout cela : la liberté de déplacement entre les êtres vivants que sont ces arbres, les conversations de silence à leur ombre, avec leurs branches basses, avec leurs mouvements de feuilles hautes dans le vent, avec toutes leurs configurations de variables verts; parce que le séjour se fait dans la confiance des jardins, sans injonctions, dans le respect réciproque consenti d'hommes et d'arbres (voilà bien, n'est-ce pas, une vision idyllique d'anglomanie galopante).

J'ai alors, quand je suis là, quand j'y repense, une idée mimétique de la prose comme un vaste jardin de *moments* bien distincts, bien séparés, mais créant une harmonie implicite sous l'apparence disparate.

159 (§ 96) *Pooh et Piglet*

J'ai un faible pour ce couple d'animaux fictionnels, l'ours Pooh et son ami, le petit cochon Piglet.

La leçon de poésie et de métrico-rythmique que Pooh donne à Piglet un jour de neige devrait être rendue obligatoire pour tous les étudiants de littérature (curieusement, c'est dans ces poèmes inventés par Pooh, qu'il appelle des « bourdons », des « hums », que Milne s'est le mieux approché de la poésie; beaucoup plus que dans ses poésies ' sérieuses ' pour enfants, « When We Were very Young » (qui contient un texte qui était autrefois connu de tous les élèves d'anglais des classes de sixième des lycées : « *Timothy Tim has ten pink toes / and ten pink toes has Timothy Tim / They go with him wherever he goes / and wherever he goes they go with him* », fascinant par son truisme métrique parfaitement adéquat à son sens) et « Now We Are Six », où l'académisme sentimental de la versification reprend le dessus (comme il arrive, bien souvent, au révérend Dodgson lui-même).

> *The more it*
> SNOWS-*tiddely-pom,*
> *The more it*
> GOES-*tiddely-pom*
> *On*
> *Snowing.*

And nobody
- *KNOWS-tiddely-pom,*
How cold my
TOES-tiddely-pom
How cold my
TOES-tiddely-pom
Are
Growing.

Après longue réflexion, le commentaire de Piglet est :

« *Pooh, he said solemnly, it isn't the* toes *so much as the* ears. »

Ce ne sont pas tant les doigts de pied, que les oreilles.

Si Piglet se permet cette réflexion plus sémantique que formelle sur le grand « Outdoor Hum for Snowy Weather » de son ami Pooh, c'est que leur confiance réciproque est absolue. L'amitié animale parfaite qu'ils illustrent, si elle a son répondant dans la référence enfantine, touche à quelque chose qu'on ne retrouve, après l'enfance, que dans le relation amoureuse parfois : une confiance irréfléchie et irraisonnée, au moins autant physique, silencieuse, que déclarative, exprimée selon la parole de l'amour. Et cette confiance, tant qu'elle dure, est absolue.

160 (§ 97) *Deux anecdotes éminemment trollopiennes*

Une troisième (plutôt de mon trollopisme d'ailleurs, que trollopienne en soi).

Il y a quelques années, au temps de mon premier séjour dans le lieu que de nouveau j'habite depuis ce printemps de 1986, rue d'Amsterdam, je descendais le matin vers sept heures, dans la ville encore silencieuse, prendre un petit déjeuner de grand crème et croissants dans un café de la place Clichy, qui n'est qu'à deux minutes de chez moi ; c'était un endroit paisible, et j'accordais à cette cérémonie matinale assez de temps pour me permettre de lire, plutôt qu'un journal du matin, deux ou trois chapitres (pas plus, je me rationnais sévèrement) d'un roman, soit de la série des *Barchester* (six livres), soit de la série des *Palliser* (six autres livres ; Trollope composait ses romans sériels par six, comme un Corelli ses *concerti grossi*) ; je lisais un à un ces romans, dans leur ordre, chapitre par chapitre, par petites rations matinales, ainsi, trempant mes croissants délitables dans le blanc brunâtre du « crème » de café, avant de rentrer chez moi retrouver la monotonie morne (*drabness* vécue) des journées. Je les lisais, en outre, dans la confortable petite édition reliée des Oxford Classics qui n'étaient point encore convertis à la modernité regrettable du *paperback*. J'avais fait de ce café, en somme, pour l'heure du « breakfast », mon club. Et, comme un personnage de Trollope dans son club à lui (et sans doute Trollope lui-même, quand il fut élu au Garrick, après son travail de l'avant-matin (il écrivait, comme moi, aux heures de la fin de la nuit), y venait-il ainsi), je m'y rendais machinalement, m'asseyant toujours à la même table, prononçant les mêmes phrases de salut au garçon et au patron (un supporter de l'équipe de rugby de Dax), laissant sur la table la même somme toujours exactement calculée, et me replongeant le plus vite possible dans mon livre, les presque vingt-quatre heures écoulées depuis la veille instantanément abolies dans ma pensée. Mais, en vrai trollopien, je ne m'aperçus pas que le changement des habitudes urbaines, le temps passant (et beaucoup de temps passait, car les romans de Trollope sont longs, et nombreux), allait peu à peu rendre anachronique mon innocente habitude. Car, un à un, les cafés de la place déplaçaient vers l'avant du jour leur heure d'ouverture. Et, un matin, le patron de celui qui m'avait pour client vint avec beaucoup de circonlocutions et de gêne m'expliquer que depuis un mois j'étais leur seul client, qu'ils n'avaient pas osé me le dire, mais que vraiment il ne pouvait plus, je devais l'excuser. J'étais arrivé à la fin de *Orley Farm*, je ne m'étais rendu compte de rien. Tous les trollopiens me comprendront.

161 (§ 97) *La prose victorienne finissante*

On raconte (j'ai lu raconté) que quelque temps avant sa mort, déjà lourd, malade et pouvant à peine se déplacer, Charles Dickens reçut une invitation à se rendre à une rencontre avec la reine Victoria qui désirait s'entretenir avec lui. Avant sa visite, à laquelle il ne pensa pas une seconde à se soustraire, Dickens fit porter à la reine la collection complète de ses œuvres. La reine Victoria, pour lui faire honneur, le reçut debout et, comme il ne pouvait décemment s'asseoir devant elle, c'est debout qu'ils bavardèrent et qu'il reçut des mains mêmes de l'auteur royal son récit de voyage dans les Highlands. La rencontre de la déjà vieille reine et du presque mort éminent victorien est moins paradoxale qu'il n'y paraît; le reine Victoria est elle-même un auteur victorien. Le peu que l'on peut savoir de sa vie privée, et de son amour, extrêmement charnel pour son « consort », le prince Albert, confirme que l'idée, reçue, d'une ère victorienne entièrement indiscernable de son couvercle de conventions, sinon dans son envers sordide ou licencieux (tel que nous le montre le livre de Marcus, *The Other Victorians*, autrefois pillé sans vergogne par Foucault), n'est bien que cela, une idée reçue. Les rapports victoriens du public et du privé sont beaucoup plus riches que ce que l'époque postérieure, affectant de s'en libérer, en a retenu. Aujourd'hui, c'est l'étonnement de Sylvia Townsend Warner, dans sa lettre à Llewelyn Powys (le frère de T.F et de John Cowper), en 1933, qui paraît surprenant :

« Je viens de relire le *Diary of Our Life in the Highlands* de cette femme extraordinaire. Vraiment, Llewelyn, elle et son Albert faisaient une paire incroyable. Ils partaient, sur des routes inconnues d'Écosse, dans une voiture à poneys, tout seuls, passaient les torrents à gué, escaladaient des montagnes, ramassaient des fougères et du quartz fumé, et, selon toute probabilité, je pense, inauguraient quelque nouvel héritier pour le trône dans un bois de pins ou au bord d'un précipice, sans souci ni scrupule. Et puis, la tête encore pleine de poussière, des brins de bruyère encore accrochés à leurs vêtements, la moins convenable expression de liberté gitanisant leur expression, ils revenaient servir d'exemple de décorum parfait dans le mariage, pour toutes les Cours et familles d'Europe. »

Dans son palais désormais émotionnellement désert, les hurlements de Victoria à la mort du prince Albert me paraissent aussi « victoriens » que son image officielle. Mais la frontière entre « ce dont on parle » et « ce dont on ne parle pas » est simplement plus rigide, plus absolue, plus secrète. C'est le monde du « Genji » beaucoup plus que celui de la presse et télévision à l'américaine. Le toit de la vie privée s'incurve presque jusqu'au sol.

La prose, du moins celle qui va de Jane Austen à James, se place à la surface de cette séparation, de ce mur, de ce sol, du côté extérieur, mais regardant ce qui ruine, ce qui fissure, ce qui menace : la profondeur remue, et la terre tremble comme le couvercle de la bouilloire à l'heure du thé.

162 (§ 98) *La bibliothèque*

Devrais-je dire « les bibliothèques » ? il y a d'autres bibliothèques à Londres que la British Library. Il y a celle de l'institut Warburg, dont j'aurai, je crois, à dire plus tard la découverte et ce qu'elle représenta. Mais la British Library, surtout depuis que cette prose s'est étendue au-delà de sa taille « critique », depuis que je suis certain de l'amener à son terme, quel qu'il soit, est une bibliothèque différente de toutes les autres. Elle est mon théâtre de mémoire, où je ne vais pas pour découvrir mais pour être avec ce qui me dirige dans mon programme de destruction.

163 (§ 98) *La chute du « Grand Incendie de Londres » en Londres. Et peut-être rien*

(Extrait de *An Historical Narrative of the Great and Terrible Fire of London, Spt. 2nd 1666 - taken from The City Remembrancer*, 1769 :)

« Cette nuit-là les Londoniens passèrent leur dernière nuit dans le confort de leurs propres maisons ; ils ne pensaient guère à une telle éventualité au moment où ils se couchèrent dans leurs lits. Ils ne s'attendaient pas le moins du monde à ce que, quand la clef eut tourné dans les serrures de leurs oreilles, quand les croisées de leurs yeux se furent ouvertes au matin, ils seraient amenés à entendre que l'ennemi avait envahi la ville, et qu'ils le verraient avec fureur entrer dans leurs maisons, forcer les portes de leurs chambres et se montrer à leurs fenêtres avec un visage si menaçant. »

(Extrait du *Journal de sir John Evelyn* - 3 septembre 1666 :)

« Ils étaient frappés de consternation et le feu brûlait en long et en large, les églises, les bâtiments publics, les hôpitaux, les monuments ; avec des bonds prodigieux sautant d'une maison à l'autre, de rue en rue, à travers d'énormes distances. La chaleur, avec le temps chaud et beau, avait même enflammé l'air, et préparé les matériaux pour la conception du feu en eux, et le feu dévorait tout, maisons, meubles, et le reste. J'ai vu la Tamise couverte de débris, et toutes les barques, tous les bateaux chargés de ce qui avait pu être rassemblé pour la fuite. Oh, le malheureux et calamiteux spectacle! comme peut-être le monde n'en a pas contemplé depuis sa création, comme il ne s'en verra pas de pire jusqu'à son incendie final. Le ciel tout entier était d'aspect terrifiant, comme la surface d'un four embrasé, et la lueur était visible à plus de quarante miles. »

bifurcations

I

Ermite ornemental

164 (§ 26) *Je ne bougeais pas de la table avant l'heure de la mise du couvert, midi*

Mon intention, en me soumettant (et en vous soumettant par la même occasion) à des intervalles assez rapprochés, à de tels exercices de description, est d'établir le plus rapidement possible notre lien imaginaire d'auteur à lecteur, mais d'une manière un peu différente de celle qui est traditionnellement de mise dans les ouvrages de fiction ; différente aussi de celle, à la fois beaucoup plus ancienne et beaucoup plus récente, qui en est le renversement.

Je voudrais, en quelque sorte, introduire dans le déroulement de ces phrases, de ces récits, l'environnement propre, passé ou présent, de leur composition ; dire comment cela se passe, s'est passé, c'est-à-dire à la fois *où* et *quand* (un ' quand ' et un ' où ' qui peuvent donc être doubles) ; ajouter au présent de la composition du récit, déjà affirmé, la présence du lieu, qui le confirme. J'espère, je ne le cacherai pas, parvenir ainsi à rendre manifeste la séparation qui existe, et que je désire aussi sensible, aussi évidente que possible, entre celui (moi) qui vous raconte ce que je raconte, et ceux (parmi lesquels moi encore, très souvent) de qui ces choses sont racontées. Je me situe, de ce point de vue, dans une position intermédiaire entre le roman de transposition et l'autobiographie, qui ne transpose, n'invente, n'imagine qu'involontairement (et je tiens compte aussi de tous les ' faux ' possibles : l'insincérité d'un côté et le déguisement de l'autre). Sans doute, on l'a dit, la réalité de cette séparation est généralement soit tout simplement passée sous silence, soit dissimulée sous des masques, dont le principal est celui du Narrateur, personnage qui ne peut (s'il doit prétendre à quelque efficace) manquer d'être absorbé immédiatement dans l'ensemble des choses narrées, et le silence sur qui, réellement, parle en est d'autant plus épais. D'où il est résulté en notre siècle bien des méfiances, que je ne trouve pour ma part guère intéressantes, même et surtout quand elles ne sont pas feintes (et dans ce cas elles ne sont guère mieux que l'exclamation naïve : « Il a triché ! ») à l'égard de la *forme roman*.

Or, si j'écris, comme affiché, un roman (ce qui n'est pas du tout certain, comme il n'est pas du tout certain que j'aille au bout de mon entreprise (d'ailleurs ce n'est pas moi qui déciderai de la réponse)), je dois parvenir à rendre clair qu'il ne s'agit pas de la variante puérile, celle du roman au stade du miroir, la peinture ineffablement ennuyeuse du romancier en train d'écrire le roman (si stade du miroir il y a, il s'agirait plutôt ici du ' stade du miroir retourné contre le mur ').

Il y a un dehors du roman, affirmé comme un réel : un monde possible où se passe autre chose que la mise en lignes noires de la *mémoire*.

Je trouve d'ailleurs un autre avantage, plus immédiatement pratique, à la dichotomie, à ma ' *split personnality* ' de narrateur et de narré : comme, en l'état présent du récit (même s'il a beaucoup avancé depuis la dernière mise en garde de ce genre), l'idée même de ' lecteur ' est fictive à l'extrême ; comme j'avance sans plan préétabli, la seule réalité à travers laquelle je reconnais, de moment à moment, de ligne à ligne, mon ' roman ' (comme roman et comme prose destinée à être lue) est celle des fragments déjà accomplis et recopiés.

Il est clair alors que les données descriptives me fournissent à la fois une assez grande réserve d'éléments concrets susceptibles d'évocations et d'enchaînements (prétextes à *insertions*, par exemple) et la stabilité infiniment rassurante d'une familiarité.

Reprenant mon cahier après m'être interrompu, je peux presque croire, grâce à de tels détails, annulé le temps où je ne me suis pas adressé à vous (celui où j'ai dormi, ou essayé de dormir, mangé, erré, gagné ma vie... où je me suis débattu avec l'énormité du deuil ; ce temps composé presque exclusivement de *moments of non-being*), et recommencer à partir d'eux, comme si ma vie n'était que là, ce qui d'ailleurs n'est pas sans rapport avec cette entreprise romanesque elle-même.

L'efficacité de l'activité descriptive est d'autant plus certaine que, si son pouvoir venait à s'affaiblir (dans cette perspective ' thérapeutique ', et thérapeutique surtout pour la prose, pour les sutures des interruptions), il me sera toujours possible de le faire renaître par la variation, la complétion ou la modification (que les lieux et objets décrits soient, entre-temps, demeurés ou non semblables), puisque je n'ai fait que puiser un peu dans une réserve, pour toutes fins pratiques, infinie.

J'ajouterai comme une incitation supplémentaire l'attraction d'une discipline mentale, d'une règle ascétique à laquelle je m'abandonne, soulagement pour l'ermite involontaire que je suis devenu, styliste dans la pentapole désertique d'un monde voué à la prose; parmi tant de démons, qui ne tentent la chair que vers la mort.

165 Sans cesse, je m'imagine dans l'immobilité

Sans cesse, je m'imagine dans l'immobilité, projet impossible : écrire dans le même intervalle de temps, qui devient aussi semblable à un point; écrire dans les mêmes lieux récurrents, toujours, jusqu'à la fin. Mais le temps me déborde, m'excède de partout. Au moment même (les lignes du précédent paragraphe-moment) où je me sentais déposé, fixé dans mon entreprise, le germe du mouvement, déjà, se réveillait.

Au début du deuxième *moment* de cette première *bifurcation* dans ' le grand incendie de Londres ' (bifurcation particulière, parce qu'elle est la première, sans doute, mais aussi parce qu'elle doit être dite telle, en elle-même), je suis dans un autre temps, un autre lieu.

J'ai choisi le temps avec soin, si on peut appeler soin ce qui n'est peut-être qu'une manifestation nouvelle de mon obsession numérologique, déjà signalée.

Ce matin du *21 avril 1986* (il est cinq heures), pendant que j'écris ceci sur le peu de place laissé libre par les papiers à la surface de ma table de travail, j'entends passer, dans la rue d'Amsterdam, à ma droite, vaguement (le bruit est étouffé par la maison sur la rue, par le porche, par la cour qui me sépare de la rue), une voiture matinale qui descend vers Saint-Lazare, sans doute, venant de la place Clichy. Le bruit s'éloigne, et, tandis que je l'accompagne en pensée, vient de passer invisiblement un nouveau moment d'angoisse et d'hésitation à recommencer à écrire, à écrire encore, en lignes toujours aussi noires, aussi serrées, aux lettres minuscules (je ne peux plus les déchiffrer sans lunettes) toujours sans ratures, sans repentirs, réflexion, imagination et impatience (car telle reste, toujours, la charte de cette prose), sans promesse que celle de leur existence s'assurant elle-même par la pure progression de l'encre sur la page blanche du cahier où j'écris.

La raison numérologique est la suivante, son chiffre : 1 178. *1 178 jours*. J'ai connu Alix 1 178 jours, et le moment de ce recommencement (car des mois entre le premier et le deuxième fragment de cette bifurcation se sont écoulés, se sont perdus) est le premier qui passe, 1 178 jours après le jour de sa mort. A tout jour de l'amour, la raison obsessionnelle numérisante en moi associe un jour de deuil. Et, nuit pour nuit, l'éloignement palindromique du temps (palindromique par rapport au souvenir) me ramène au moment de notre rencontre, puis au moment d'avant notre rencontre, où, m'extirpant de la toute petite auto de Mitsou, je me suis trouvé sur le lieu d'une coïncidence à naître, exactement au bas de la fenêtre où monterait le bruit de voiture de livraison que j'ai *dit* au début du tout premier fragment de ce récit. On était en novembre, le 7 novembre 1979 ; je ne savais pas où j'allais, chez qui.

Ma raison numérologique, comme une machine intérieure presque autonome, presque indifférente au reste de mes facultés, ne cesse jamais (et souvent à mon insu) de recueillir des nombres, des chiffres, sans cesse compte, additionne, soustrait, multiplie, divise (avec quelques autres opérations légèrement plus complexes, comme la manipulation de groupements parenthésés, manipulation qui, dans ma mathématique personnelle, est encore arithmétique, puisque se ramenant à des calculs sur des suites d'entiers, et non sur des entiers isolés, simples, ce qui ajoute au visage des nombres les possibilités nombreuses de leurs rencontres dans ces suites) ; et elle décompose en facteurs premiers, en dispositions additives, en nombres de Queneau (les nombres de Queneau, dont j'aurai à parler longuement, jouent beaucoup dans la construction de mon récit).

Mais je ne m'intéresse pas seulement à l'existence du nombre (des suites de nombres) dans le monde, comme marque d'un événement (d'une séquence), d'une distance, comme date.

Pour mon malheur, ma mémoire arithmétique, exercée dès l'enfance, et tout à fait indépendamment de ma vocation tardive, volontariste, de mathématicien, retient des batteries de nombres, les manipule, les confronte, les dispose en échafaudages, en architectures mentales. Deux séries d'émotions numériques se rencontrent : celle des nombres associés aux points d'espace temps qui marquent ma vie, avec leur hiérarchie sans cesse changeante d'horreur et de nostalgie ; et celle, provenant de cette arithmétique tout idiosyncratique que je mentionnais plus haut (en parenthèses), où les ruines de ma carrière d'algébriste se mêlent à l'histoire de l'Oulipo dont je suis membre.

Dans la seconde série, les nombres premiers et les nombres que j'ai nommés « de Queneau » jouent le rôle essentiel. C'est relativement à eux que les nombres de la première série s'éclairent, que la géographie et la chronologie de mon histoire trouvent leur « sens » (que j'imagine le « sens » que je leur trouve) et, inévitablement, que ma prose de pseudo-roman, de roman futur, imaginaire, potentiel, se dessine ; que ses paragraphes, ses chapitres, ses branches se comptent ; que ses *insertions* (*incises* ou *bifurcations*) trouvent sinon leur nécessité (de nature, malgré tout, moins purement formelle, du moins en intention), en tout cas leur place, leur figure, leur étendue même.

166 *Tout est là, en ce nombre même*

Je pourrais presque dire : tout est là, en ce nombre même, *1 178*. La passion numérologique fait du nombre un nom propre, le nom d'un être invisible derrière toutes les choses, personnes, événements qui ont en commun ce nombre, qui le partagent : une divinité arithmétique (de nombreuses variantes, au cours du temps, ont fait des nombres des signes, des noms, des visages, de *La* divinité ; je n'appartiens pas à cette généalogie).

Le temps boucle, et comme la masse noire et blanche des lignes du *récit* de ma première *branche* de prose, entièrement enclose dans l'intervalle du deuil, commence au lieu initial de mon amour pour Alix, dont le moment maintenant est séparé de moi par déjà plus de 2 376 jours (1 178 deux fois ; 1 178 plus et 1 178 moins, ce qui fait un zéro pur), la *bifurcation*, ici, qui essaie de créer comme un deuxième œil pour l'établissement d'une image, d'un *double*, est écrite (continue à s'écrire) en un lieu où j'ai déjà vécu ;

avant le temps, à la fois plein et nul que je viens, au cours de cette nuit (celle qui s'achève pendant que j'écris), que *quelque chose noir* en cette nuit (blanche ou presque), vient d'effacer, plus exactement d'enfermer en moi alors que je me mettais à écrire ceci : un autre enfermement, un double de l'enfermement des 2 376 jours (qui sont aussi zéro) de ma vie avec Alix Cleo, ma femme.

Dans ce lieu où je suis aujourd'hui, de 1970 à 1979, j'ai déjà habité ; plus de huit ans.

J'y suis revenu depuis peu, moins d'un mois à peine, et la parenthèse de mon absence de ses murs couvre, englobe entièrement le temps compact de ma vie avec Alix (j'y dénombre aussi les 1 178 premiers jours de sa mort).

Elle n'est jamais venue ici.

Or, pour franchir l'intervalle qui sépare le premier du second fragment de cette *bifurcation* initiale, il m'a fallu de nombreux mois; il m'a fallu renoncer à continuer à habiter sans vivre le lieu où j'avais commencé à écrire, et franchir l'obstacle d'un silence pour moi mortel, celui du silence à la poésie, par l'écriture d'un livre de poèmes, dont le titre a été *Quelque chose noir*.

Et pour recommencer à écrire, en ce lieu, doubler les mots initiaux du récit, par un mouvement de prose parallélistique, irrésistible, irréfléchi.

« Ce matin du 21 avril 1986 (il est cinq heures) pendant que j'écris ceci... »

« Ce matin du 11 juin 1985 (il est cinq heures) pendant que j'écris ceci... »

L'impulsion de ce parallélisme, dans l'angoisse et la légère ivresse du recommencement, a été la tentative d'annuler l'intervalle de plusieurs mois de silence, de faire comme s'il n'avait pas été, et comme si n'avait pas été non plus le saut d'espace qui m'a amené de la rue des Francs-Bourgeois à la rue d'Amsterdam.

167 *Revenir*

Revenir ici peut apparaître comme une défaite. C'en est une. L'étroitesse du lieu, le silence, l'isolement presque abstrait, absolu, tout ce qui m'en avait chassé il y a sept ans, voilà précisément ce qui m'y ramène, ce qui a fait que je n'ai pas hésité un instant à y revenir, quand le départ de mon locataire (l'endroit m'appartient), en février 1986, l'a inopinément rendu possible. Je l'ai vu comme un refuge, et le seul refuge possible; le mouvement qui m'avait poussé hors des images de ma vie avec Alix (je les ai regardées trois ans jusqu'à l'hébétude, jusqu'à l'anesthésie) m'ayant conduit d'abord à prendre brusquement le premier appartement libre venu (et Dieu sait s'ils sont rares et moches et chers), et je ne suis pas parvenu à me résoudre à m'y installer vraiment.

Pendant des mois, je n'ai été *nulle part*. Je ne suis pas certain d'être ici, au 82 de la rue d'Amsterdam, véritablement quelque part. Mais, du moins, parce que cet espace est à moi, parce qu'il m'est familier, parce que je n'ai pas à faire l'effort de me reconnaître dans de nouvelles rues, pièces, dans de nouveaux bruits (rien, ou presque, ici, n'a changé), j'ai l'espoir sinon de recommencer à vivre comme on dit en une phrase qui a fort peu de sens, mais de m'être mis dans de meilleures conditions pour continuer ceci, le seul labeur qui me paraisse, parce que je n'en attends rien (rien d'autre que son achèvement), de quelque nécessité.

Au moment où je l'ai interrompu (au début de novembre de l'année dernière), au retour d'un voyage à Londres, j'avais décidé de quitter la rue des Francs-Bourgeois, et les difficultés à la fois matérielles et internes de cette décision ont fait que j'ai délaissé la prose en même temps que je me dessaisissais du lieu où je l'écrivais.

Je ne me dissimule pas le fait que cette interruption s'est produite au moment où, avec une certaine imprudente satisfaction, je venais (en achevant la partie « récit » de cette branche) de décider que la « quantité » de prose écrite dans ' le grand incendie de Londres ', en même temps que la cohérence du parcours effectué, était suffisante pour affirmer que le roman serait écrit, serait de toute manière achevé (en tenant compte de la seconde particularité, secrète, de sa conception (la première étant sa « définition »)). La *fin* du roman était ainsi certaine, mais, bien entendu, j'espérais le pousser beaucoup plus loin encore. Or, je me suis alors, avec les meilleures raisons du monde sans doute, mais à ce moment précisément, arrêté. Je suis parti, j'ai déménagé, et j'ai été, en ce lieu que je veux oublier absolument, tellement mal qu'il n'était pas question une seconde de reprendre le fil de la prose interrompue.

Mais, aujourd'hui, c'est différent. Outre l'instant daté, la raison numérique (1 178) et le fait que l'endroit où je suis a ceci de favorable qu'il est confortable, tranquille et familier, une raison troisième m'a permis de me remettre en marche : en quittant la rue des Francs-Bourgeois, étape nécessaire d'un travail de deuil, je ne l'ai pas laissée comme le dessous d'une pierre tombale, où mon souvenir retrouverait toujours l'inchangement du lieu, et mon imagination l'horreur d'une profanation inconcevable (la présence d'autres, d'inconnus, vers du cadavre d'un lieu qui fut vivant) : je l'ai confiée à une présence amoureuse, compréhensive, non hostile.

Cela veut dire que les changements qui se produisent dans la disposition des pièces sont graduels; que, pouvant y revenir (y revenant effectivement), je peux y assister sans désespoir (la seule pièce qui a changé radicalement tout de suite est ma chambre, comme il est naturel); que, ainsi, le dédoublement du lieu de mémoire et du lieu de vie s'effectue sans trop de violence.

L'effet de défaite de mon retour ici, qui est réel (mais il en aurait été de même partout), est aussi atténué par sa remise à neuf, après la quasi-destruction opérée par mes derniers locataires, véritables Attila (« Les Turcs sont passés là, tout est ruine et deuil », pourrais-je dire, en un sens quasi littéral).

Je suis dans le jaune et le blanc : le linoléum jaune au sol; le blanc sur tous les murs.

Ailleurs, papiers et livres. Je couche à même le sol, sur un matelas. Ma table fait face aux livres, au lit, à quelques images, à la lampe encore allumée sur la caisse de bois à tiroirs qui est à côté de mes oreillers. Une familiarité profonde de ce décor avec celui qui était le mien antérieurement (et qui était, topologiquement, impossible, dans l'endroit de transition où j'ai été si mal, ce qui n'a pas peu contribué à mon nouveau départ) aide enfin à franchir la césure de presque six mois et de quelques arrondissements qui s'est produite dans ' le grand incendie de Londres '.

168 Un lieu érémitique

C'est un lieu essentiellement érémitique. Or, l'érémitisme (si j'ose employer ce mot pour désigner ce qui en est une variante fondamentalement profane) a toujours exercé sur moi, aussi loin que je me souvienne, une attraction vertigineuse, une fascination : attirance et crainte, goût de et abandon à la solitude, soif de la solitude, de sa tranquillité, de ce qu'elle permet en apparence l'effort intense, la concentration, pour un *travail de poésie*; mais en même temps l'inquiétude et la joie noire de la délectation morose, la dilapidation du temps en alternance de lecture et de désespoir paralysé, un mime de la *mélancolie* (je ne crois pas être mélancolique). J'ai déjà connu cela ici, j'y ai déjà été seul. Il y a sept ans, pour ces raisons (la balance penchait dangereusement du côté insupportable), j'ai fui. Mais aujourd'hui j'y retourne pour cela même, la solitude, comme d'ailleurs quand j'y suis venu pour la première fois, quand je suis entré dans cette pièce unique, à l'automne de 1970.

L'alternance de l'enfermement et de la fuite vers des lieux plus vastes, et partagés, cette oscillation perpétuelle de mon univers, s'accompagne, comme pour certains objets cosmogoniques auxquels, reprenant la vieille idée médiévale et Renaissance des correspondances secrètes, signifiantes, entre microcosme et macrocosme, je pourrais être tenté sinon de m'identifier, du moins de me comparer dérisoirement, d'une pulsation de l'espace qui m'entoure, d'un va-et-vient entre l'étendu et l'étroit. En bref, la solitude implique pour moi une contraction.

Je pourrais, banalement, expliquer la contraction en volume de mon espace de vie par des raisons économiques : le lieu que j'ai quitté en 1970 pour celui-ci était immense (en proportion), mais je n'y étais pas seul (et je voulais être seul, telle était la décision nécessaire à mon *Projet* à laquelle j'étais parvenu, sur un balcon, à Madrid); or, l'argent (en dollars) dont je disposais ne me permettrait pas d'acquérir quelque chose de plus grand. C'est vrai. Et il me fallait compter avec l'investissement conséquent que représentait la construction d'un environnement sonore (je revenais à la musique, je me préparais à une solitude dans la musique).

Mais, d'une part, j'aurais pu m'endetter plus (mes dollars ne permettaient qu'un « apport personnel »); d'autre part, l'appartement de la rue des Francs-Bourgeois, où j'ai écrit le *récit* de la première *branche* du présent livre, était de taille respectable, selon les normes d'aujourd'hui, et j'y étais (même si douloureusement) parfaitement seul. Sans doute encore, je l'ai quitté dans des conditions financières (qui importent peu directement à cette histoire) telle que à nouveau, comme en 1970, rien ne m'était possible que du presque minuscule; à nouveau ma solitude ne pouvait qu'être petite, l'espace fermé proche autour de moi. Mais n'était-ce pas cela que je recherchais? que j'avais voulu, chaque fois?

Entre le monde et moi, toujours, il y a des livres. Si je suis un ermite, je suis un ermite avec des livres. Je l'ai dit en mon « autoportrait », je suis un « *homo lisens* », un lecteur. Certes, comme les vieux ermites (au sens historique), mes amis les saints de la celtitude, saint Munnu ou saint Columcille, je me représente souvent entouré du livre de la nature, une nature de préférence amène, méditerranéenne. Mais, d'une part, cette nature-là a disparu. D'autre part, en fait, ma solitude, depuis ma douzième année et sauf de courtes périodes, a toujours été urbaine, et adossée à du papier imprimé.

Or, la contraction d'espace de ma vie, qui n'est pas seulement physique puisqu'elle s'accompagne d'une raréfaction de mes échanges avec le monde extérieur, en paroles, en rencontres, en curiosités, en efforts d'appartenance à des « milieux » (le « milieu » littéraire, ou académique), m'a obligé à me séparer de plus de la moitié des livres qui s'étaient peu à peu entassés dans ma bibliothèque, dans les temps de mon expansion. Dans le premier lieu où je me suis retrouvé, l'erreur de mon hiver, j'ai dû d'abord les réduire de cent à cinquante mètres linéaires environ. J'en ai à peine trente aujourd'hui. C'est dire l'importance de mon appauvrissement.

Au moment du tri nécessaire, au moment de remplir les cartons dont la seule présence (par leurs destinations divergentes) sanctionnait cette amputation visible de mes membres de papier (les livres sont mes outils, ils font partie de mon corps), il m'a semblé (la première fois) presque impossible de la faire autrement qu'au hasard, tant il m'apparaissait au début invraisemblable de me défaire du moindre d'entre eux. Mais en fait, après un moment de presque panique, j'ai découvert (aidé certes par le sentiment que rien ne comptait plus guère) que c'était la chose la plus facile du monde, au contraire, dès l'instant où je cessais de m'imaginer comme quelqu'un qui est maître et possesseur d'une *bibliothèque.*

J'ai vu, alors, que je n'ai jamais été un homme de bibliothèque (j'emploie le singulier à dessein : je suis un homme de bibliothèque*s*). Je suis aujourd'hui, comme je l'ai toujours réellement été, entouré de quelques livres.

J'en avais beaucoup moins encore quand je suis entré ici en 1970. Et il y avait alors aussi avec moi des disques (que je venais d'acheter en même temps que l'endroit), que je n'ai pas ramenés, car je suis, depuis trois ans, entré dans un silence sans musique.

169 *Une bibliothèque est toujours en expansion*

C'est qu'une bibliothèque, en effet, est toujours en expansion ; à partir du « big-bang » de son premier livre, et jusqu'à la mort de son possesseur. Une bibliothèque ne peut pas vraiment diminuer, se vider d'une partie de sa substance, puis recommencer à croître. Du moins, pas sans danger mortel. Chacun des livres qu'elle s'incorpore à un moment ou une autre de son existence lui devient indispensable, même s'il ne doit jamais plus être lu. Un émondage minimal, peut-être, est parfois nécessaire. Mais il n'est concevable qu'à l'intérieur d'une stratégie générale de croissance. Si je garde l'image du corps, les livres dont la bibliothèque se sépare sont des rognures d'ongle, des cheveux qui tombent. Mais je comparerai plus volontiers encore la bibliothèque à un végétal : à une forêt, si l'on veut, ou à un jardin. On a un être vivant autour de soi. On fait partie soi-même de cet être. Les possesseurs et constructeurs de bibliothèques (personnelles), comme les possesseurs et bâtisseurs de jardins, ne bougent guère. Ils sont attachés à leur sol de livres, à leur terroir d'imprimés. Vivre et mourir dans la même bibliothèque, comme dirait Sainte-Beuve, voilà leur destin idéal. La transplantation d'une bibliothèque tient du miracle ; elle s'apparente à la greffe d'organe, au déplacement d'une forêt. On pense aux efforts coûteux et inutiles pour transporter un châteaux écossais pierre à pierre et le rebâtir en Californie.

En tout cas, cela suppose un nouvel espace au moins de taille comparable à l'ancien ; et susceptible d'élargissement ultérieur. L'énumération de Georges Perec, dans ses « Notes brèves sur l'art et la manière de ranger ses livres »,

> dans l'entrée   dans la salle de séjour   dans la ou les chambres dans les chiottes   ...dans la cuisine... sur les tablettes des cheminées ou des radiateurs... entre deux fenêtres   dans l'embrasure d'une porte condamnée   sur les marches d'un escabeau de bibliothèque, rendant celui-ci impraticable...

le montre clairement : il faut supposer que plusieurs de ces lieux existent, et, dans l'espace minimal où je vis, cela n'a littéralement aucun sens.

Avant d'en venir à cette réflexion, j'avais pensé à certains moyens de préserver la notion de bibliothèque en définissant très précisément des contraintes de limitation. C'est à cela que fait allusion Georges Perec dans le même texte :

> Un de mes amis conçut un jour le projet d'arrêter sa bibliothèque à 361 ouvrages [cette conversation, contemporaine de notre ouvrage commun sur le jeu de go, désigne l'interlocuteur, puisque 361 est le nombre d'intersections d'un go-ban]. L'idée était la suivante : ayant, à partir d'un nombre n d'ouvrages, atteint, par addition ou soustraction, le nombre K = 361, réputé correspondre à une bibliothèque, sinon idéale, du moins suffisante, s'imposer de n'acquérir [implicitement, un livre entré dans une bibliothèque est supposé y rester] un ouvrage nouveau X qu'après avoir éliminé (par don, jet, vente ou tout autre moyen adéquat) un ouvrage ancien Z de façon à ce que le nombre total K d'ouvrages reste constant et égal à 361...

Il procède ensuite par réduction à l'absurde, en montrant qu'il est impossible de résoudre les problèmes inextricables que pose une telle tentative d'arrêt de la croissance d'une bibliothèque.

J'avais rencontré ce problème en m'installant rue d'Amsterdam, sous une forme à la fois plus simple et plus compliquée qu'aujourd'hui : plus simple, parce que la question de la quantité ne se posait pas vraiment, j'avais la place pour le peu de livres que j'emportais (essentiellement de la mathématique et de la poésie) ; plus compliqué en ce sens qu'il y avait partage, puisque je venais d'un endroit où les livres étaient en commun.

Petit à petit j'en suis venu à cette idée que je ne suis pas quelqu'un qui a une bibliothèque.

C'est pour cela peut-être que je suis un tel amateur des bibliothèques publiques : BN, British Library, Arsenal, Mazarine, bibliothèque du Congrès à Washington ; bibliothèques municipales de province : je les aime toutes. Et j'aime aussi les bibliothèques publiques (en fait, pour moi, une seule) où je peux emprunter des livres pour une durée limitée. La possession des livres n'est pas le seul aspect de mon amour des livres ; et c'est pourquoi sans doute je ne suis pas non plus bibliophile.

Ma réaction est en fait la même que celle que j'ai pour les moyens de transport. J'aime et utilise les transports publics. Je n'aime guère l'automobile, et je n'en possède pas (je n'en posséderai sans doute jamais).

170 *Ermite littéral*

Ermite littéral, ou lettré, j'imagine de temps en temps une conjonction de ma vocation de solitaire avec l'amour de la nature : vivre seul avec les livres, mais aussi dans un jardin.

La tradition anglaise (à laquelle je me réfère presque toujours, par priorité, à cause de mon anglomanie) offre un modèle historique à cette représentation idéale d'un impossible lieu de vie. C'est la tradition de l'*ermite ornemental*, dont j'ai lu autrefois une description dans un chapitre du livre consacré par Edith Sitwell aux « excentriques anglais ».

Au début du dix-neuvième siècle, on pouvait s'engager comme « ermite ornemental » chez un lord ou un gentleman possesseur d'un jardin : on devenait élément original du décor naturel, sorte d'arbre d'écorce mobile, ou statue animée. Végétal impermanent, musicien de gestes, l'ermite ornemental, engagé par contrat en bonne et due forme, assuré du gîte, du couvert et de quelques émoluments (à débattre) par son employeur, vivait sa vie d'ermite comme il la concevait. Ses seules obligations contractuelles étaient d'être là, dans le jardin dont il devenait une essence rare et « pittoresque ». Il n'était pas toujours nécessaire qu'il soit visible : certains ermites aimaient le regard d'autrui sur leur ermiticité, d'autres pas ; mais leur présence, visible ou invisible, devait faire partie du paysage, leurs faits et gestes, observés ou non (l'absence de faits et gestes pouvait être aussi ornementale que la bizarrerie d'un discours récurrent ou d'une posture en accoutrement), être rapportés à table ou dans les journaux, donnant ainsi à leur possession le lustre d'une rumeur.

Je m'y vois très bien. Ce serait un immense jardin d'une demeure « palladienne ». J'aurais, dans un coin reculé, un petit cottage avec des livres. Je mènerais ma vie de lecteur dans la plus totale autonomie, n'accordant aucune attention ni aucun regard à quiconque, remplissant avec le plus parfait scrupule mon contrat. Les jours de beau temps, j'irais lire sur les pelouses.

Moins ornementale certes, mais d'inspiration proche, est mon installation minervoise, et celle que ici, rue d'Amsterdam, je reconstitue peu à peu fort semblable dans l'agencement de peu d'accessoires à toutes mes précédentes « retraites ». Livres, papiers, machine à écrire ; volets fermés le plus souvent ; écrire dans la nuit du côté du matin, à la lampe de bureau, aux lampes (j'en laisse une autre allumée, distante).

Le monde extérieur, où sont le jour, la nuit, la pluie, ou le soleil, n'est qu'une sorte de miroir trouble, embrumé, enfumé ; ne renvoie que le rien.

Cette vie parallélépipédique, de plus en plus majoritaire, en heures, dans mon emploi du temps, aurait été bien évidemment la *forme* parfaite, le volume idéal pour la mise en œuvre du roman et du *Projet*. Elle fera très bien l'affaire de mon 'projet de remplacement'.

171 *A moins*

A moins que le silence ne l'emporte.
Je suis baigné de silence. Si, le jour, il s'insinue avec l'obscurité,

dans la nuit, le jour l'apporte. Je veux dire que chaque changement, même atténué par mes dispositifs de protection et d'isolement, m'est rendu perceptible sous ce vêtement, le silence, son redoublement.

Or, sans cesse, je suis guetté par la torpeur du silence. Le caractère radicalement solitaire, privé, de mon lieu de vie en est arrivé à un point de perfection peu dépassable, puisque je continue, simultanément, une vie en surface normale. Je ne suis pas dans la solitude absolue. Je ne pourrais pas me le permettre (et continuer à avoir de quoi manger, par exemple), et je ne le souhaite probablement pas (il s'agit d'un irréel, donc je ne me pose pas la question). Je peux, si et quand je veux, comme le blaireau dans son *sett*, selon la belle expression de l'*Encyclopaedia Britannica*, « *ignore all human presence* ».

' Le grand incendie de Londres ', qui occupe le plus mon énergie, est, de par sa nature même, autant affichée que secrète, une entreprise tellement longue qu'elle en devient aussi, même si, dans son déroulement, à intervalles plus ou moins réguliers, elle ' s'adresse ' à quelque entité lectrice, presque absolument solitaire, et privée.

Mais, de la coïncidence d'heures sans échanges et d'une activité sans finalité immédiate, il peut naître, et il naît effectivement avec la plus grande facilité, une grande propension au renoncement : renoncement à l'effort de varier les nourritures, de passer l'aspirateur, de me raser; renoncement parallèle à poursuivre un paragraphe dont une phrase m'échappe, ne veut pas se finir; difficulté de plus en plus proche d'une impossibilité à répondre à une lettre, à décrocher le téléphone, à payer une note urgente, à rassembler du linge sale pour le donner à nettoyer.

Une menace asthénique, ainsi, me guette. Elle a le visage du silence, de l'abandon au passage du temps en silence, à la conscience du temps passant dans le silence. J'ai suspendu le jugement, l'incrédulité devant le néant, j'ai ralenti les échanges, j'ai fait une sorte de vide autour, et je ne trouve pas le bonheur d'indifférence ni l'allégresse d'une absence active que j'espérais.

Devant chaque difficulté, de prose ou de réflexion, mon premier réflexe est de me lever de ma table, de m'allonger sur mon matelas. Je ferme les yeux, je m'endors parfois même. Ou bien je prends un des livres à lire que j'ai toujours près de mon lit en pile, comme j'ai des provisions de biscuits, de confitures, de soupes en sachet. La lecture est mon recours, ma drogue, ma pente.

Mais il arrive même, il arrive de plus en plus, que le pouvoir des livres, lui aussi, s'épuise. La page que je parcours des yeux m'arrête, comme un moment auparavant celle que j'essayais de remplir s'était trouvée infranchissable. Je repose le livre, je referme les yeux.

Je sens chaque piqûre dans le silence.

Je *vois* ces choses de la mémoire que je dois fuir.

172 *Impasse*

Le bout de cette *bifurcation* est visible : une impasse.

L' « avant » vers lequel se dirigent ses lignes n'est pas l'avant d'une mémoire personnelle, familiale, comme le suppose une première interprétation du titre du chapitre que les moments de la bifurcation sont censés prolongés, « Prae », puisque cette voie est suivie dans le corps même du chapitre.

Il y avait une autre interprétation possible, qui était plus ou moins dans mon esprit comme but quand je me suis engagé dans ces lignes : le titre du chapitre « prae » provient d'un autre titre, « prae » encore, le même donc, mais qui *est* tout autre chose, puisqu'il s'agit d'un roman du Hongrois Szentkuthy, roman (pour ce que j'en connais) qui raconte les préliminaires au roman qu'il ne sera pas, ' avant-roman ' d'un roman non écrit. Je dis « pour ce que j'en connais » car je ne l'ai pas lu, pour la bonne raison qu'il est en hongrois, que je ne connais pas le hongrois et qu'il n'est pas traduit. Mais, alors, que puis-je en dire ? Seulement ce que je dis car j'en connais deux fragments : les premières pages, autrefois publiées par Tibor Papp et Paul Nagy dans leur revue d' « atelier » ; et la « table des matières » qui fut offerte par le Nouveau Commerce. Je possède aussi quelques indications générales descriptives, une tradition orale venue de Tibor.

« Prae », dans l'interprétation dérivée de l'exemple, aurait été l'exploration des préliminaires au ' grand incendie de Londres ', c'est-à-dire l'explication (si tant est qu'il y a explication concevable) de quelque chose laissé sous silence par mon « Avertissement » : non pas « ce que sera » ce texte, ni « ce qu'aurait pu être » ce à quoi ce texte se substitue (c'est l'objet de la partie « récit » de cette *branche*), mais « pourquoi » ; pourquoi ' le grand incendie de Londres '.

J'ai commencé dans cette intention, générale et assez vague, sur le « comment » (comment y parvenir) et j'ai essayé de la maintenir malgré la fracture de l'interruption qui, après plusieurs mois, rend plus vague encore ce que je pouvais avoir en tête au moment de commencer.

Mais ce vers quoi je me suis trouvé entraîné par la prose est tout différent : l'*avant* de la prose même, c'est-à-dire ce qui s'est passé avant que je me mette (remette) à l'écrire. En décrivant l'état de silence où je tombe, en ce moment, involontairement et irrépressiblement si souvent, je ne fais que me replonger dans celui encore plus radicalement vide où j'ai passé presque trente mois.

Je ne sais si la prose suscite l'état ou l'état la direction de la prose, mais je ne *veux* pas cela.

Il s'ensuit que la *bifurcation* présente, la première, et qui devait, parce que première, être modèle du genre des bifurcations dans mon ouvrage, n'est pas cela, et que la bifurcation prototype reste à faire.

Peut-être n'aurais-je pas dû tenter de lui donner un caractère trop consciemment hybride (avec une intention de dire, accompagnant l'intention de dire ce qu'elle était), suscitant ainsi dans ma nature excentrique d'ermite ornemental la tentation constante de *parler d'autre chose*. Mais je me demande si ce n'est pas tout ce que je suis capable de faire.

II

« A Boston romance »

173 (§ 19) La rêverie érotique de ma passion sentimentale

J'avais pris l'habitude, presque déjà aussi ancienne que mon séjour aux USA, une fois mon cours du vendredi après-midi terminé (vers trois heures : un cours sur le « trobar » : l'amour le chant la poésie), de me rendre directement en taxi à l'aéroport de Baltimore et de monter dans le premier avion possible pour Boston. C'était une chose parfaitement naturelle, qui ne demandait aucune préparation particulière, aucune réservation, enquête par téléphone sur les horaires, les disponibilités en places. J'arrivais, je me présentais au comptoir de l'American Airlines, par exemple, je sortais mon carnet de chèques à couverture imitation crocodile de la First National Bank of Maryland (j'ai gardé le carnet, et le compte, avec cinquante dollars, pendant des années), et je prenais un aller-retour pour Boston (un *return ticket*).

Chaque moment de ce voyage était pour moi d'un luxe inouï : monter dans un avion comme dans un autobus, ou presque, prendre un taxi pour un aéroport sans hésiter, bavardant avec le chauffeur ou écoutant le dernier *weather report* de la journée (c'était l'hiver et les variations climatiques jouaient un rôle essentiel dans les préoccupations quotidiennes de la population) ; sortir ma « *faculty card* » de l'université Johns Hopkins qui faisait accepter mon chèque au comptoir sans hésitation, avec amabilité même (situation fort inhabituelle pour un universitaire français !), (« *thank you, Doctor Roubaud, have a good trip!* »), retrouver comme familier l'envol de l'avion, boire un Coca-Cola dans un verre en plastique, chaque minute me mettait en joie. Il est vrai que Louise m'attendait à Boston. Mais je crois que j'aurais ressenti presque le même plaisir à partir pour rien, tant tout cela était nouveau pour moi. Je n'avais pas à compter mes dépenses, j'étais dans un état d'irresponsabilité absolue, je n'avais jamais connu cela.

Il faisait toujours plus froid à Boston, plus gris, plus neigeux.

Souvent je sortais de Logan Airport dans la neige tombant sur de la neige ancienne tenace, épaisse déjà, crissante, soyeuse, éblouissante. J'ai continué ces voyages jusqu'à mon retour, en juin, mais la première image qui me vient est toujours celle de la neige, du ciel gris lourd, du taxi avançant lentement et majestueusement dans la neige omniprésente, ubiquiste, dense, dangereuse, et excitante. Le souvenir de ma rêverie érotique dans la bibliothèque de Johns Hopkins qui m'a lancé dans cette *bifurcation* s'est certainement frayé un chemin dans la neige, derrière les tourbillons de neige qui commençaient à tomber le matin de mon départ pour l'Iowa.

J'arrivais. Comme du fond d'une imagination pornographique adolescente, Louise m'ouvrait nue, et je la suivais à travers l'encombrement de son appartement minuscule d'étudiante tardive et pas trop riche, obscur, extrêmement chauffé et merveilleusement désordonné de livres et de vêtements.

Ce que je vois le plus distinctement d'ici, dans mon unique pièce jaune et blanc et désordonnée de livres de la rue d'Amsterdam, seize ans après, c'est le lit : il était étroit, un lit d'à peine plus d'une personne, enfermé sans presque de distance aux fenêtres fermées sur la neige et les nuages du dehors, et adossé à une bibliothèque basse (un mètre) surmontée d'innombrables livres, cahiers, verres, mouchoirs, photographies... et d'un réveil (un réveil électrique, lumineux, silencieux, informatif de l'heure et des jours qu'il ne cessait d'écrire dans le temps s'écoulant, un réveil comme Louise en a toujours eu un tout près de sa tête la nuit, dans tous les lieux où je l'ai connue).

L'appartement reflétait une Louise indolente, pas vraiment paresseuse, mais découragée souvent par les tâches ménagères du rangement, indécise, irrésolue, remettant sans cesse à plus tard, hésitant à bouger, à sortir, à « faire ». Mais ce n'était pas la seule version d'elle-même qu'elle présentait ; car il y avait aussi une Louise tendue, active, butée presque, décidée, qui se manifestait brusquement et l'emportait dans un changement de vie, vers des cours de français, un *ph.d*, et plus tard vers l'édition new-yorkaise, dans ce Manhattan qui n'a guère de lenteur. Cette Louise dichotomique était infiniment séduisante : car si son indolence découragée un peu la laissait terriblement hésitante sur l'emploi que nous aurions pu faire de nos samedis-dimanches en matière de musées ou de promenades, elle tranchait volontiers en faveur d'un séjour prolongé au lit, diurne comme nocturne, où elle retrouvait alors, dans son soulagement de ne pas avoir à se lever, s'habiller, sortir des plans de rues et décider d'itinéraires, sa seconde nature enthousiaste et concentrée, quoique dans de tout autres directions.

174 *Tarde et lente*

Là encore (son lit), la face « tarde et lente » de sa disposition ou, comme on aurait dit autrefois, de son « humeur » se manifestait. Elle aimait très pornographiquement, avec une imagination et un acharnement de solitaire, dans la durée, le retard indéfini, l'offre et l'écoute de la parole, et elle rencontrait en cela tout à fait mon désir. Le temps nocturne et le temps diurne se confondaient dans une grande similitude de lumières; les rideaux toujours tirés, la lueur du jour, hivernal et court, ne pénétrait guère; mais dans la nuit les grands éclairages perpétuels de l'Amérique, les lumières fixes ou mobiles traversant la pièce ne permettaient pas beaucoup de réelle obscurité. J'aimais cela. J'aimais voir Louise. J'ai toujours aimé voir.

Tout tendait pour moi vers la plus intense participation heureuse; le luxe du temps érotique volé au temps ordinaire s'augmentait des circonstances irresponsables de la satisfaction des désirs : la distance franchie, l'ivresse du vol aérien, l'idée même d'Amérique, sa voix philadelphienne disant « fous-moi », avec un minuscule, un ineffable accent d'étrangeté, d'étrangère.

Que sa voix fut à la fois étrangère et parfaitement compréhensible (en anglais comme en français) me troublait violemment. Et c'était une situation symétrique : car j'étais français parlant anglais et, plus que français, mieux que français encore, pour une raison que je n'ai pas encore dite, provençal. La relation des corps est didactique, il faut apprendre, il faut s'apprendre, et cela passe, aussi, je dirais même indissolublement aussi, par la voix.

On a dit, mais ce ne peut être que sur un fond d'immense indifférence, que tous les corps que l'on pénètre, dont on jouit, deviennent au souvenir indifférenciés, aveugles, interchangeables (sauf celui de la « première fois », peut-être, si on en croit la chanson de Brassens). C'est pour moi, au contraire, le lieu même de la distinction, d'une différence d'être à être irréductible. Je *vois* toujours Louise, je la *vois-entends*, en images mouvantes de ces jours-nuits, présentes, inépuisées.

L'emblème parfait de cette passion, son chemin certain vers la mémoire, son *titre* en quelque sorte, c'est son nom, Louise : certainement par la vertu sensuelle qu'il a sonorement pour moi, avec le « oui » intérieur du consentement entre deux glissements consonantiques, le *l* et le *z* mouillés de *e muet*; certainement aussi par la distance, si minime mais si émouvante, entre le son français extrêmement du prénom et sa prononciation « nouvelle-angleterre », qui était celle de Louise elle-même, et je ne cessais pas de le lui faire dire et de le répéter, toujours légèrement imparfaitement, tant les sons les plus difficiles sont ceux qui entrent dans la relation d'homonymie-synonymie particulière d'un visage commun de lettres avec un usage sonore différent de langue à langue.

Cette raison, une très spéciale raison de langue, fait de son nom, aujourd'hui encore, un efficace effecteur de mémoire. Il m'immerge, immédiatement à nouveau, dans ce lit de Boston où j'ai passé ces nuits de peu de sommeil, presque indistinguables de leurs jours.

Endormis, je me réveillais, moi, plus souvent, car le lit était étroit mais surtout ce n'était pas le mien; et j'entendais, dans la nuit étrangère, le cri inoubliable et traumatisant des voitures de police. Je l'entends encore en cet instant dans ma tête. Je me serrais contre le dos nu de Louise, je passais ma main sur ces seins, j'enfouissais ma main entre ses cuisses, dans la chaleur accueillante, humide, serrée.

175 « *Change* » *in Connecticut*

Très près, une ou deux semaines à peine, du début de mon séjour à Johns Hopkins, j'ai été invité, en compagnie de Jean Paris, à un colloque dans le Connecticut; je ne me souviens pas de l'endroit, une université certainement, un « département de français » sans doute, mais c'est sans grande importance. C'était un de ces innombrables colloques de cette époque où il devait être question de la situation de la littérature, et de ses rapports avec les derniers développements, théoriques et autres, dont la France était, depuis quelques années, le théâtre. Théâtre est une expression banale dans ce contexte, mais sans doute pour une fois appropriée; c'était bien d'une scène théâtrale qu'il s'agissait. Je suivais Jean Paris, comme un peu plus tard dans l'Iowa, et nous allions y rencontrer...

Au moment d'écrire ce nom je me rends compte que je vais franchir une ligne de démarcation, imaginaire certes, mais de quelque importance dans mon texte, que curieusement j'avais jusque-là inconsciemment évité de rencontrer : la frontière entre le public et privé. Le roman, en principe, ne s'y heurte pas, puisque tout ce qu'il raconte est officiellement imaginaire. Mais la contrainte de véridicité que je m'impose m'oblige ou bien à taire toute une partie de ce que j'aurais à dire, sous peine de mettre irrémédiablement en danger la possibilité du fictif nécessaire à l'appellation de ' roman ' que je prétends imposer au ' grand incendie de Londres ' ; ou bien à ruser, par des dissimulations partielles symétriques de celles employées à certains moments de son histoire par la fiction : « en l'an 18..., dans le gouvernement de XXXX, à quelques verstes du village de... ».

Ou bien enfin à repousser la mise au jour de mon livre à un futur assez éloigné où le « vrai » de ce que je dis et les personnes qui s'y trouvent prises auront pris suffisamment d'imprécision pour que la question n'ait plus guère d'importance.

Nous allions rencontrer Jean Pierre Faye et présenter, en un trio constitutif et en apparence solidaire, les premières activités et les intentions d'une revue dite d'avant-garde nommée *Change*. Je m'étais en effet, avec une naïveté mêlée de présomption dont je rougis encore (et qui a eu sur ma vie bien des conséquences que je juge, après coup, catastrophiques), engagé dans une entreprise, inspirée par Jean Pierre Faye, qui devait être une machine de guerre et un produit de substitution pour une machine rivale et antérieure (à laquelle Faye avait contribué avant de se brouiller avec son fondateur) dont le titre était *Tel Quel*.

L'effervescence qui régnait alors dans le monde universitaire un peu partout avait créé, ici et là, un certain courant d'intérêt, marginal certes, mais réel, pour les débats de l' « avant-garde » et ses rapports avec le structuralisme, le marxisme, le psychanalisme, et autres ismes dont le linguisticisme n'était pas le moins criard. Dans la ligne stratégique poursuivie par Faye, les USA, les universités des USA jouaient un rôle important ; il y voyait un terrain à conquérir pour *Change* ou plutôt à ne pas laisser aux mains de l'adversaire ; sans se rendre compte que, s'il y avait bataille (pour un enjeu aussi dérisoire), elle était déjà perdue avant d'être livrée, comme la suite le démontra amplement.

Mais en ces premiers mois de 1970, très tôt après les débuts de la revue, qui avait commencé de belle façon, il faut le reconnaître, tous les espoirs semblaient permis, et le Connecticut était un excellent endroit pour engager le combat, n'est-ce pas ?

J'étais donc là, nous étions donc là. Nous parlâmes, je ne me souviens pas trop de quoi. Nous ne fûmes guère entendus. Peut-être n'y avait-il pas grand-chose à entendre, en tout cas pas grand-chose qui put intéresser l'institution académique (et d'autres surent trouver les instruments indispensables de cette communication-pénétration, en passant par les canaux médiatiques et institutionnels nécessaires. La vérité des thèses, la pertinence des concepts, la fécondité des hypothèses n'y avaient que très peu à faire).

Il y avait dans l'assistance une belle jeune femme, qui était venue de Boston pour entendre Jean Pierre Faye. Elle avait un visage long et décidé, une grande chevelure. Elle était la petite-fille de Husserl, ce qui ne gâtait rien en la circonstance.

Elle vint, ils se virent; je ne sais qui séduisit qui; mais enfin cela se fit et dans le Connecticut ils furent ensemble.

176 Un déjeuner avec Jakobson

Ils se mirent ensemble dans le Connecticut et en partirent ensemble pour Boston. Nous suivîmes. Le trio de *Change* avait rendez-vous avec Jakobson qui cultivait assidûment, le vieux bandit, les différentes versions de la « French Connection » théorique et rhétorique qui constituaient les troupes versatiles de sa tardive et universelle renommée.

Jean Paris, mis en jalousie par le succès de Jean Pierre auprès de Suzan (c'était son nom), désirait retrouver une certaine Tracy, une belle rousse, disait-il. Suzan voulait nous présenter à une de ses amies. C'était Louise.

Jean Paris ne trouvait pas Tracy. Louise, tirée d'une de ses périodes de torpeur au lit (seule), boudait. C'était une réception quelconque dans un endroit quelconque. Encouragé par ce que je pensais être de la timidité, ce qui rendait la mienne dans les situations de foule sans finalité, où il faut parler brusquement à qui on ne sait pas si on a quelque chose à dire, ce qui généralement me rend complètement absent, j'entrepris d'interroger Louise.

Or, ce fut facile. Louise achevait alors, ou traînait plutôt de manière hésitante et indéfinie à achever une thèse de doctorat (*ph. d*, pour les intimes) auprès de la prestigieuse université Harvard. S'étant spécialisée en français, qu'elle parlait bien mais n'aimait guère (et sa littérature encore moins, surtout comme objet d'étude), elle s'était prise de passion brusque et têtue pour le provençal, et avait « switché » dans cette direction, ce qui fait qu'elle avait maintenant, après des débuts forts brillants, une sorte de retard dans le « *struggle for life* » académique, puisqu'il lui avait fallu partir pratiquement à zéro. En plus elle avait choisi le provençal ancien.

Elle avait vingt-huit ans et donnait indolemment quelques cours de français en attendant de chercher sérieusement pour une rentrée proche de quoi se nourrir réellement dans un genre d'activité, l'enseignement du français en « *college* », qui ne lui procurait aucune joie. Comme la nécessité d'achever une thèse semblait devoir avoir des implications économiques, elle avançait de moins en moins vite vers son achèvement. Elle était dans un moment de vie incertain, sans amour, un peu ennuyée amoureusement auprès de quelque occasionnel harvardien (un étudiant en théologie!), hésitant perpétuellement à se lever, à se nourrir, à écrire et envoyer son *curriculum vitae* en vue d'interviews pour un job qu'elle devait rechercher mais qu'elle n'arrivait pas à vouloir. Elle avait des yeux proches, rentrés, intenses, rarement autrement qu'ailleurs, mais alors impérieux, un dos splendide. Elle était surtout à l'aise couchée, et nue. Elle n'était pas belle immédiatement.

Nous étions dans un coin d'une pièce, immobiles, une pièce avec beaucoup de gens. (J'avance dans ce récit, mais je n'arrive toujours pas à me souvenir où, et pourquoi, je ne me souviens que de Louise, que d'ailleurs je ne peux pas revoir antérieurement au moment où j'ai vu et connu son corps dans sa totalité, ce qui n'était bien sûr pas le cas à ce moment.) Elle ne répondait pas ou peu à mes questions, m'interrogeait sur Jean Pierre (elle avait reçu des confidences de son amie Suzan); cela jusqu'au moment où, expliquant quel était mon rapport avec eux (Jean Paris, qu'elle n'aimait pas énormément et dont elle avait suivi un cours d'été; Jean Pierre Faye), je dis que j'enseignais à Johns Hopkins pour un semestre et que je parlais des troubadours. « Pourquoi les troubadours? – Parce que je suis provençal. »

Ensuite le temps passa. Je devais, je crois, aller quelque part pour un thé; mais, quand je m'en souvins, tout le monde était parti. Louise avait les bras nus. J'ai mis ma main sur son bras, j'ai pris sa main. Nous sommes sortis dans le froid, nous avons marché au bord de la rivière. Je l'ai et elle m'a embrassé. Je l'ai invité le lendemain au déjeuner chez Jakobson.

Je suis rentré en marchant à mon hôtel.

J'étais comme ému.

177 *Un déjeuner avec Jakobson (suite)*

La séduction qu'exerça presque tout de suite Louise sur moi (elle dure encore aujourd'hui où je l'écris, où, pour la première fois dans cette prose, je m'écarte de la chasteté absolue que j'ai maintenue dans toute la partie « récit » de cette « branche ») tenait certainement en premier à une grande analogie dans nos manières d'être dans les temps du désir (parenté qui était plus profonde encore que je ne peux dire), mais autant à la singularité de sa réticence, une réticence presque palpable quoique sans protestations virulentes ni révolte, à « être au monde » en suivant les chemins qui lui avaient été désignés : les études et, maintenant, l'enseignement. Elle n'était pas une révolutionnaire (ni une militante du féminisme, que son amie Suzan est devenue), elle ne théorisait ni n'explicitait ses refus ; elle était plutôt une originale, mais une originale sans signes extérieurs d'originalité, une excentrique invisible, si cet accouplement substantif-adjectif n'est pas trop contradictoire dans les termes. Elle m'était reconnaissable en cela, un peu comme plus avancée dans une voie qui a toujours été la mienne ; plus avancée en ce sens que mon excentricité à moi est plus visible.

Son désir de moi (comme le mien d'elle) était venu sans doute d'une curiosité de l'ailleurs, d'un « autre » géographique et linguistique. Je l'aimais de me désirer provençal, d'avoir la passion des fromages ; elle riait de mon enthousiasme pour le root-beer et pour Philadelphie.

Mais, plus profondément, il y avait un sentiment de reconnaissance : la reconnaissance du solitaire par le solitaire, la surprise de découvrir une parenté, animale, dans certaines manières d'être seul (il y en a de fort diverses, et elles ne se supportent pas souvent les unes les autres). Une telle intuition préliminaire peut engendrer le recul, l'horreur, la gêne, la fuite. Je ne crois pas que nous aurions pu longtemps vivre ensemble. Mais dans l'intervalle plein de ces jours-en-nuits de l'hiver et du printemps, suspendus pour elle comme pour moi, en dehors du temps habituel, et, plus tard, pendant ses quelques voyages à Paris, l'élan était irrésistible.

Jakobson commanda (c'était un ordre) un toast à la vodka. Je bus de l'eau (je ne bois jamais). Pendant tout le déjeuner, il essaya de me faire capituler sur cette importante question théorique. Je restai intraitable. Il existe un type de description définie d'individus, qui se résume en une phrase : « X, l'homme qui a Y. » Par exemple :

« Napoléon, l'homme qui est mort à Sainte-Hélène » ; ou : « Archimède, l'homme qui travaillait dans sa baignoire. » Je me sentais de minute en minute devenir : « Jacques Roubaud, l'homme qui n'a pas bu de vodka avec Jakobson. »

Louise se tenait très sage à ma gauche pendant que j'affrontais les attaques répétées du Maître. Il faut dire que sa sagesse et son immobilité étaient dues en grande partie au fait que j'avais passé ma main gauche sous la table et, de là, sous sa robe, entre ses cuisses ; à mesure que le déjeuner avançait et que Jakobson multipliait (en vain en ce qui me concerne) les toasts (il but très probablement une bouteille de vodka à lui tout seul ; il semble que c'était son habitude quotidienne depuis une cinquantaine d'années), je progressais lentement dans mon exploration, jusqu'à franchir la frontière d'étoffe douce la plus immédiate à elle, et à vérifier, toujours dans l'immobilité, son assentiment.

Le soir, Jean Pierre Faye s'en alla se coucher avec Suzan. Jean Paris n'avait toujours pas retrouvé Tracy. Nous sommes allés un moment chez Louise. Jean Paris s'est levé pour partir. Il m'a dit : « Tu viens ? » J'ai dit : « Non. »

178 « *Ronsasvals* »

Louise, je l'ai dit, provençalisait. Délaissant le département de Français de Harvard, son lieu d'origine académique (dirigé, alors, prestigieusement, par Paul Benichou, mon beau-père), elle s'était réfugiée dans l'obscurité des études provençales médiévales, plus ou moins négligées dans cette université ; en outre, loin de se tourner vers la lyrique (les troubadours) ou l'étude de la langue, seuls secteurs à peu près dignes de cette spécialité, elle avait choisi un texte obscur, l'une des deux survivances occitanes de la « matière de France » (les aventures de Charlemagne et de ses chevaliers, dont l'exemple le plus connu est la *Chanson de Roland*) : le poème intitulé « Ronsasvals », dont l'unique manuscrit connu a été retrouvé au dix-neuvième siècle chez un notaire d'Apt, en Provence, dont l'étude datait du moyen âge et dont un très ancien prédécesseur en avait copié une version, sans doute pour passer un temps rendu fastidieux par l'enregistrement des testaments. Une copie et une édition en avaient été faites par Mario Roques.

C'est un poème, décasyllabique, d'environ deux mille vers. Louise s'en était emparé, l'avait copié, hémistiche par hémistiche, sur de grandes feuilles de papier Harvard-Coop (dans ce format 21 × 29,7 alors tout nouveau pour moi, et qui me paraissait exotiquement oblong) et elle faisait effort, avec des alternances climatiques d'énergie et de négligence, d'enthousiasme et de découragement (pas absolument corrélées car elle pouvait parfois être convaincue de la justesse de ses hypothèses tout en n'ouvrant pas le poème pendant un mois; ou au contraire parcourir des dizaines de pages pour rechercher les similitudes distinctives, tout en affichant le plus absolu scepticisme sur l'issue et l'utilité de la recherche).

Je crois que le sujet l'intéressait intrinsèquement; et que, à l'envers de la quasi-totalité de ses collègues qui ne se passionnent pour leur *ph. d* que dans la mesure où ils pourront « décrocher » un « job » (ce qui explique en partie la médiocrité terrifiante de la plupart des résultats), c'est précisément le lien entre thèse et travail ultérieur qui nourrissait, profondément, sa grandissante désaffection. Son affection pour moi lui redonna, un instant, de l'acharnement; mais pas longtemps; et je crois qu'elle n'a jamais terminé son *ph. d.*

Son ambition était de vérifier sur cet exemple les hypothèses de Parry-Lord (énoncées à propos d'Homère et vérifiées sur la poésie de tradition orale dans les épopées yougoslaves entre les deux guerres) et de démontrer ainsi à la fois leur validité universelle (du moins de contribuer à cette démonstration, déjà entreprise par d'autres sur la *Chanson de Roland*) et leur pertinence pour l'étude de la « chanson de geste » médiévale dans son ensemble.

L'idée générale de la théorie est que la poésie épique composée et transmise oralement a des caractères communs un peu indépendants des langues et des époques; qu'elle est en grande partie improvisée et fixée des improvisations les plus heureuses conservées dans la mémoire des « chanteurs ». La technique repose sur le vers, qui comporte deux parties, deux hémistiches (c'est vrai aussi bien du vers homérique que du vers slave impliqué dans les épopées entendues par Parry et Lord, ou du décasyllabe de la *Chanson de Roland* comme du « Ronsasvals » (sans oublier le vers mystérieux du « Cantar del mio Cid » pas vraiment élucidé par Don Menendez Pidal)); dans le premier, très souvent, le barde se repose; il va chercher dans sa mémoire des morceaux tout faits, qui ont la bonne mesure de sons, la bonne longueur, bien rodés par la tradition et l'expérience. Il les lance en l'air et pendant ce temps il prépare dans sa tête la seconde moitié du vers, qui va prolonger la première et faire avancer l'action du poème. Ces morceaux tout faits, ce langage métrique « précuit » de la tradition orale, Parry et Lord les appellait des *for-*

mules. A l'aide des parallélismes syntaxiques, des substitutions de noms ou de verbes ou d'adjectifs, remplacés terme à terme par des mots, verbes, adjectifs de même « mesure », le poète oral pouvait aussi enrichir très naturellement son stock, créant les « éléments formulaïques » qui s'ajoutaient aux « formules » pour former une partie importante du matériel poétique de l'épopée.

La tâche de Louise, dans son principe, était simple : repérer les formules (par leur répétition attestée), identifier la classe des procédés formulaïques à partir des formules établies formules, et étendre ainsi la portion du poème « oralement produite » jusqu'à ce que, un certain seuil d'occupation du texte (en encres de couleur) atteint, la « thèse » puisse être considérée comme démontrée.

La difficulté était double : d'une part la thèse est moins vraisemblable : il s'agit d'un texte noté, écrit, où une intervention évidente de composition réfléchie est claire, et les traces de composition orale, même si elle a existé à l'origine, ont pu être effacées. D'autre part, c'est un travail fastidieux, qui demande de la patience et une certaine inventivité combinatoire (dans l'identification des variations formulaïques, leur recherche et leur discussion) dont Louise n'était pas vraiment pourvue (elle était patiente mais volontiers découragée).

J'arrivais de Baltimore. Le samedi, dans une accalmie de caresses, elle me montrait parfois son travail. Il n'avança guère.

179 *« Joy of Cooking »*

Majoritairement, en durée comme en conviction, *« horizontal woman »* spontanée, acharnée et naturelle, Louise accordait à son lit le rôle central dans son existence ; elle y dormait, rêvait, lisait, corrigeait des copies, écrivait des lettres à sa famille, à Suzan, écoutait la radio ou de la musique, parlait et agissait en prolongements indéfinis, jusqu'à l'éblouissement, au vertige, la jouissance.

Elle n'en sortait volontiers que pour cuisiner. Armée d'un petit ou d'un gros livre, le célèbre *Joy of Cooking* surtout, qui fut (et est peut-être encore) le compagnon inséparable de millions de jeunes femmes anglo-saxonnes du Nouveau Monde, elle s'attaquait sans cesse à de nouvelles variations avec une grande habileté et, je dois le dire, un certain bonheur (mais mon compliment n'a pas grande valeur, car je ne suis pas très sensible à la cuisine).

Là encore la dualité secrète de sa nature apparaissait lumineusement : acharnée, têtue, appliquée dans l'action, elle avait sa plus grande spontanéité heureuse à être agie; ce qui signifie, dans le domaine des nourritures, que malgré toute son obstination de cuisinière elle n'était jamais aussi détendue, lisse, enjouée et pas trop absente que dans un bon restaurant.

Comme la générosité inespérée de l'université Johns Hopkins me donnait une facilité particulière dans ce domaine, nous allions très souvent dîner dans Boston, passant des huîtres au suki-yaki en interrogeant la choucroute, en un œcuménisme multinational curieusement érodé par le caractère peu sapide des ingrédients américains et les influences radicales du « melting pot » qui, en peu de temps, rapprochent dangereusement un cuisinier Chinois d'un fabricant irlandais de « hot dogs » ou de « frankfurters ».

Plus tard, à Paris, un de mes amis d'alors, qui partageait sa passion de la cuisine, sous des formes tantôt raffinées, tantôt bizarres, lui fit connaître quelques excellents restaurants parisiens, mais je ne suis pas certain (si j'en juge par le caractère inchangé de nos périples dans New York le soir en 1979) qu'elle y ait admis une réelle différence de nature.

Heureusement pour moi, sa passion du lit, qui était la plus forte de toutes, l'amenait à ne pas négliger les nourritures pas ou peu triturées que l'on peut avaler dans ces circonstances, et en particulier les « breakfasts » (contrairement à certains passionnés du « cuit » qui méprisent le « cru »).

Je me souviens tout particulièrement des « blueberry muffins » achetés dans un grand magasin, Filene's, dont des miettes nous poursuivaient jusque dans les nuits et dont il me fallait délivrer ses seins, ses aisselles, ou sa toison.

Directement du métro on pénétrait dans le sous-sol de Filene's, et c'était « Filene's basement », où avait lieu cette espèce de soldes-enchères impersonnels, originaux, et décroissants que je n'ai jamais vus ailleurs : dans des bacs nombreux se trouvaient étalées des hordes de denrées vestimentaires généralement féminines en des états variables de « liquidation ». Le principe, un peu voisin de celui des lots de poissons dans les ports de Catalogne, était celui des baisses progressives de prix jusqu'à la disparition complète : chaque jour, le contenu de chaque « bac » était offert à un prix plus faible que celui de la veille.

L'excitation, les hésitations, exclamations de joie ou de déception des belles jeunes (et les moins belles, et moins jeunes) Bostoniennes en fourrures d'hiver (c'était le froid de mars) qui se pressaient dans ce « basement » étaient un spectacle délicieux.

Un jour, Louise s'est ainsi habillée depuis nue, dans ces bacs. Le lendemain soir, je montais l'escalier vers sa porte, derrière elle, j'ai passé ma main dans sa culotte, une culotte de soie rouge, conquise de « *Filene's basement* ».

180 *Neige*

Récurrente, la neige s'immisce dans mon souvenir, se mêle, avec ses « *flurries* », à mes imaginations rétrospectives de Louise, à l'amande mouillée de son nom dans ma bouche, mon oreille.

J'ai une méfiance méditerranéenne pour la neige; traversée de fascination. Je ne l'aime vraiment que rare, précaire, surprenante, dans les paysages qui sont les miens et qu'elle n'affecte que le temps d'une matinée d'hiver. Ces neiges seules (celles de l'enfance) sont encore capables d'un creux dans la mémoire, d'une tiédeur de mémoire, transpercée d'une lumière éblouissante : des voitures exceptionnelles, prudentes, avançant silencieusement, allumant de grands yeux ouatés dans l'obscurcissement; d'éblouissantes fougères fraîches sur une vitre, à l'aube, dans la chambre, couverte de buée.

Mais je hais les champs de neige profonds, la neige des skis, des montagnes, la neige canadienne permanente, l'éternité convaincue de la neige dans les pays où elle règne.

Celle qui s'enlace à Louise dans ma vision n'est pas la neige effective de Boston sous la neige, des bords blancs puis gris de la Charles River, mais l'idée de neige, de froid lumineux floconneux opposé au corps nu et pénétrable de Louise, sa chaleur protégée contre le silence du dehors. Arnaut Daniel regarde le corps nu et désiré contre la lumière de la lampe; moi, comme Bernart de Ventadour, j'entrelaçais la luminosité de la neige à l'évidence des seins, des fesses de Louise devant mes yeux; elle n'était pas blanche, lumineuse, neigeuse elle-même; mais elle s'appropriait la clarté de la neige; et la neige, dehors, devenait obscure.

Louise lisait le provençal avec une voix anglo-saxonne un peu, certes, mais surtout attentive aux consonnes finales, presque catalane. Un matin, la fenêtre ouverte sur de l'air un moment, j'ai pris une poignée de neige récente à la fenêtre et je l'ai posée sur la table à côté d'un grand bol brûlant de café américain, peu opaque.

Je vois les « Blueberry muffins » et j'entends Jordi de Sant Jordi :

> *Jus lo front port vostra belle semblança*
> *De que mon cors nit e jorn fa gran festa*
> *Que remiran la molt bella figura*
> *De vostra ffaç m'es romassa l'emprenta*
> *que ja per mort no se-n partra la forma*

....

181 *La tentation de l'exil*

Plusieurs nuits, ce printemps-là, j'ai imaginé vivre avec Louise. C'était, en fait, une tentation de l'exil, plus qu'une véritable attirance pour le mode d'existence universitaire américain. C'était une forme détournée, pas franche, du désir d'érémitisme qui m'a submergé quelques mois plus tard, après ma méditation sombre et exaltante à la fois de Madrid.

Il n'était pas question d'importer Louise en France; je ne pense pas qu'une telle vie lui aurait convenu. Et, pour moi, la coupure avec mon état antérieur aurait été insuffisante.

Mais venir aux USA supposait que je puisse y trouver du travail. Mon invitation permanente, à Johns Hopkins même ou dans l'Iowa, sembla un instant possible. Mais rien ne vint.

Je ne crois pas que j'aurais franchi ce pas, même si la possibilité réelle m'en avait été donnée.

La raison la plus claire en est la poésie. Plus encore que le peu de goût que j'ai pour la société et la politique américaines en général, c'était la raison de langue qui aurait été, qui fut (j'aurais peut-être pu susciter une invitation en montrant plus d'empressement moi-même) déterminante : j'étais trop dépendant du contemporain poétique français, de ce qui bougeait et se précipitait alors en poésie française (en étant partie moi-même) pour ne pas avoir ressenti très distinctement que partir alors aurait été une erreur, une défaite, un renoncement.

Je n'avais pas abandonné mon *Projet*.

Et mon *Projet* était un projet de poésie.

Louise est venue trois fois me retrouver à Paris. Elle a passé un mois rue d'Amsterdam l'été de 1974. Je lui ai dit adieu à l'aéroport et je l'ai vu se diriger vers l'avion, une baguette à la main, et un sac de fromages.

III

Quinze minutes la nuit

182 (§ 37) *Je me suis assis sur la dalle de pierre plate, dans la nuit tiède*

Dans les soirs de juillet, d'août, les plus brûlants, cette même dalle de pierre, grise et plate, conserve longuement la chaleur. Comme la colline regarde vers l'ouest, une plaine de vignes, de garrigues, les soleils, soir après soir, composent leurs cartes postales de couchants, à la splendeur modeste. Après trente ans, et peut-être plus d'un millier de ces minutes (l'instant avant la rencontre géométrique du disque rougeoyant avec la droite de l'horizon), chaque nouvelle contemplation chaude et muette, l'absence totale de surprise de ces engloutissements immuables derrière une terre vague et distante offrent la presque certitude d'une reconnaissance, l'assurance d'une continuité. Mais l'effet en est ambigu : parfois un engourdissement paisible, une angoisse sourde plus souvent. La plupart du temps je m'y abandonne à une dérive sans pensée, sans émotion : j'absorbe le rouge, la rumeur oscillante des vignes, de la route, des insectes, les grands préparatifs d'ombres qui ont, chaque fois, un air de finalité.

Immédiatement au-dessous de moi, sur la pente proprement dite, jusqu'à la restanque du bas qui marque le pied de la colline (c'est une colline assez modeste, guère plus d'une dizaine de mètres de hauteur), et le sentier maintenant envahi presque impénétrablement de genêts, de ronces et de romarins, sont les oliviers. La lumière dernière, insistante, du jour donne à leurs feuilles, à l'envers de leurs feuilles surtout, la juste quantité de gris et d'argent sourd (c'est ainsi que je les vois, éliminant presque tout le vert de mon souvenir) qui représente pour moi la *mesure* même de tout paysage, le centre de tous les assemblages de couleurs.

Le gris de l'envers étroit d'une feuille d'olivier a, dans l'ordre du visible, une importance au moins autant éthique qu'esthétique. Il corrige, d'avance, tous les débordements, toute la profusion excessive des rouges du soleil crépusculaire, insiste sur la réticence, la sobriété, la pauvreté même de moyens de toute beauté. Une pente d'oliviers est sans luxe, sans effets. Dans ce gris je situe la « moyenne dorée », la proportion modèle du monde, la constante essentielle à l'équilibre de tout paysage : loin de la mer (qui est à soixante, soixante-dix kilomètres, vers Narbonne), ces oliviers marquent le lieu comme méditerranéen. Et d'autant plus qu'ici, en ce bord du Minervois, ils sont parmi les derniers d'une zone frontière, puisque à quelques kilomètres seulement de là ils disparaissent, et c'est la montagne Noire, avec ses châtaigniers.

La couleur olivier, ainsi, a une fonction harmonique : établir une continuité (en apparence nécessaire) entre l'ordre des verts : verts des figuiers, des pins, des vignes, des cyprès d'une part; et celui des gris d'autre part : les gris presque éteints, presque cendreux des thyms, des lavandes desséchés par l'été avançant, presque poussiéreux. L'harmonie est atteinte le plus parfaitement dans les grandes chaleurs, quand l'herbe a à peu près disparu, et les fleurs, quelque part entre le quatorze juillet et les derniers jours d'août. Écrasées, confondues par la toute lumière de l'après-midi, les composantes du gris et du vert végétal se réassemblent, à l'heure finale, avant de disparaître à nouveau, sur l'autre versant, qui n'est plus celui du blanc mais celui du noir, le noir de l'assombrissement nocturne.

Cette tension du vert et du gris, que la feuille d'olivier porte en elle, comme son signe à double face, la durée la donne à l'amandier, par son fruit. La fourrure verte de l'amande perdant son humidité printanière arrive, dans ces mêmes semaines du cœur de l'été, avant de mourir, cassante et noire en décembre, à un gris pelucheux et doux, sec, mais vivant encore, vivace. La parenté avec l'olivier alors s'affirme. Ils appartiennent à ce moment à la même région privilégiée du territoire des couleurs. Et moi j'ai besoin de cet équilibre de gris et de verts multiples pour supporter ce qui, sans leur affirmation d'austérité, ne serait qu'un banal excès de rouge au soleil couchant.

La pierre elle-même, cette pierre n'est pas autre, pas irréductiblement autre : large et grise, plate, d'un gris lui aussi végétal par proximité, par ressemblance, par assimilation; imaginairement recouverte d'olivier, de thym gris, de lavande grise; adoucie et comme vêtue d'un gris d'amande. Chaude.

183 *La dalle de pierre plate sur laquelle je m'assieds*

La dalle de pierre plate sur laquelle je m'assieds, les jambes pendantes contre la paroi de la restanque, au-dessus des oliviers, au-dessus et à côté des pins, est dans une trouée, comme un col en formation : trouée dans la masse végétale qui couvre les pentes et le dos de la colline, trouée dans la terre aussi puisque, à cet endroit même, la colline, sans protection, se ruine et se creuse.

L'allée des cyprès échoue là, ne parvenant pas à prendre pied dans le peu de terre qui couvre à peine le roc, sinon par deux ou trois individus isolés, minuscules, *bonzaï* naturels.

Les premiers cyprès sont déjà vieux, ils étaient là avant nous, il y a plus de trente ans, ils formaient une allée montante ; rude en bord de pente, qui s'arrêtait brusquement à mi-hauteur, comme si celui qui les avait plantés, qui avait conçu cette architecture végétale, parmi les plus belles qu'on puisse imaginer, une allée de hauts cyprès sombres, grimpante, abrupte, faisant irruption sur le ciel éblouissant d'une colline, loin, dans le haut (il y a bien une intention de bâtisseur dans la constitution d'une allée ; la haie de cyprès, utilitaire, pour la protection des maisons, des vignes, des vergers, est généralement considérée comme suffisante, est rarement redoublée), s'était interrompu brusquement dans son effort, avait renoncé. L'allée était aussitôt apparue à mon père comme trop courte, comme inachevée, et il entreprit de la prolonger jusqu'au sommet.

Une autre raison de l'inachèvement apparut alors : car les nouveaux cyprès ainsi plantés ne poussaient pas, paralysés par l'absence de terre et la terreur du vent : le vent (le cers violent venu de l'ouest et du nord) sans cesse heurte la colline, ayant pris de la vitesse dans le creux habité de vignes, là-bas, vers Conques, dans ces lointains où s'enfoncent les soleils crépusculaires.

Très longtemps l'allée resta ainsi, ridiculement, affublée de cet appendice malheureux de cyprès nains, qui ne disparaissaient pas, qui survivaient tenacement mais n'arrivaient pas à rompre l'équilibre imposé par la sécheresse et le vent, pour parvenir à leur taille naturelle de grande flamme et bougie verte.

Et puis brusquement, un printemps de clémence exceptionnelle, ils se mirent enfin à grandir, et derrière eux, sauf à l'extrême bout du chemin, à deux ou trois mètres de la dalle de pierre, les pins maintenant abrités se mirent à grandir aussi, couvrant la colline jusqu'au bord de la vigne.

Aujourd'hui la haie double, l'allée, est achevée, entière, harmonieusement projetée jusqu'à sa fin naturelle. Dans la nuit deux lignes noires, pénétrées séparées d'un peu de lumière, de blancheur d'étoiles, de lune, comme deux lignes de prose, à l'encre.

184 *Quinze minutes la nuit au rythme de la respiration*

Une photographie sur ma table, à la gauche de la machine à écrire, dans les marges de la lumière de la lampe, qui projette l'ombre du bord gauche de la machine sur sa marge droite et baigne le reste de l'image, immobile entre la gomme, le taille-crayon, deux Kleenex, des bouts de papier chiffonnés couverts au crayon une panoplie de feutres des quatre couleurs, le tapuscrit du ' grand incendie de Londres ' dans ses chemises jaune-orange ; image-page allongée, à l'italienne, d'un format légèrement plus grand que le *journal*, le livre extrait des méditations manuscrites d'Alix, où elle figure, en réduction, p. 78 :

Photographier le familier - ... - le merveilleux, l'étrange - et plus encore la conjonction des deux.

La photographie noir et blanc, la seule pour moi, mime la page, l'encre de ses signes empruntés à la lumière. Ma lampe aujourd'hui la place dans une marge d'obscurité où elle rayonne de tout son noir, du noir dominant qui l'habite. Une grande masse noire la couvre plus qu'à moitié, au premier regard homogène (au regard pris dans les frontières de la lampe et de l'obscurité) mais qui ensuite sépare en deux plages, toutes deux noires, mais l'une, celle du dessous, au bord inférieur de l'image moins épaisse, moins absolue ; la séparation de ces deux intensités de noir crée un angle, la plage inférieure apparaît horizontale, la plage supérieure verticale, mur d'obscurité dressé à la surface d'un sol lui-même obscur et noir, mais un peu moins.

Vers le haut, la masse des noirs verticaux se sépare à son tour, cette fois distinctement, se découpe même, se déchiquette en pics creusés de golfes lumineux : montagnes très abruptes, plusieurs plans de montagnes s'enfonçant vers un arrière de l'image, relief imaginé par le devenir gris des noirs; montagnes regardées du plancher d'une vallée sombre, sombre de la muraille de noirs qui se dresse verticalement devant elle; vallée sombre et sans détails, à peine touchée, minimalement, de quelques photons tombés du ciel sans couleur; montagnes s'enfonçant dans d'autres montagnes, grises et éclairées de très loin.

Ce seraient montagnes sauf que les airs, au-dessus, sont envahis aussi de noir : du noir cette fois comme une fumée; les montagnes ne sont pas solides, profondes, mais de fumée épaisse, noire de fumée dont on ne voit pas les flammes, ou plutôt dont les flammes sont noires elles-mêmes, sont la fumée même; un feu noir; un feu-fumée d'une seule noire couleur; un feu sombre qui renvoie la lumière qui l'exhibe, qui le dessine, qui le pénètre de gris en arrière et le dissipe en fumées.

Ce ne sont pas des montagnes, ce sont des flammes inclinées vers la gauche; des flammes obscures qui ne poussent pas toutes droites vers le ciel, mais s'inclinent sous la lumière visible à droite, la lumière lointaine qui les enveloppe de sa clarté, les définit comme flammes; les flammes s'inclinent sous la lumière, et sous le vent invisible aussi, venu du coin lumineux, à droite, où le golfe de lumière est le plus profond; le vent et la lumière viennent de là, comme la photographie le révèle, dans sa naïveté irréductible (ce n'est pas de la naïveté du photographe qu'il s'agit mais de la simplicité apparente native de cet art, qui joue à la vérité) : « le familier, l'étrange, la conjonction des deux ».

Chaque mèche, plumeau, de flamme apparente est double; chaque bougie de flamme a son double gris en arrière; son halo de gris, son portrait gris par la lumière, qui apparaît s'y être prise à plusieurs fois, avoir marqué une hésitation.

185 *Une nuit sans lune, des étoiles*

Une nuit sans lune, des étoiles : les étoiles donnent leur lumière, mais pour les sels photographiques comme lentement, comme si la distance extrême se marquait moins par la faiblesse de la trace que par sa lenteur, son hésitation à impressionner la surface d'infime épaisseur.

La photographie n'est pas de flammes, même noires, pas de

montagnes avalées par l'obscurité de nuit, mais de cyprès ; les cyprès dans la nuit bougies noires bougées de vent, flammes-fumées. M'asseoir sur la dalle tiède, dans le vent nocturne d'octobre, les jambes contre la paroi de la restanque, c'est retrouver la chaleur déjà de la même pierre, en août, le début d'août luxueux de 1980 : l'air empli d'étoiles, les vignes, les oliviers tracés au noir, au blanc poussiéreux, la nuit respirante à la chaleur, aromatique. Dans la nuit sans lune, mais avec étoiles, sur la dalle chaude, l'idée vint à Alix de photographier la nuit, de tenir sur la page noir et blanc le poids de cette lenteur, de cette lumière archaïque venue de confins extrêmes ; c'est une photographie de la nuit nue, et une photographie faite nue dans la nuit, l'appareil photographique tenu contre la poitrine sans étoffe, contre la poitrine même, nue.

Il est naturel de se tourner vers ces arbres, les absorbant, plutôt que vers les distances, Conques, la montagne Noire, la pente des oliviers, les azeroliers, les pins enchevêtrés de genêts.

L'allée des cyprès vient jusque-là, jusqu'aux grandes pierres plates, et dans la nuit, cette nuit de chaleur dont je parle, en août, les deux lignes montantes étaient noires avec insistance, recevant le regard des étoiles comme d'infimes piqûres, sans se laisser en aucune façon toucher, insinuer, pénétrer.

Chaque cyprès a forme de flamme, est un corps noir même dans le jour, à la lumière du jour même rayonne vers l'intérieur de soi, comme la flamme, elle aussi absorbée en soi, vers la dévoration interne de l'air. Les cyprès montent vers le ciel comme colonnes d'air brûlant et noir. Les cyprès de l'allée demeuraient visibles chacun dans la procession grimpante jusqu'à nous sur la colline, visibles détachés par leur obscurité excessive même, un défi à toute appréhension par le regard fixé. Ils semblaient, vus du lieu le plus haut et le plus clair de la colline, ne pas pouvoir être montrés. Ils n'étaient nullement hostiles, ni éloignés par solitude et silence, insaisissables par indistinction. Mais la file double de leur succession nombrable récusait toute mesure par une *dépiction*.

Et le désir aussitôt, le désir sans réflexion, comme tout désir, est venu de cette résistance opposée non à la vue, mais au dessein d'offrir à la vue voyante cette mémoire plate et reproductible à l'identique, une photographie. Cela signifiait en même temps un élan, d'identification dans l'autonomie, une sympathie avec la forme, avec son ascension droite et obstinée.

186 *Les cyprès ne bougeaient pas*

Mais les cyprès, alors, ne bougeaient pas : au moment dont je me souviens, le moment que j'écris, octobre, il y a du cers tiède qui s'enveloppe autour de mes jambes, qui vient battre obstinément la colline en haut de la restanque, et les cyprès s'inclinent, non vers la gauche dans un souffle venu de l'autre direction mais vers l'avant ; ils s'inclinent de la tête comme ils le font toujours, comme des flammes, comme des bougies nocturnes dans une chambre fenêtre ouverte, comme des montagnes chargées de nuit quand on les contemple fixement.

En octobre de cette année antérieure, dans le cers tiède de deux heures du matin, je me souviens, comme je me souviens maintenant, de la photographie intitulée *Quinze Minutes la nuit au rythme de la respiration* (les deux souvenirs se superposent, deviennent indistincts ; je me souviens maintenant, devant l'image, et je me souviens m'être souvenu), du moment d'août, nocturne aussi ; à ce moment les cyprès ne bougeaient pas. Et, Alix se levant, regardant l'allée des cyprès, l'air était chaud, immobile, en repos dans la nuit, il n'y avait pas de vent.

Si, sur la photographie, les flammes des cyprès noirs comme des fumées s'inclinent vers la gauche, ce n'est pas un vent révolu d'août pesant sur les arbres dont l'image, fixée interrompant la vue et la lumière, signale les effets, mais le mouvement de l'appareil qu'Alix avait posé contre ses seins, à nu, contre la chaleur ; l'inclinaison est celle de la direction du regard, mécanique, de l'appareil.

Pris la nuit avec ouverture de 10-15 minutes. Légère oscillation de bas en haut due à ma respiration.

L'oscillation, due au souffle, projette l'être des cyprès en fumée vers le haut ; vers le haut et de côté. Les cyprès, sur la gauche de l'image, s'envolent dans une fumée noire et grise vers le ciel, non sous l'effet « pneumatique » du cers mais sous l'effet du souffle, qui soulève les seins et l'appareil photographique. L'image hérite du souffle.

C'est pourquoi cette photographie est autant photographie du souffle que les cyprès : attention au souffle, au rythme et mouvement de la respiration envahissant, indirectement, par ses effets de durée captant la lumière minuscule des étoiles, l'inerte et immobile image de l'allée de cyprès.

399

Cette photographie est un hommage malheureux et passionné à la respiration, au souffle, que son auteur, asthmatique depuis l'enfance (elle allait en mourir), trouvait ainsi à signer dans l'image, à tracer à l'encre de ces bougies noires dont les formes, si nettes, si autonomes dans la nuit du monde, se dissipaient en l'air sur la vitre de l'image, comme si une buée l'avait couverte. L'effet indirect, à distance, du souffle, dessaisissait les formes-cyprès de leur netteté, de leur identité même.

Une image de l'amour et du malheur de l'air, de la passion impossible du malade de l'air pour le souffle; et l'allée de cyprès, avec sa tranquillité, sa montée sombre, et son histoire, était métonymie parfaite de ces lieux familiaux où précisément l'asthmatique ne peut être sans souffrir, sans étouffer.

187 *L'allée de cyprès n'est pas montrée directement*

L'allée de cyprès n'est pas montrée directement sur l'image, mais de côté; le détail des raisons techniques (la quantité de lumière, sa direction, certainement) m'échappe, n'a pas d'importance; l'image est image nocturne de l'allée de cyprès, c'est ainsi, parce que je le sais et je le dis. Pendant la prise, et ses quinze minutes d'immobilité, je m'étais assis sur un petit mur bas de pierre sèche qui est au pied du pigeonnier; un mur bordé de figuiers, comme souvent, selon l'organisation ancienne des paysages méditerranéens : les murs accompagnent les figuiers, ou les figuiers les murs; les figuiers embrassent les murs et parfois les pénètrent, les disloquent, de l'embrassement de leurs racines qui disjoignent les pierres.

Le pigeonnier s'élève dans les vignes, sur la colline, seul. Il y a trente ans, en prenant possession de cet endroit, moins confortable alors qu'aujourd'hui (il n'y avait pas l'eau courante, ni l'électricité partout), j'avais décidé de vivre là (la vie provisoire des mois d'été, des vacances) et je m'étais emparé de ce bâtiment étroit, à quatre hauteurs – plutôt qu'étages; il n'était pas conçu pour une habitation humaine, mais pour celle des pigeons, qui avaient droit à des niches individuelles de briques dans les murs.

Comme le sol était en pente, on y pénétrait à deux niveaux : celui du bas avait une porte, ouvrant sur le petit mur bas et les figuiers vers l'extérieur, vers l'intérieur sur une minuscule pièce, à outils sans doute, sans fenêtres. Celui du haut, sur l'arrière, avait une fenêtre, fermée d'un volet, s'ouvrant à cinquante centimètres du sol (déjà donc beaucoup plus haut que le premier niveau) et qui avait ma préférence pour l'entrée « chez moi » (j'avais vingt ans, ou presque, les escalades ne m'effrayaient pas). Ici encore, sur le plancher de cette deuxième « pièce », je pouvais me tenir debout. L'étage supérieur, intermédiaire et troisième, celui des chambres à coucher des pigeons (qui l'avaient depuis longtemps abandonné, la « campagne » de Saint-Félix, dans les dernières années du précédent propriétaire, n'était plus guère entretenue (circonstance regrettable en soi mais heureuse pour mes parents qui avaient pu ainsi l'acquérir sans trop de difficultés financières)), était, lui, de « plafond » très bas et je ne pouvais pas m'y tenir debout. Pas plus d'ailleurs au dernier étage, qui était celui que j'avais adopté comme chambre, sous le toit.

J'avais hissé là, non sans mal, un sac de couchage et quelques couvertures (guère nécessaires pendant juillet et août mais plus utiles en automne, ou en hiver). La « chambre » était largement ouverte à l'air et au vent, par deux demi-cercles à hauteur du plancher, sans aucun rebord. Allongé sur mon sac de couchage (je ne pouvais qu'être couché, ou assis), parallèlement aux ouvertures du mur, j'apercevais, loin dans la nuit, les lumières du village de Villalier, plus loin encore celles de Carcassonne et parfois, les matins de vent « marin » qui rendaient l'air transparent dans cette direction, les Pyrénées, tempes minces et blanches, proches.

188 *La buse*

Quand j'ai décidé de m'emparer du pigeonnier, montant avec précautions d'étage en étage pour vérifier la viabilité de mon installation (les planchers étaient en bon état, le toit ne fuyait pas, les marches ne cédaient pas sous mon poids, les murs avaient besoin de crépi mais étaient sains, larges, sans crevasses (les bâtisseurs n'avaient pas méprisé le confort des pigeons)), j'ai découvert que l'endroit était habité ; pour m'y loger, je devais en chasser un squatter : c'était un squatter animal et aviaire, qui avait marqué le territoire (la partie supérieure où je voulais mettre mon « lit ») de manière odorante et indiscutable, par des plumes et des excréments. Une buse.

Elle n'abandonna pas sans lutte les lieux. Mon irruption soudaine et inattendue (c'était le plein jour, un après-midi d'été, elle dormait sans doute) lui causa vraisemblablement une grande frayeur, et elle s'enfuit avec un fracas affolé d'ailes et de cris (je ne sais comment la langue désigne le cri des buses, dont je me souviens seulement qu'il est plutôt inharmonieux). Mais plusieurs nuits de suite, peu après l'établissement de l'obscurité nocturne (j'étais dans la nuit, sans lumière que d'une lampe électrique), par obstination, incrédulité ou intimidation, j'ouvris les yeux (je dormais) et je la vis posée sur le bord dans l'ouverture sans vitres, immobile et me regardant; je bougeai, j'allumai la lampe, et elle s'enfuit. Son attitude n'était pas agressive, mais je l'interprétais plutôt comme chargée de reproches, une indignation de gros oiseau un peu bête, de volatile demeuré, incapable de s'habituer rapidement à cette nouvelle situation (pensée indiscutablement colorée par la réputation de la buse, à laquelle il n'est pas attribué un QI extrêmement élevé, je ne sais pour quelle raison (la chouette, au contraite, passe pour sage, sa propagande ayant été remarquablement conduite par les Anciens, qui en font quelque chose comme un Platon des Oiseaux, et elle la conservera sans doute encore longtemps, malgré les efforts méritoires de A. A. Milne dans les livres de Pooh)).

Quelles qu'aient été ses raisons réelles, la buse revint ainsi chaque nuit pendant une dizaine de jours; puis ses visites s'espacèrent et elle ne réapparut pas les autres années.

Vu du bas, du bas de la vigne qui s'élève vers lui, le pigeonnier lui-même (que j'ai abandonné aussi, plus tard, comme trop inconfortable, mais que j'ai longtemps rêvé, sans aller au-delà de l'intention, d'aménager en demeure viable (l'eau, la lumière sont proches et les alvéoles à pigeons auraient fait d'excellentes niches à livres)) apparaît comme un grand oiseau posé sur le sol, avec deux grands yeux en demi-cercle, regardant les lointains du fond de ses orbites sombres, d'un regard contemplatif d'une infinie sagesse, une chouette, en somme; une Minerve du Minervois.

189 *Le noir même*

Chaque cyprès dans l'obscurité est plus obscur encore, redouble d'obscurité contre l'obscurité, scelle le noir dans sa forme, devient par exellence l'état du noir.

Au mouvement de l'appareil photographique l'unité de la chose cyprès, chose noire, s'altère, les minutes qui passent l'éparpillent, la défont. La frontière du corps de l'arbre se dissout, la forme de l'arbre, ce stylite de flamme sombre, s'érode : forme-corps, elle perd la substance, l'obscurité, qu'elle enferme : l'image, la succession d'images qui se constitue « piction » sur le négatif, répand du cyprès en l'air de la nuit étoilée : une illusion de fumée charbonneuse, aspirée vers le ciel en oblique, vers la hauteur claire, au rythme de la respiration.

Mais tout se passe à la vue future comme une apparition ; comme si nous était rendue visible une réelle déperdition de substance, comme si était dissimulée aux yeux qui ne voient pas, qui sont incapables de voir dans la durée, cette perte. Nos yeux ne voient pas continûment, mais instant après instant, images formées les unes après les autres autonomes ; notre regard en fait cligne comme une caméra, toute continuité de la vision est illusoire. Il y a un temps d'imprégnation des cellules corporelles par la lumière, d'où les intermittences de la vision que combat la reproduction photographique. A nos yeux, les cyprès successifs émis par le cyprès même s'interpénètrent, empiètent les uns sur les autres. Du noir tombe, ou s'élève, échappe.

La poitrine bougeait, et dans l'appareil une accumulation de messages sombres venus de chaque cyprès de l'allée débordait, avec projection d'encres, taches solaires.

La durée de pose a produit encore un second effet, plus étrange, plus révélateur peut-être : chaque cyprès semble dédoublé. Ce qui apparaissait d'abord au regard comme un arrière-plan de montagnes, une autre montagne semblable derrière chaque montagne, devient visible comme un *autre* cyprès derrière chaque cyprès, gris. Chaque cyprès est accompagné d'un double gris, très proche ; mais il n'y a pas entre eux de miroir, de surface réfléchissante ; le double gris de chaque cyprès noir est bien un double, diaphane.

L'être-noir du cyprès, sa forme noire, porte ainsi, invisiblement dans le jour, ainsi surgissant dans la révélation de la durée par un regard (l'appareil) indifférent (donc sans aveuglement), son double, son émanation diaphane. Échappant à toute lumière du jour, ce n'est pas l'intervention de la lumière qui le débusque mais au contraire la faiblesse de la lumière insistant longuement dans le temps. Il faut éclairer longuement et légèrement près du visage du cyprès, contre sa face, pour que se laisse voir l'ange de la forme, l'ange formel, ce « colporteur du silence » (Pseudo-Denys) que toute chose a contre soi.

Une photographie du noir, du noir même.

190 *La grande chaleur*

La grande chaleur d'août, la nuit passée à l'encre du repos, du retrait solaire, les formes des cyprès, des oliviers, des pins, sur une colline gris et blanc aux étoiles, tracée de vignes, remuée d'insectes, de rumeurs, tout cela était une profusion de signes; signes qui annonçaient tous, qui tous disaient ensemble : Méditerranée.

Pour Alix, le pigeonnier aux yeux de chouette sur la pente, le soleil omniprésent même dans l'obscurité, les cyprès enfin qu'elle avait choisis pour photographier selon la respiration, pour prendre image du souffle, évoquaient un autre paysage méditerranéen, qui est le paysage méditerranéen par excellence, par ancienneté, par tradition : la Grèce.

Car les trois années qu'elle avait vécues en Grèce (dans la Grèce des « colonels » pourtant, la stupide et mesquine dictature) au temps de sa pré-adolescence, avaient été les seules années de sa vie qu'elle pouvait dire heureuses; parce que paisibles dans l'oubli de la maladie, dans une période de latence, sans crises d'asthme, avant le retour au Canada. Et ici, dans cette version modeste des splendeurs méditerranéennes, à l'autre bout, ou presque, de cette mer, elle se retrouvait un moment dans l'illusion d'une renaissance, d'un nouvel apaisement. La capture des cyprès en masse dans le noir représentait cet espoir, ce mirage.

Un même mirage l'avait conduite, huit ans auparavant, en 1972, à quitter le Canada des neiges, du froid, de l'air gelé, irrespirable (l'air de l'hiver, le froid, l'humidité trop constante lui faisaient peur et, l'effrayant, précipitaient les crises, le désespoir), et, se penchant sur la carte de France, elle avait découvert une ville et son nom : Aix-en-Provence. Elle y avait vu la promesse d'une santé de nouveau possible, d'une solitude et autonomie studieuse dans la conquête de cette discipline grecque entre toutes selon notre imagination : la philosophie.

Elle n'avait pas trouvé la guérison mais une passion double, celle de dire et de montrer : Wittgenstein et la photographie.

191 *Beauté du noir*

Je voyais Alix devant l'allée de cyprès noire, dans la nuit, nue, sa nudité noire elle-même, sa chevelure, le noir à ses bras, à son ventre, s'essayant à un éloge inverse de la lumière, s'efforçant de capturer l'ange du noir, l'infime écart de la forme des cyprès à elle-même, à côté d'elle-même.
Je voyais et pensais à son rayonnement mélancolique, beauté du noir.

Nuit, c'est cela
               chevelure
de noir révérend la lumière n'est   que pour le définir
ainsi
          la nuit première précéda le jour
              les yeux
   noirs
          s'ils semblent obscurs   c'est qu'ils rayonnent
dans la profondeur   affectant   l'esprit derrière les sens
   ils sont moins
             le travail de la lumière   que son influx
Noir Nuit   Chevelure   Œil
   à travers toi *cela* déclare comment *lui*
     d'abord caché   dans la nuit de toujours
        assembla pour nous cette lumière seconde, noire,
qu'ensuite il nous donna ordinaire au regard
Son Image, donc toi.
            Qui pourrait mettre en doute que telle
            est la force qui regarde au-dehors
            à travers cela, le noir
            de tes yeux?
      supposons
            une vitre grise   ou noisette
            la vue et l'âme   brillent   là aussi
            mais quels rayons   alors   sont ceux qui
            passeront
            la vitre noire?

Et pourtant, nous fuyons, sans comprendre
aveugles
            à la gloire qui éclaire toutes régions
            de l'intérieur de toi   la vue
            s'arrête à l'enveloppe   et retourne
            vainement s'étant   tendue   vers toi

est-ce

parce que au-delà du noir il n'y a pas
une borne fixe horizontale
et que ainsi   comme il achève le blanc
on peut dire qu'il enveloppe toutes couleurs
    et en conséquence retient
    quelque chose de l'infini?

ou est-ce

que le centre de notre vue
voilé en sa nuit propre
discerne ta noirceur par un autre sens
que celui qui nous donne les couleurs,
diverses à la vue
    et en conséquence connues
    seulement par leurs différences

dis-nous

quand
sous ta chevelure noire   en ton œil noir
s'agitent les formes que nous pourrions
connaître
si nous ne voyons pas la lumière clair-
voyante
n'est-ce pas
que nous sommes aveugles à ce qui vient
d'en haut
à cause des soleils bas?

          (D'après Edward Herbert,
          lord of Cherbury.)

192 « *Of black itself* »

(Deux sonnets de Cherbury :)

Beauté du noir

Beauté du noir, qui, plus que la lumière commune,
    Dont la force ne peut renouveler les couleurs
    Sinon celles que la noirceur de nouveau réduit,
Demeure toujours invariable à la vue,
    Et tel l'objet égal sous le regard,
Toi que ne change pas le jour ni cache la nuit,

Quand toutes les couleurs que le monde dit brillantes,
    Et que poursuivait tant la vieille poésie,
Avec la nuit sont disparues et péries
    Quand de leur être-là il ne reste aucune trace
Tu résistes encore, si entièrement une,
    Que nous comprenons que ta noirceur est l'étincelle
D'une lumière inaccessible et que seule
    Notre noirceur peut nous la faire croire noire.

Autre sonnet, au noir lui-même

Noir, toi en qui toutes couleurs se composent,
    Et vers qui toutes retournent à la fin
    Couleur, toi, du soleil, là où il brûle,
Ombre où il devient froid; en toi s'enferme
Tout ce que la Nature pose, ou disposa
    En autres couleurs : de toi s'élèvent
Ces humeurs et complexions qui, révélées
    Parties de toi, agissent comme mystères
De cela, caché, ton pouvoir; quand tu règnes,
    Les caractères du destin brillent dans le ciel,
Pour nous dire ce que les Cieux ont voulu :
    Mais quand la lueur commune de la terre éclate à nos yeux,
Tu te retires tant toi-même que ton dédain
    Toute révélation à l'homme dénie.

Nuit

193 (§ 88) *Nuit, tu viendrais*

Ailleurs, ce pourrait être ailleurs, dans le temps ; la nuit, pas la nuit qui va finir, qui va disparaître au jour, mais l'autre nuit, celle qui vient :

nuit
tu viendrais

les lumières
pousseraient
sur les pentes
vidées de jour

je verrais sur
le mur la boue

jaune de la
lampe

venue du
dedans

nuit tu
viendrais

ce serait
nuit je verrais

dans le noir le
noir le

noir plus épais

que tu caches

NUIT

nuit
tu
viendrais
etc.

V

« The great fire of London »

194 (§ 98) *Une fin*

Cette bifurcation, la cinquième et dernière, vient à la fin : après le dernier *moment* du *récit,* et la dernière *incise.* Si cette *branche* de mon livre en cours devient livre, seule cette fin, bien que provisoire en intention, n'en sera pas moins une fin matérielle de livre, une fin pour un lecteur, et la continuité que j'ai choisie, après quelque hésitation, disposant les *bifurcations* à la suite des *incises,* elles-mêmes suivant la totalité du *récit,* qui forme un tout autonome, lui donne un éclairage particulier, lui confère une sorte de responsabilité : celle de conclure, ici et maintenant.

Ce que je vais faire, par les deux derniers moments (qu'une décision numérologique m'impose), mais de la manière la plus neutre possible.

Une fin donc, mais de quoi ?

Une fin possible d'un tout, ' le grand incendie de Londres ', qui ne sera pas terminé, tel que je le conçois à l'instant même d'écrire ces mots, mais qui sera sa fin effective, s'il s'arrête là ; cette fin est par conséquent nécessairement décevante, au regard de ce qu'on peut attendre d'un fin romanesque (y compris celles qui utilisent la stratégie de la brusquerie, de l'ellipse, de l'inachèvement apparent) : mais j'ai dit que, passé un certain seuil (et j'ai dit aussi, déjà, que ce seuil était passé), ' le grand incendie de Londres ' sera achevé ; il finira, d'où il s'ensuit que peut-être il finit ici, en cette bifurcation.

S'il finit ici, je n'aurais pas dit ' en clair ' sa définition. Pourtant, il se sera conformé à sa définition non dite et, puisqu'il en est ainsi, sa définition pouvait être omise. Mais s'il se poursuit au-delà, en d'autres *branches* (j'en imagine plusieurs), je prévois toujours de dire les mots manquants dans la proposition existentielle devant lui servir de définition, et, s'il se trouve que j'y parviens (ce sera, alors, que l'achèvement prévu et l'achèvement réel seront très proches, ce qui est loin d'être le cas maintenant, où j'envisage une continuation étendue), il sera possible pour le lecteur d'évaluer la pertinence de mon affirmation : « ' le grand incendie de Londres ' est .. ..».

Mais alors, cette branche 1, *Destruction,* considérée seule, quelle est-elle ?

Destruction, mais de quoi ?

195 *Je ne répondrai pas ici*

Je ne répondrai pas ici, complètement et distinctement, à cette question.

Bien évidemment d'abord parce que cette branche, en intention, est une branche première, doit être suivie d'autres, et le sens de l'ensemble déterminera, en grande partie, le sens de chacun de ses parties ; si elle reste seule écrite, son sens propre s'en trouvera altéré, mais, bien évidemment aussi, je ne peux pas me placer dans cette hypothèse.

Si réduit à sa branche *Destruction,* ' le grand incendie de Londres ' est, il me semble, mise en mouvement de la destruction, de l'effacement de ma mémoire, de ce qui dans ma mémoire l'oriente et l'organise autour du double rêve de ma vie, un Projet et un roman, tous deux maintenant détruits.

S'il en est ainsi, ' le grand incendie de Londres ' actuel, cette branche unique, est quelque chose comme *The Great Fire of London* : Londres étant le lieu de ma mémoire, en ses souvenirs ; ses maisons, mes souvenirs ; et le feu, ma mémoire qui les détruit.

Car je ne recherche pas les traces du temps pour, les rejouant devant mes propres yeux, rentrer, au moins le temps d'un récit, dans la jouissance d'une possession perdue, je les atteins pour les détruire, pour les abolir.

Et c'est pourquoi les récits du « great fire of London » de 1666 achèveront ' le grand incendie de Londres ', branche 1.

196 *Du feu*

(Pris dans *An Historical Narrative of the Great and Terrible Fire of London* :)

« Now the fire gets into Blackfriars, and so continues its course by the water, and makes up towards Saint Paul's church on that side, and Cheapside fire besets the great building on this side; and the church, though all of stone outward, though naked of houses about it, and though so high above all buildings in the city, yet within awhile doth yield to the violent assaults of the allconquering flames, and strangely takes fire at the top : now the lead melts and runs down, as if it had been snow before the sun. And the great beams and massy stones, with a hideous noise, fall on the pavement and break through into Faith church underneath; and great flakes of stone scale and peel off strangely from the side of the walls. »

(Pris dans *The Diary of sir John Evelyn* :)

« *I* went this morning on foot, as far as London Bridge, with extraordinary difficulty, clambering over heaps of yet smouldering rubbish, and frequently mistaking where I was; the ground under my feet so hot, that it even burnt the soles of my shoes. I was infinitely concerned to find that goodly church, St. Paul's now a sad ruin, and that beautiful portico now rent in pieces, and nothing remaining entire but the inscription in the architrave, showing by whom it was built, which had not one letter of it defaced! it was astonishing to see what immense stones the heat had in a manner calcined, so that all the ornaments, columns, friezes, and projections of massy Portland stone, flew off, even to the very roof. »

Table

INSERTIONS

incises

IMPRIMERIE FIRMIN-DIDOT À MESNIL-SUR-L'ESTRÉE
DÉPÔT LÉGAL : JANVIER 1989 – N° 10472 (10532).